Pour réapprendre à aimer

*

La valse du destin

ANNIE CLAYDON

Pour réapprendre
à aimer

Traduction française de
C. DUTEIL

H HARLEQUIN

Collection : Blanche

Titre original :
THE DOCTOR'S DIAMOND PROPOSAL

© 2017, Annie Claydon.
© 2017, HarperCollins France pour la traduction française.

Ce livre est publié avec l'autorisation de HARLEQUIN BOOKS S.A.

Le visuel de couverture est reproduit avec l'autorisation de :

Homme : © MASTERFILE/ROYALTY-FREE DIVISION

Tous droits réservés.

HARPERCOLLINS FRANCE
83-85, boulevard Vincent-Auriol, 75646 PARIS CEDEX 13
Service Lectrices — Tél. : 01 45 82 47 47

www.harlequin.fr

ISBN 978-2-2803-6740-0 — ISSN 0223-5056

1.

Dix ans plus tôt…

La soirée avait mis du temps à démarrer, mais à 23 heures la maison grouillait de monde, et Leo Cross commençait à étouffer sous son déguisement.

Cela avait pourtant eu tout l'air d'une bonne idée, au départ. Avec cinq autres étudiants en médecine, il louait une grande maison de l'Ouest londonien, et la série d'anticipation *Orion Shift* était devenue leur rituel du vendredi soir. L'unique moment de la semaine qu'ils ne consacraient pas à leurs études, aux petites amies ou au repos. Quelle meilleure façon de fêter leurs résultats de troisième année qu'en transformant le salon en site futuriste, à grand renfort de papier alu et de planètes gonflables ?

Incarner un membre de l'équipage du vaisseau spatial *Orion Shift* avait semblé logique. Mais la lourde veste à col montant n'était pas la tenue rêvée pour une chaude soirée estivale. Malheureusement pour Leo, la régulation thermique corporelle était encore du domaine de la science-fiction.

Une fille à la peau bleue vêtue d'un justaucorps se glissa jusqu'à lui.

— Capitaine Boone ! Tu es terriblement chou, ce soir.

— Maddie, ça va ?

— Tu veux un cocktail tellurien ? demanda-t-elle en glissant un bras autour de ses épaules.

A l'évidence, elle s'était encore disputée avec Pete. Ils ne tarderaient pas à se réconcilier, mais pour l'heure Pete s'intéressait de près à une rousse déguisée en hydre *fractalienne* à l'autre bout de la pièce, et Maddie avait apparemment décidé de lui rendre la monnaie de sa pièce.

— Non merci, répondit Leo en se dégageant.

Elle lui tira la langue tandis qu'il opérait un repli prudent pour se fondre dans la foule.

Il se fraya un chemin jusqu'à la cuisine et, évitant les invités agglutinés autour du tonnelet de bière, sortit dans la cour. La caresse de la brise tiède sur son visage était la bienvenue. Contournant les petits groupes qui bavardaient devant un verre, il traversa la pelouse et se réfugia dans le coin sombre sous les arbres au fond du jardin.

Il frôla quelque chose de parfumé et, dans un éclair fluo-rescent, une silhouette se détacha des ombres. Le lieutenant Tara Xhu en personne se tenait dans un rayon de lune.

— Encore un fugitif ? dit-elle avec un sourire amusé.

— Si on veut. Comment avez-vous échoué ici ?

Tara — ou quel que soit son nom — haussa les épaules.

— Aucune idée. Je n'ai regardé qu'un épisode, pour trouver une idée de costume, je ne connais rien à la stratégie de Tara. Vous êtes le capitaine Boone ?

Les yeux de Leo commençaient à s'habituer à l'obscurité, et ce qu'il voyait lui plaisait beaucoup. Toute de noir vêtue, elle portait des leggings, des bottes, et un haut sans bretelle qui moulait ses formes minces et faisait ressortir les écailles vert argent sur ses épaules. Une réplique de pistolet para-lysant était fixée à sa cuisse, et des arabesques métalliques épousaient ses doigts et le dos de ses mains. Ses cheveux bruns striés de vert étaient retenus au sommet de son crâne par des épingles en argent en forme de poignard.

Il était sous le charme. Comme elle haussait un sourcil interrogateur, il prit conscience qu'il scrutait les écailles qui, recouvrant sa joue et son cou, disparaissaient sous son top.

— Joli costume. Vos écailles sont plus vraies que nature.

Le capitaine Boone aurait sûrement eu un commentaire plus percutant, mais il avait l'expérience de la galaxie, contrairement à Leo.

— C'est de la peinture irisée. Je me sentais un peu

idiote dans le bus pour venir ici, dit-elle avec un sourire en reprenant sa place sur le vieux banc sous les arbres. Alors, vous fuyez quelque chose ou vous voulez juste prendre l'air ?

— Un peu des deux, répondit-il, s'asseyant près d'elle.

Il émanait de cette Tara-bis une grâce, une joie pétillante qui adoucissait le côté guerrier de son personnage.

— Vous habitez ici ? demanda-t-elle.

— Oui.

— Alors vous devez être étudiant en médecine.

— Exact. J'entre en quatrième année, c'est probablement notre dernière fête avant un moment.

— Il paraît que c'est une année difficile. Mais intéressante…

Il était de cet avis, et avait hâte de mettre en pratique tout ce qu'il avait appris jusqu'à présent.

— Et vous, que faites-vous ? demanda-t-il.

— Rien pour l'instant, dit-elle avec un haussement d'épaules. Je rentre d'une année en Australie.

— Ah ? Comment c'était ?

Elle rit.

— Un peu trop grand pour se résumer en une phrase. Mais j'ai adoré.

Elle triturait les arabesques d'argent qui couvraient ses mains.

— Vous avez toujours voulu faire médecine ? demanda-t-elle.

— Oui. Mon oncle est médecin, et, à neuf ans, je l'ai vu sauver une vie. Je n'ai plus jamais voulu faire autre chose.

Elle hocha la tête.

— Alors vous avez une vocation. Une mission dans la vie.

Ce n'était pas l'impression qu'il avait quand il était plongé dans ses manuels, tard dans la nuit. Mais elle semblait trouver cela exceptionnel.

— Je cherche encore la mienne, avoua-t-elle. Alors je vais aider mon père à tenir sa ferme pendant un an en réfléchissant aux universités que j'aimerais intégrer.

— Vous trouverez, répondit-il avec l'assurance de ses vingt et un ans.

Elle parut soupeser l'idée, puis sourit.

— Rien de tel que curer une étable pour se découvrir des aspirations.

— Je vais vous chercher un verre ?

Il espérait qu'elle accepte. Qu'ils pourraient continuer leur conversation en aparté, loin du bruit de la fête.

— Non merci. J'ai goûté un des cocktails bleus, c'est trop sucré pour moi… Il y a un café au coin de la rue, vous croyez qu'il est encore ouvert ? demanda-t-elle après une hésitation.

— Il ne ferme pas de la nuit, dit-il, ravi des douces perspectives qui s'ouvraient à lui.

— Ça vous dirait d'y aller ?

Les costumes de Leo et Tara n'étaient pas plus extravagants que ceux de certains clients du bar, mais elle triturait ses cheveux verts et sa quincaillerie argentée d'un air gêné, aussi lui avait-il dit en riant de ne pas s'en faire : en tant que capitaine de vaisseau spatial, il se devait d'être accompagné de son premier lieutenant.

Ils avaient parlé toute la nuit, carburant au café avant de passer aux toasts jambon-fromage à 3 heures du matin. A 6 heures, elle refusa qu'il la raccompagne chez elle, et il se contenta de marcher avec elle jusqu'à l'arrêt d'autobus.

— Je peux vous appeler ? demanda-t-il, priant pour que le bus tarde à arriver.

— Je l'espérais, répondit-elle avec un sourire.

Elle lui donna son numéro qu'il composa sur son portable d'une main tremblante. Dans le sac qu'elle portait en bandoulière, la sonnerie du téléphone résonna joyeusement aux oreilles de Leo.

Elle rejeta l'appel et enregistra son numéro.

— Lieutenant Tara, quel est votre vrai nom ?

— Alex, répondit-elle comme l'autobus s'arrêtait devant eux. Vous appellerez, n'est-ce pas… ?

— Oui.

Le temps qu'il se demande s'il devait l'embrasser, l'occasion était passée. La nuit avait été parfaite, rencontre improbable de deux esprits à des années-lumière de l'univers extraterrestre. Quand il l'embrasserait, il prendrait son temps pour le faire bien. Elle monta dans le bus, composta son ticket, et se retourna en agitant la main.

L'autobus s'éloigna. Il était trop tôt pour appeler. Alors que Leo revenait lentement vers chez lui, son téléphone vibra.

Puissions-nous nous revoir dans d'autres mondes !

Il sourit et répondit au texto en regardant le bus disparaître au coin de la rue.

Et dormir quelques heures…

Il l'appela le soir même. Elle ne répondit pas. Peut-être avait-elle décidé de se coucher tôt pour rattraper son retard de sommeil. Mais il n'eut pas plus de succès le lendemain.

Après une demi-douzaine d'appels, il décida de lui envoyer un texto. Pas de réponse. Il attendit une semaine avant de la rappeler et laissa un message. Si elle ne reprenait pas contact avec lui, il laisserait tomber. A l'évidence, le ravissant et pétillant lieutenant Tara avait décidé qu'il ne faisait pas partie de ses brillantes perspectives d'avenir. Le moment était venu pour Leo de se retirer dignement et d'ouvrir un nouveau chapitre de sa vie.

2.

De nos jours...

En entrant dans le grand hall de réception de l'hôtel au sol de marbre, Alexandra Jackson sentit sa nervosité augmenter. Le réceptionniste lui indiqua la direction du bar.

Elle avait dix minutes d'avance et son cœur battait à tout rompre. Il fallait qu'elle se calme.

— Hum, les toilettes pour femmes, s'il vous plaît ? demanda-t-elle.

— Par là...

Suivant ses directives, elle pénétra dans un cabinet décoré avec goût, plus grand et plus élégant que son salon. Elle s'assit et, fermant les yeux, se concentra sur sa respiration.

Leo Cross. Elle avait beaucoup pensé à lui ces dix dernières années, plus qu'elle n'aurait dû après une soirée dans un bar. Peut-être à cause de ce qui s'était passé alors qu'elle rentrait chez elle. La voiture qui l'avait renversée à sa descente du bus avait tout changé.

A l'époque, elle s'était demandé si, par hasard, il n'allait pas faire partie des nombreux médecins qui se penchaient sur son lit d'hôpital, mais il n'était jamais venu. Elle avait perdu son sac et son téléphone, et quand ses parents lui en avaient apporté un nouveau, son numéro avait changé. De toute façon, en quoi aurait-elle pu l'intéresser désormais ?

Néanmoins, elle n'avait jamais oublié le charme un peu gauche de Leo, ni la passion avec laquelle il parlait de son ambition de devenir médecin. Ces souvenirs l'avaient accompagnée pendant les longs mois de convalescence où elle avait réappris à marcher avec sa prothèse de jambe et quitté la maison pour entrer à l'université… L'engagement de Leo, la certitude de sa vocation l'avaient encouragée. S'il pouvait le faire, elle le pouvait aussi.

Elle s'était accrochée à ce rêve aussi longtemps qu'elle avait pu, l'imaginant comme une sorte de chevalier blanc, un croisé de la santé publique, voire un capitaine de vaisseau spatial. Rien n'était trop beau pour lui. Le retour à la réalité avait été brutal.

Sept ans après leur rencontre, elle avait vu son nom dans les journaux. Incrédule, elle avait fait des recherches sur Internet. Et l'avait trouvé. Le médecin médiatique à la mode, charmant et raffiné, qui fréquentait les soirées branchées. Le Leo qu'elle avait connu avait manifestement perdu son ambition de changer le monde, et tiré profit de ses attendrissants yeux bleus et de sa blonde séduction.

Elle avait songé à le contacter, mais que lui dire ? Qu'elle l'avait gardé dans son cœur durant toutes ces années jusqu'à faire de lui un idéal, au lieu d'un homme de chair et de sang ? La perfection devait rester là où la réalité ne pouvait la ternir, dans le domaine du rêve, de l'imagination.

Aujourd'hui cependant, elle avait besoin de Leo Cross.

Elle se leva, rajusta sa veste et lissa son pantalon. Il ne la reconnaîtrait pas, ne se souviendrait pas d'elle. Elle allait faire comme si elle ne l'avait jamais connu.

En pénétrant dans le bar de l'hôtel, Alex repéra immédiatement Leo, assis dans un des fauteuils regroupés autour des tables. Il était aussi fascinant que dix ans plus tôt. Malgré sa coupe courte et soignée, ses cheveux donnaient toujours un aspect angélique à son visage, même si, autour des yeux, toute douceur avait disparu. Il portait un costume sombre impeccable, une cravate hors de prix. Sa chemise blanche immaculée tranchait sur son hâle d'hiver.

C'était une célébrité, Alex en eut une nouvelle preuve quand elle donna son nom au serveur et qu'il lui désigna

Leo sans la moindre hésitation. La pile de papiers qu'il avait sur les genoux était-elle destinée à lui donner bonne impression ? Elle chassa cette idée. C'était elle qui voulait l'impressionner, pas l'inverse.

Il leva les yeux à son approche, puis, après une brève hésitation, bondit sur ses pieds. Les papiers s'éparpillèrent sur le tapis.

— Lieutenant Tara ! s'écria-t-il avec son sourire craquant, pétrifiant Alex qui ne s'attendait pas à cela. Comment allez-vous ? Que devenez-vous ?

— Vous le savez déjà. C'est mon CV que vous venez de laisser choir.

Il additionna deux et deux avec une vitesse honorable.

— Alexandra Jackson, c'est *vous* ?

— Je préfère être appelée Alex…

— Moins de syllabes à prononcer ?

Elle sourit sottement, partagée entre plaisir et affolement.

— Vous saviez que c'était moi ? demanda-t-il.

— Oui. Mais je ne pensais pas que vous vous souviendriez de moi.

— Ravi de vous voir. Je crains de ne pas avoir eu le temps de lire tous les documents que vous m'avez envoyés, dit-il en se penchant pour ramasser les papiers qu'il posa sur la table.

Pour sa part, elle connaissait son CV par cœur. Meilleur de sa promotion à l'Ecole de médecine, il exerçait maintenant comme généraliste au centre de Londres. Il avait décroché un diplôme supérieur en psychopédagogie et était membre de nombreux organismes professionnels. Après avoir co-animé une émission de radio en direct, il avait rapidement présenté sa propre émission, diffusée trois soirs par semaine. Puis il avait fait des apparitions télévisées, publié des livres à succès, et parrainé plusieurs initiatives dans le domaine de la santé. Un palmarès impressionnant, et si sa vie sociale était à moitié aussi intéressante que le laissaient croire les journaux, cet homme était carrément un surhomme.

Il lui désigna le fauteuil en face du sien.

— On parle affaires ?

— Oui…

— Très bien, dit-il, impatient de commencer, tandis qu'elle posait son manteau et son sac sur un siège libre et s'asseyait à la hâte. Je serai honnête avec vous au sujet de votre présence ici.

Elle hocha la tête en silence.

— Mais vous devez me confirmer que cette information restera confidentielle, dit-il. Ce sera bientôt de notoriété publique, mais je préférerais que ça ne vienne pas de nous.

— Je comprends. Je ne dirai pas un mot.

— Merci, répondit-il avec un regard sévère qui en disait long sur le traitement qu'il lui réservait en cas contraire. Comme vous le savez, 2KZ, la station de radio pour laquelle je travaille, met chaque année courant février une œuvre caritative en vedette. Et votre association nous a proposé sa candidature.

— On a appris avant Noël qu'elle n'avait pas été retenue.

— En effet. Mais la fondation que nous avions choisie a eu des problèmes. Nous l'avons soutenue jusqu'à ce que les allégations la concernant soient confirmées, nous obligeant à renoncer.

— Et nous avons une nouvelle chance ?

Elle se demandait bien quelle œuvre avait initialement été sélectionnée et quelles étaient ces allégations, mais Leo était un pro, il ne lui divulguerait pas l'information.

— Nous avons envisagé d'abandonner le projet pour cette année, mais une nouvelle association caritative sur laquelle nous pourrions enquêter pour éviter toute irrégularité serait une bonne alternative. Le format serait légèrement différent, avec des appels d'auditeurs en direct au lieu d'un programme préenregistré. Seriez-vous toujours intéressée ?

Elle déglutit.

— C'est un gros projet pour nous, répondit-elle. Si nous sommes choisis, cela prendra une part importante de nos ressources en temps. Pouvez-vous me dire quelle est notre place sur la liste des candidatures ?

Elle avait besoin de s'assurer que la station de radio était assez intéressée pour bien présenter sa fondation, que celle-ci ne servirait pas de bouche-trou dans leur programmation.

— Non, répondit-il, ce serait inopportun. Mais je peux vous assurer de notre engagement dans cette entreprise, et je crois que vous êtes un bon choix pour le projet. Et j'ai besoin de votre réponse maintenant.

En d'autres termes, elle devait lui faire confiance. Mais il aurait fallu être fou pour laisser passer une chance pareille.

— Oui, nous sommes intéressés. Merci. C'est une formidable opportunité pour nous.

Il éluda la question d'un sourire et fit signe au serveur.

— On prend du thé ? Darjeeling, je pense…

— Je préférerais du Lady Grey, s'il y en a.

Une ombre de sourire retroussa les lèvres de Leo.

— Lady Grey donc. Une théière pour deux, s'il vous plaît.

— Sandwichs ou gâteaux, monsieur ?

Leo laissa à Alex le soin de décider.

— Pas pour moi, merci, répondit-elle.

L'entretien exigeait toute sa concentration. Elle n'était pas sûre de pouvoir gérer des miettes par-dessus le marché.

— Bien, dit Leo en feuilletant les documents devant lui. Votre organisme s'appelle donc Together Our Way, Ensemble à Notre Façon ?

— C'est exact.

— Pas d'acronyme ? Quelque chose d'un peu plus *punchy* ?

— Non, rétorqua-t-elle, sur la défensive, en songeant qu'elle allait devoir apprendre à affronter les tactiques de rouleau compresseur de Leo. Nous aimons être appelés par notre nom complet, car c'est ainsi qu'on fonctionne.

— J'ai compris, dit-il en attrapant son CV. Vous êtes… physiothérapeute diplômée, et vous avez fondé Together Our Way pour aider les jeunes souffrant de handicaps à participer à des activités sportives.

— Oui. J'ai apporté des photos qui, je crois, seront plus parlantes…

— Plus tard peut-être. Je voudrais d'abord savoir comment est gérée la fondation, dit-il sans un regard pour les photos qu'elle avait sorties. D'après ce que je vois, vous l'administrez à moindres frais. Vous travaillez trois jours par semaine comme kinésithérapeute et ne prenez aucun salaire de l'association. Et vous n'avez qu'une employée à mi-temps, Rhona, qui m'a appelé hier pour organiser ce rendez-vous, et qui semble faire bien plus qu'un temps partiel.

— Quand les gens nous donnent de l'argent, ils veulent qu'on le dépense pour réaliser nos objectifs, pas en frais de fonctionnement. Notre arrangement avec Rhona convient aux deux parties. Comme elle a des contraintes familiales, nous lui accordons des horaires flexibles, en échange, elle s'investit beaucoup. Nous avons un réseau de bénévoles très enthousiastes.

Il hocha la tête.

— Et vous avez vos propres bureaux ?

— Oui. Un grenier. Le cabinet juridique propriétaire de l'immeuble ne l'utilise pas, il nous le prête à titre gracieux.

— C'est gentil à eux. Et que faites-vous pour eux en échange ? demanda-t-il avec un regard inquisiteur.

— Le fils de l'associé principal participe à un de nos programmes.

— Et ce garçon remplit les critères voulus ?

Elle sentit la moutarde lui monter au nez. Attrapant une photographie, elle la lui mit avec brusquerie sous les yeux.

— Il est né sans la partie inférieure des deux jambes. Comme tous les enfants de cinq ans, il aime courir et jouer au foot. Il s'appelle Sam.

Leo regarda le cliché et son visage s'adoucit. Comme il l'effleurait du bout des doigts, elle retrouva les yeux bleus attendrissants du jeune homme rencontré dix ans plus tôt.

— Sam a l'air plutôt doué avec ce ballon.

— Il l'est. Il compense le manque de vitesse par la tactique.

— J'espère avoir l'occasion de le voir jouer.

C'était de la simple compassion, mais il comprenait à quoi servait Together Our Way, et c'était suffisant pour encourager Alex.

Leur thé arriva, et Leo en profita pour reprendre son interrogatoire. La façon dont la fondation était administrée. A quoi exactement ils dépensaient leur argent. Combien ils avaient de bénévoles, comment ils géraient les questions de santé et de sécurité. Il allait au fond des choses, et semblait satisfait des réponses qu'il obtenait.

— Maintenant que je sais tout de vous, dit-il avec son sourire craquant, venons-en à l'implication de 2KZ.

Peut-être avait-il été un peu dur avec elle. Mais Alex ne s'était pas laissé faire, ce que Leo appréciait. Et la délicieuse surprise de la revoir…

Il avait eu un choc en apprenant ce qui lui était arrivé ces dix dernières années. Elle avait perdu sa jambe dans un accident. Mais elle avait surmonté cette épreuve. Par respect pour elle, il s'était concentré sur l'objet de l'entretien.

Il aurait pu laisser leur relation personnelle huiler les rouages de ce tête-à-tête professionnel. Mais elle ne voulait clairement pas placer leurs rapports sur ce plan. Elle ne l'avait pas rappelé, dix ans auparavant. Et c'était son assistante qui avait organisé le rendez-vous.

Il avait donc gardé ses distances, posant les questions qu'il devait poser sans faire état de ses sentiments.

Together Our Way avait une approche amateur, mais le cœur bien placé. Son émission pouvait vraiment aider ce type d'association, et Leo reculait rarement devant un défi.

— Comme je l'ai dit, notre coup de projecteur sera un peu différent du format initial. Cette fois, je recevrai un représentant de Together Our Way dans mon émission médicale en direct une fois par semaine pendant tout le mois de février. Je suppose que ce sera vous ?

La lueur d'affolement qui passa dans les yeux d'Alex le toucha. A l'évidence, l'idée qu'elle parlerait en direct à la radio ne l'avait même pas effleurée.

Mais elle se ressaisit magnifiquement.

— Oui, ce sera moi.

— J'essaie d'obtenir dix à quinze minutes supplémentaires sur notre programme câblé. Ça signifie que je passerai du temps avec vous, et que je verrai votre travail de première main. Je présume que vous n'y voyez pas d'objection ?

— Pas du tout. Qu'avez-vous en tête ?

— Je ferai des comptes rendus, et j'écrirai probablement quelques articles pour notre site web. Et il y aura une émission sur le terrain…

Il se tut, conscient que quelque chose la tracassait.

— Vous plierez-vous à notre façon de faire ? demanda-t-elle. Notre priorité, ce sont les jeunes que nous aidons ; si nous devions y renoncer pour vous satisfaire, cela nous poserait problème.

Un point pour elle, songea-t-il.

— Nous serons là en observateurs, dit-il. La discrétion n'est pas mon approche habituelle, mais je ferai un effort.

Elle eut une moue sévère.

— C'est l'objectif de notre association. Mobiliser des muscles insuffisamment sollicités.

— Nous resterons flexibles, répondit-il.

Comme lui, elle avait l'habitude de prendre l'initiative, leur collaboration risquait d'être intéressante. Néanmoins, il était temps de lui rappeler qui était en charge du projet.

— 2KZ émet à Londres depuis plus de trente ans. Les interviews de jeunes plaisent à nos auditeurs, et nous savons les gérer, avec les garanties et permissions nécessaires. Nous donnons à nos auditeurs ce qu'ils veulent, et les émissions sur le terrain sont excellentes pour l'audimat.

Nouveau regard désapprobateur. Il fallait peut-être qu'il précise que l'indice d'écoute n'était pas qu'un chiffre, que derrière, il y avait des cœurs et des esprits qu'elle ne pourrait pas atteindre s'il ne maîtrisait pas l'audimat.

— Ça paraît excellent, répondit-elle cependant. Si nos jeunes sont convenablement soutenus et protégés, nous serons ravis de faire une émission sur le terrain.

— Bien. Autre chose ?

— Oui, ça ne vous dérangerait pas qu'on mette l'accent sur notre site web ?

— Pas du tout, au contraire. Nous pouvons vous fournir du matériel iconographique. Je demanderai à notre concepteur de vous contacter… Vous avez un *web designer* ?

— En fait, c'est moi. Je crains que ça ne soit pas très pro…

Il avait jeté un coup d'œil à son site web et avait été très favorablement impressionné.

— Si vous voulez, je peux vous mettre en liaison avec notre *web designer*. Elle a l'habitude de collaborer avec les organisations avec lesquelles nous travaillons, ça pourrait vous être utile.

— Merci. Ses suggestions seront les bienvenues.

Elle se tut, se triturant nerveusement les mains.

— Si vous avez d'autres problèmes, c'est le moment d'en parler. Nous avons un planning très serré.

— Je ne suis jamais passée à la radio…, avoua-t-elle, visiblement terrifiée à cette perspective.

— Je suis là pour ça. Je pose quelques questions pour orienter la conversation dans la bonne direction, et j'interviens quand vous séchez… ça arrive à tout le monde la première fois, dit-il en souriant devant son air perplexe.

— D'accord. J'essaierai de ne pas trop le faire.

— Soyez vous-même. N'y pensez pas trop, dites juste ce que vous avez à dire. Il y a un délai de sept secondes, qui nous permet de rattraper certaines choses avant qu'elles ne soient diffusées à l'antenne. C'est censé nous permettre de couper les jurons, mais ça marche aussi quand on a oublié ce qu'on voulait dire.

— Je m'en souviendrai. C'est vraiment important pour moi, je veux le faire bien.

Hochant la tête, il prit une gorgée de thé.

— C'est exactement ce que je voulais entendre. Gardez ça en tête et tout se passera bien.

Leo semblait s'être un peu détendu, et Alex s'en réjouissait, car son abrutissant interrogatoire et son comportement tyrannique l'avaient épuisée. Il sortit une carte de la poche de sa veste et la lui tendit.

— Voici mon numéro. Attendez-vous à être bombardée de détails sans importance par notre service de relation publique. S'ils vous importunent, appelez-moi.

Elle scruta la carte de visite, avec son numéro personnel.

— Merci, mais je ne veux pas vous déranger…

— Il vaut mieux régler les choses directement, on n'a pas le temps de tergiverser.

Il la dévisagea en silence. Peut-être l'avait-il appelée dix ans auparavant ? Peut-être aurait-elle dû lui expliquer pourquoi elle ne l'avait pas contacté, mais comment aborder le sujet ?

— Merci. Vous voulez mon numéro ? demanda-t-elle.

Elle fouilla dans son sac à la recherche d'une carte de l'association, griffonna son nom et son numéro de portable au verso et la lui remit.

— Merci, dit-il après y avoir jeté un coup d'œil et l'avoir glissée dans sa poche. Je suis content de vous revoir, Alex. Si j'avais su que c'était vous, j'aurais mis mon déguisement…

— Alors, j'aurais été obligée d'en faire autant.

Il eut un sourire charmeur qui lui donna le vertige.

— C'est la seule raison qui m'aurait persuadé de sortir de chez moi dans une tenue aussi ridicule, répondit-il.

Elle avait bien aimé sa tenue ridicule. A l'évidence, ce n'était plus son cas à lui.

Elle regroupa ses affaires en se demandant si elle devait prendre congé, et il se leva immédiatement. Il en avait fini avec elle et songeait déjà à son prochain rendez-vous.

S'éloignant, elle se rendit compte qu'il y avait une chose qu'il n'avait pas demandée, une chose qu'il n'avait pas faite. Son CV stipulait clairement que la perte accidentelle d'une partie de sa jambe droite et la rééducation qui avait suivi l'avaient poussée à étudier la physiothérapie puis à fonder Together Our Way. Pourtant, malgré la précision de son interrogatoire, il n'avait pas abordé le sujet, et pas une fois il n'avait posé les yeux sur sa prothèse.

Elle aurait dû être contente. Elle devait parfois se battre pour que les gens voient au-delà de son handicap, et c'était exactement ce que Leo avait fait. Mais cela la fit réfléchir. Il s'était peut-être souvenu d'elle, mais il se souciait apparemment trop peu d'elle pour en parler.

*
* *

Leo, bouleversé, regarda Alex partir. Ses tremblements irrépressibles étaient-ils dus à un état de choc à retardement ? La dernière fois qu'elle l'avait quitté, il ne l'avait pas revue pendant dix ans. Ce serait différent cette fois, mais il dut se faire violence pour ne pas la rappeler.

Courir après Alex était une mauvaise idée. Engagée, intelligente, elle avait réalisé des choses extraordinaires ces dix dernières années. Quand elle souriait, la chaleur de son regard le subjuguait, ressuscitant des choses auxquelles il n'avait plus le cœur de croire. Dix ans plus tôt, il avait été aussi amoureux d'elle qu'on pouvait l'être après une soirée, mais aujourd'hui, l'amour n'était plus à l'ordre du jour.

Un instant, il fut submergé par le souvenir de leur rencontre, du sang battant dans ses tempes, du picotement de ses sens exacerbés. Mais tout cela appartenait au passé. Il ne pouvait pas envisager de relation amoureuse exigeant un engagement total, une attention de chaque instant.

Consultant sa montre, il fit signe au serveur d'apporter la note. Il devait partir s'il ne voulait pas être en retard à son prochain rendez-vous.

Il se leva et s'étira. Il n'avait pas le choix. S'il se retirait, 2KZ ne trouverait pas d'autre candidature acceptable dans un délai aussi bref. Et Together Our Way perdrait une occasion en or de mieux faire connaître son travail au grand public. Si sa collaboration avec Alex ne s'annonçait pas de tout repos, il affronterait les problèmes au fur et à mesure qu'ils se présenteraient.

3.

Leo tint ses promesses. Une lettre confirmant l'accord arriva le lendemain matin sur le bureau d'Alex. Quand les négociations sur l'émission à l'extérieur avaient achoppé, il l'avait appelée pour en discuter et avait réglé le problème en dix minutes. Il était perspicace, intelligent et efficace.

Pour se préparer à ce qui l'attendait, elle écouta chacune de ses émissions de radio, en s'efforçant de se convaincre que le plaisir d'entendre sa voix n'y était pour rien. A l'antenne, il était légèrement différent de l'homme qu'elle avait rencontré, il se montrait toujours vif et inquisiteur mais moins agressif, il mettait les gens à l'aise par son charme subtil et les encourageait à parler.

N'osant se fier ni à l'homme public ni à celui qu'elle avait vu en privé, elle laissa Rhona assurer la liaison entre eux. Encore deux semaines, puis une semaine, et elle ne pourrait plus l'éviter. Tout était désormais organisé. Le lundi suivant, elle ferait sa première apparition dans l'émission médicale en direct du Dr Leo Cross.

Alex était arrivée à la station de radio à 6 heures, soit deux heures avant le début de l'émission. Après une demi-heure d'entretien avec un assistant de production, on l'avait emmenée dans un studio vide pour la laisser se familiariser avec les lieux. Leo devait arriver à 7 heures, mais Alex fut informée qu'il était toujours en retard.

— Que lisez-vous ?

Seule dans le salon de détente, elle feuilletait distraitement un magazine quand la voix de Leo la fit sursauter.

— Oh… les derniers potins pour adolescents, répondit-elle en lui montrant le magazine. J'aime me tenir au courant.

Il sourit et l'air se chargea d'électricité. Il portait un jean et un pull bleu marine à l'aspect très doux, qui ne pouvait être que du cachemire. Malgré le regard impartial qu'elle portait sur lui, elle avait toujours le souffle coupé en le voyant.

Il jeta son blouson de cuir sur une chaise et s'assit.

— Comment vous sentez-vous ? Nerveuse ?

Elle en était malade. Et ce devait être évident.

— Un peu…

— Ça va aller. Dès qu'on aura commencé, l'heure passera très vite. Vous en redemanderez, vous verrez, dit-il.

Sans doute était-ce le discours d'encouragement qu'il réservait à tous les débutants, mais il la rassura.

— Alors… qu'est-ce qu'on va dire ?

Il haussa les épaules.

— Je vais vous présenter, nous prendrons quelques appels, et nous parlerons. Il n'y a pas de script à la radio.

— Ça vous plaît, l'incertitude ?

— Oui, admit-il en souriant. Ça m'empêche de m'endormir. Vous allez être formidable, faites-moi confiance. Dans le cas contraire, je vous interromprai pour rectifier le tir.

— Bien. Merci.

Elle aurait préféré ne pas avoir besoin de lui pour lui sauver la mise. Mais c'était peut-être trop demander pour une première fois à l'antenne.

La porte s'ouvrit brusquement et l'assistant de production qu'elle avait déjà rencontré passa la tête dans la pièce.

— Leo… quinze minutes.

— Merci. On est prêts, répondit-il en se tournant vers Alex. Détendez-vous. C'est juste une conversation entre vous et moi. Concentrez-vous là-dessus et sur la personne qui écoute.

— *La* personne ?

— Oui. Visualisez quelqu'un que vous connaissez, et parlez-lui. Ça marche très bien.

— J'essaierai. Vous étiez aussi nerveux la première fois ?

Il secoua la tête.

— Non. J'étais tellement pétrifié de peur qu'on aurait pu me taper sur la tête avec une brique sans que je m'en aperçoive. Contrairement à vous pourtant, j'avais déjà l'expérience de la chose, j'avais été bénévole pendant des années pour une ligne d'assistance téléphonique aux étudiants, et fait quelques spots à la radio locale en rapport avec ça.

— Ça a dû être dur, de concilier ce job avec vos études et votre travail à l'hôpital, dit-elle.

— Ça comptait beaucoup pour moi. Trouver du temps pour des choses importantes, dit-il, le visage durci, comme si ce souvenir était pénible.

— Et vous êtes resté à la radio, même si vous faites aussi de la télé maintenant, dit-elle.

— Oui. J'aime parler avec les gens. Vous verrez.

Ils pénétrèrent dans le studio, où il lui laissa le temps de s'installer. Le producteur entra dans la pièce, disposa quelques papiers devant Leo, puis on demanda le silence et une lumière rouge s'alluma, indiquant qu'ils étaient à l'antenne.

Alex entendit à peine la musique du générique, vit à peine ce qui se passait autour d'elle. Puis les doigts de Leo lui effleurèrent la main, son regard accrocha le sien et il sourit en commençant sa présentation.

— Ce soir, je reçois Alex Jackson, fondatrice de Together Our Way, une association caritative qui aide les jeunes gens souffrant de différents handicaps à pratiquer un sport...

Il jeta un coup d'œil à un des papiers que le producteur avait mis devant lui et fronça les sourcils.

— Alex restera en ligne avec moi. Si vous avez des questions à lui poser, vous connaissez le numéro à appeler...

Comme le jingle du numéro de téléphone se faisait entendre, Leo froissa la feuille et la lança vers la régie. La boule de papier rebondit sur la vitre et retomba au sol.

— Pour commencer, je vais poser quelques questions à Alex sur son association. Alex qui sera avec moi chaque lundi les quatre prochaines semaines, dans le cadre de notre projet de partenariat avec des œuvres caritatives…

Son regard se posa sur elle et il sourit.

— Alex, quand avez-vous fondé Together Our Way ?

— Il y a cinq ans, répondit-elle.

— Et pendant ce laps de temps, vous avez été très active. Combien d'événements sportifs projetez-vous d'organiser le mois prochain ?

— Huit. Mais nos meetings sportifs ne sont que la partie visible de l'iceberg. Nous travaillons avec des écoles, avec des clubs, que nous conseillons sur la manière de diversifier leurs activités sportives, et nous avons créé une journée de formation pour les chefs de groupe. Mais surtout, nous travaillons avec les jeunes eux-mêmes, pour faciliter…

Elle s'interrompit. Elle avait un blanc.

— J'imagine qu'il faut leur donner confiance en eux, dit Leo.

Ses yeux bleus aux profondeurs marines avaient pris une expression chaleureuse.

— C'est exact. Beaucoup d'entre eux ont besoin qu'on les aide à utiliser le matériel ou à travailler, mais il s'agit aussi de montrer à tous ce qui est possible.

— Alors vous avez entrepris de rallier les cœurs et les esprits à votre cause ?

— Oui, je crois que c'est l'objectif de toute œuvre caritative, non ? L'argent est vital pour nous, bien sûr ; sans lui, nous ne pourrions rien faire. Mais le soutien, l'encouragement du public sont tout aussi importants.

— Je vois que la fondation fonctionne avec peu d'argent, tous les dons que vous recevez sont directement investis dans votre travail.

Il apportait de l'eau à son moulin, soulevant tous les points qu'elle voulait mettre en évidence.

— En effet, répondit-elle avec un sourire reconnaissant.

Alex avait l'impression d'avoir couru un marathon. L'émission n'avait duré qu'une heure mais elle était épuisée.

Néanmoins Leo ne s'était pas trompé, elle aurait volontiers continué, elle avait même ressenti une pointe de déception quand ils avaient dû rendre l'antenne.

— A-t-on parlé avec tous les auditeurs qui ont appelé ?

— Il y a toujours des gens qui ne passent pas à l'antenne. Certains rappellent, répondit Leo, plus réservé maintenant que l'émission était terminée.

— Mais… ils ont peut-être des problèmes, besoin de parler à quelqu'un…

— C'est le cas de beaucoup. Mais nous avons des procédures pour gérer cela. Vous n'avez pas à vous en soucier.

Elle ne pouvait pas — ne voulait pas — le laisser balayer si facilement la question.

— Je regrette, Leo, ce n'est pas la réponse que j'espérais.

Elle s'attendait à toutes sortes de réactions de sa part, mais pas à le voir sourire.

— Quelle réponse espériez-vous ?

Elle prit une profonde inspiration.

— Que nous pourrions reprendre les personnes qui ne sont pas passées à l'antenne.

Il pressa un bouton sur la console devant lui. Les écouteurs d'Alex s'éteignirent, et elle prit conscience que, même si l'ingénieur du son ne leur prêtait pas attention, on pouvait les entendre. Elle enleva son casque.

— On relève les noms et les numéros de tous les appelants, et on leur demande toujours ce qu'ils avaient à dire.

— C'est noté ?

— Oui. Et la liste m'est transmise.

Pour lui, la question était réglée. C'était lui le patron, il le lui faisait clairement comprendre.

Elle l'avait sans doute mérité. Peut-être l'avait-il rappelée, dix ans auparavant, et lui en voulait-il de ne pas l'avoir contacté.

— Ecoutez, Leo, il y a une chose que je voudrais éclaircir…

— Quoi donc ?

Toujours des questions. Ne se cachait-il pas derrière tous ces interrogatoires ?

— M'avez-vous appelée après la fête, il y a dix ans ?

Il parut surpris.

— Je ne m'en souviens pas… Mais je vous l'avais promis. En général, ce sont les dames qui se font désirer, non ?

Il lui adressa son sourire le plus charmant, le plus malicieux. Etait-ce sa façon de changer de sujet ?

— Puisque vous refusez de me répondre clairement, je supposerai que vous l'avez fait. Et je regrette de ne pas vous avoir contacté, mais je n'ai pas pu. Il est arrivé quelque chose alors que je rentrais chez moi et… c'était impossible.

— Que s'est-il passé ? demanda-t-il, surpris.

— Je…

On frappa à la vitre de la régie et elle sursauta.

— Excusez-moi, dit sèchement Leo, repassant en mode pro. Le réalisateur est là et je dois lui parler. Vous permettez ?

Elle hocha la tête et il s'engouffra dans la cabine vitrée, refermant la porte derrière lui.

Piquée par la curiosité, elle remit son casque et ralluma le son entre le studio et la régie.

— C'est inacceptable, Justin, dit Leo dans ses écouteurs.

— Je ne vois pas le problème, protesta Justin d'un ton perplexe.

— Il n'y aura pas de problème, car je ne présenterai *pas* Alex Jackson comme une *personne handicapée*. Elle a une infirmité et ne s'en cache pas, mais je refuse de lire une introduction qui la résume à ça. Elle est là pour parler de sa fondation qui, je le précise, a justement pour objectif d'encourager les jeunes à dépasser leurs handicaps. *Et* à apprendre aux autres à faire de même.

Le regard d'Alex glissa sur le papier froissé par terre.

— D'accord, d'accord, dit Justin d'un ton conciliant. C'était une erreur, je te le concède. Il n'y a pas eu de mal…

— Parce que j'ai refusé de lire ton introduction. J'exige d'entendre toutes les bandes-annonces de l'émission, je ne veux pas qu'on donne une fausse image d'Alex ou de son association.

C'était presque trop, Leo prenait son parti. Elle fut submergée de gratitude.

— On t'enverra la bande-son. Autre chose ?

— Oui, répondit Leo, plus détendu. Merci pour ton aide dans l'élaboration de l'émission de ce soir. C'était très réussi.

Justin parut soulagé.

— Oui, le courant est bien passé. Et le nombre d'appels a dépassé nos espérances…

Comme le regard de Justin se posait sur Alex, Leo se retourna et sourit imperceptiblement.

Elle rougit et ôta son casque.

Leo reparut, une enveloppe en papier kraft à la main.

— Votre voiture vous attend.

— Je n'irai nulle part tant que nous n'aurons pas fini notre conversation, Leo.

— Je pensais partager votre véhicule. Ce sera plus intime.

Il se dirigea vers la console et coupa le son entre la régie et le studio. Se détournant, il la laissa prendre son sac et son manteau, et lui emboîta le pas.

Leo n'avait pas l'habitude que l'on conteste ses décisions, et s'il n'était pas étonné qu'Alex le fasse, elle apportait à son existence une surprenante bouffée d'air frais.

Elle prit place sur la large banquette en cuir à l'arrière de la voiture, et il s'assit à côté d'elle. Le chauffeur se vit confirmer l'adresse d'Alex, et le véhicule démarra en douceur avec un ronronnement feutré.

— C'est agréable, dit-elle avec un sourire en étendant les jambes.

Elle essayait visiblement de le désarmer avant d'attaquer. Avait-elle conscience des ravages que son sourire pouvait causer chez un homme ?

Les lumières des lampadaires donnaient à son visage quelque chose d'éthéré, et il dut se faire violence pour détourner les yeux. Elle était encore plus belle que lors de leur première rencontre. Ou alors il était devenu expert en perfection et savait mieux l'apprécier.

Il appuya sur un bouton et la vitre de séparation remonta, les isolant du chauffeur. Les joues d'Alex s'empourprèrent.

— Que s'est-il passé il y a dix ans ? demanda-t-il.

Elle ignora la question.

— Je voudrais vous remercier, dit-elle avec une moue adorable. De m'avoir défendue… d'avoir soutenu la fondation. Et nos objectifs.

— C'est ce que fait un bon présentateur radio.

— Je sais. Mais ça n'arrive pas toujours et… Merci. Vous êtes un excellent animateur.

Il avait l'habitude de l'entendre, mais dans sa bouche à elle, le compliment prenait une résonance particulière.

— Qu'est-il arrivé pendant votre trajet de retour, Alex ?

— J'ai eu un accident. Et j'ai perdu mon téléphone.

— Quel genre d'accident ? dit-il, insistant, devinant qu'il s'agissait de quelque chose de grave.

— En descendant du bus, j'ai traversé la rue…

— Et… ?

— J'ai été renversée par une voiture. Le chauffeur était ivre. Je me suis réveillée à l'hôpital… et mon téléphone avait disparu.

Il la dévisagea d'un air horrifié.

— C'était…

Il s'interrompit, désignant sa jambe.

— Oui. Mon pied droit et la partie inférieure de ma jambe ont été écrasés. Pour que je puisse remarcher un jour, il a fallu m'amputer sous le genou.

Chez lui, la culpabilité et le remords le disputaient maintenant à l'effroi.

— Oh ! Alex… je suis tellement désolé. Si j'avais su…

— Vous ne pouviez pas savoir.

Il pensait à la suite de petites choses qui avaient conduit au drame. S'il avait agi différemment une seule fois…

— J'aurais dû vous raccompagner chez vous.

Il l'avait proposé et elle avait refusé. Il aurait dû insister. Si le ton avait monté, elle aurait peut-être manqué son bus et dû attendre le suivant…

— Qu'auriez-vous fait ? D'après les témoins, la voiture a fait un écart et traversé la rue avant de me renverser. Il était impossible de l'éviter.

— J'aurais pu aider… d'une façon ou d'une autre.

Ne fût-ce qu'en lui tenant la main… Mais il n'avait pas été là pour elle, ni pour son frère six mois plus tard. Cette pensée lui broya le cœur.

Elle le dévisagea.

— Vous auriez recollé les morceaux ? Non, Leo, personne ne le pouvait.

Il ne trouva pas les mots pour lui dire combien il regrettait ce qui s'était passé, et la part qu'il avait prise dans l'enchaînement des événements, aussi garda-t-il le silence.

— Faites quelque chose pour moi, dit-elle d'une voix douce en effleurant son bras, l'arrachant à ses souvenirs.

— Oui ?

— Faites comme moi. Oubliez le passé, il ne peut pas être changé, et concentrez-vous sur le présent. S'il vous plaît…

Au prix d'un effort surhumain, il parvint à sourire.

— Entendu.

Aujourd'hui, sa façon à lui de se racheter vis-à-vis de son frère était d'aider les autres, et il préservait jalousement ce rôle, il ne laissait personne se mettre en travers de son chemin. On ne l'avait jamais questionné sur les personnes qu'il rappelait après chaque émission. Sauf Alex.

Il glissa l'enveloppe kraft vers elle sur la banquette.

— La liste des gens que nous n'avons pas pu prendre à l'antenne. Les noms, numéros de téléphone, motifs d'appel…

— Vous comptiez m'en parler ?

— Je ne le fais généralement pas, mais vous m'avez posé la question.

— Quand prévoyiez-vous de les rappeler ?

— Demain, en fin d'après-midi, c'est ce qu'on leur a dit. J'ai une opération le matin, mais j'aurai fini à 15 heures.

Elle hocha la tête.

— J'insiste pour vous aider.

Il esquissa un sourire.

— Vous êtes libre demain après-midi ?

— Oui. Je travaille du mercredi au vendredi à l'hôpital, mais je suis en congé les prochaines semaines. Je serai entièrement disponible.

Il n'en revenait pas. C'était comme s'ils étaient en train de convenir d'un rendez-vous galant !

— Vous serez à votre bureau ? demanda-t-il. Je peux vous y rejoindre, nous passerons les appels ensemble.

— Bonne idée. Mais prenez une écharpe. Le chauffage est encore en panne.

— Génial. Je serai là vers 15 h 30. Je vous confie la liste. Mais n'appelez personne avant mon arrivée…

Elle glissa l'enveloppe dans son sac avec un sourire malicieux.

— Ces gens doivent savoir que c'est vous qui les appellerez. Ne vous inquiétez pas, je vous attendrai.

L'automobile s'arrêta dans une allée devant un grand immeuble. Comme Leo allait l'aider à descendre, elle l'en dissuada.

— Je peux me débrouiller toute seule.

Il tressaillit d'un air coupable. Il ne pouvait s'empêcher de penser à tout ce qui pouvait lui arriver entre ici et son appartement.

— Je n'en doute pas, mais…

Elle rit doucement.

— Je sais. Un gentleman raccompagne toujours une dame à sa porte, dit-elle, descendant de voiture et se penchant pour refermer la portière. Je ne suis pas une dame, Leo. A demain.

Elle sourit au chauffeur et le salua gentiment. Elle avait tout d'une dame, au contraire.

— Un instant…, dit Leo au chauffeur.

Instruction inutile, celui-ci ne semblait pas vouloir partir tant qu'elle n'était pas en sécurité à l'intérieur. Elle ouvrit la porte de l'immeuble et se retourna en agitant la main.

Alors seulement la voiture repartit.

Leo referma la porte derrière lui. De retour en ville, la voiture l'avait déposé à l'appartement qu'il occupait les jours de semaine, à dix minutes à pied de la station de radio.

Dans l'appartement obscur et silencieux, les ombres s'étiraient sur le sol. Il se prépara un verre et, gardant son manteau, il ouvrit la grande baie vitrée et sortit sur le toit-terrasse. Du dix-septième étage, il avait une vue imprenable sur les toits de Londres. Alex était là, quelque part. Une des lumières qui scintillaient au loin était la sienne.

Il s'approcha du garde-fou en verre et une bouffée d'air froid lui mordit le visage. Il frissonna. Il n'avait aucun droit de s'interroger sur ce qu'elle faisait, ni de regretter de ne pas être avec elle.

Leo Cross, l'homme qui n'était jamais là quand on avait besoin de lui.

Il n'avait pas été là pour Alex. Il ignorait même qu'elle avait eu besoin de lui. En revanche, il savait que son frère Joel était stressé par son premier emploi, mais celui-ci lui avait semblé beaucoup mieux et lui avait affirmé qu'il gérait la situation. En rentrant de week-end, Leo avait découvert que son frère ne gérait rien du tout. Son père l'attendait pour lui annoncer la mort de Joel. Une surdose médicamenteuse. Peut-être accidentelle.

Leo en doutait. Joel était son jumeau et il le connaissait mieux que personne. Quand il avait enfin eu le temps d'examiner son téléphone, il avait vu les appels manqués. Joel l'avait appelé plusieurs fois ce samedi soir.

Les deux frères avaient l'habitude de plaisanter sur les appels manqués. Un seul signifiait : « Je te rappelle plus tard. » Deux : « Rappelle-moi. » Trois : « Rappelle-moi immédiatement. » Le message des cinq appels manqués sur le téléphone de Leo était clair : « J'ai des ennuis, Leo. J'ai besoin de toi… »

Il sortit son portable de sa poche. Il avait un texto de sa mère, qu'il rappela machinalement.

— Bonsoir, maman… Comment ça va ?

— Oh ! Chéri ! Je suis épuisée. Je suis allée faire les magasins avec Marjorie aujourd'hui…

— Vous avez trouvé des choses bien ?

— Bien sûr. Tu connais Marjorie… J'ai suivi ton émission.

— Et qu'en as-tu pensé ? demanda-t-il, conscient qu'elle lui donnerait une appréciation honnête de sa prestation.

— C'était bon. Très bon, même. J'ai été très impressionnée par cette jeune femme…

— Alex ?

— Oui. On dirait que c'est une force avec laquelle il faut compter.

— C'est vrai. Elle est très engagée.

— Ça se sentait. Et elle paraît gentille.

— Elle l'est.

Il but une gorgée de scotch.

— Jolie ?

— Plutôt belle, je dirais.

Il rit doucement. Sa mère avait tellement envie de le caser avec une gentille fille, de préférence rencontrée ailleurs qu'à une soirée *bling bling* !

— C'est bien. Elle revient la semaine prochaine ?

— Tu as suivi l'émission…, répondit-il en riant, tu connais la programmation des prochaines semaines.

— Eh bien, j'espère que tu passeras de bons moments… C'est quoi ce drôle de bruit ?

— Probablement le vent. Je suis sur la terrasse.

— Pourquoi, grands dieux ? Tu vas attraper la mort…

— Je voulais juste m'aérer la tête. Mais je vais rentrer.

Sa mère avait déjà vécu la perte d'un fils, Leo acceptait qu'elle surprotège légèrement celui qui lui restait. C'était le moins qu'il pût faire pour alléger un peu la peine de ses parents. En dehors du silence qu'il avait gardé sur les cinq appels manqués. Si ses parents voulaient croire que la mort de Joel était due à un effroyable accident, il ne pouvait pas les priver de ce piètre réconfort.

Il referma les portes vitrées derrière lui et se laissa tomber sur le canapé.

— Tu as l'air fatigué, chéri.

— J'ai eu une longue journée. Je vais aller me coucher.

— Je ne te retarde pas. Bonne nuit.

— À bientôt, maman.

Il raccrocha et contempla l'écran de son téléphone. Le numéro de Joel y figurait toujours, transféré d'un appareil à l'autre au fil des ans. Une idée stupide peut-être, mais qui lui rappelait les raisons de son engagement, pourquoi l'émission de radio était si importante pour lui. Il n'avait pas été là pour Joel. La seule chose qui rendait son chagrin plus tolérable était l'espoir qu'un jour peut-être, grâce à lui, une autre famille n'aurait pas à endurer le même supplice que la sienne.

Et maintenant Alex. Il l'avait trahie aussi sûrement qu'il avait trahi Joel. Toutefois il y avait une différence de taille. S'il n'avait aucune possibilité de se racheter avec Joel, Alex, en revanche, avait un avenir, et il pouvait faire quelque chose pour le changer.

Posant son verre sur la table du salon, il alla dans sa chambre prendre la clé de la salle de gym du rez-de-chaussée. L'exercice physique allait le calmer et l'aider à réfléchir. Et il trouverait un moyen de rattraper le mal qu'il avait fait à Alex.

4.

Alex avait décidé que Leo allait devoir s'accommoder de son bureau, mais elle se démenait depuis midi pour le rendre présentable. Elle mettait de l'ordre et passait l'aspirateur, nettoyait les vitres. Finalement, elle installa les deux chaises les plus confortables de part et d'autre de la table. Rhona travaillait chez elle aujourd'hui, Alex avait donc l'endroit pour elle toute seule.

Son pull épais et ses bottes fourrées lui tenaient à peu près chaud, mais elle ne voulait pas que Leo ait froid. En laissant la porte ouverte, la chaleur du rez-de-chaussée remontait, et le radiateur électrique commençait à répandre une certaine tiédeur. D'ici quatre heures, il ferait assez bon pour qu'elle puisse ôter son écharpe.

Elle posa l'enveloppe toujours scellée sur le bureau. Elle avait été tentée de l'ouvrir, mais elle tenait à montrer à Leo qu'elle était digne de sa confiance. Elle s'assit et regarda autour d'elle. La pièce n'était pas si mal. Le *mug* de Rhona excepté… Alex se leva et le cacha dans le tiroir de son bureau. Leo n'avait pas besoin de tomber nez à nez avec cette représentation discutable des quatorze positions les plus populaires du *Kama Sutra*.

— Vous trouvez cet endroit accessible ?

Leo venait d'apparaître sur le seuil, grand et mince, vêtu d'un jean et d'un gros pull sous sa veste élégante.

— Non. Mais bon marché, ça oui, répondit-elle en lui rendant son sourire.

Il avait dû passer devant la réceptionniste du rez-de-chaussée, prendre l'ascenseur, puis gravir seul la volée de marches menant aux combles. Mais il semblait parfaitement à l'aise, comme chez lui.

— J'ai apporté des provisions, dit-il en posant un sac en papier brun sur le bureau.

Elle jeta un coup d'œil à l'intérieur et sortit un grand récipient en polystyrène dont elle ôta le couvercle.

— Ne me dites pas que vous l'avez préparée vous-même.

— Pour qui vous me prenez ? fit-il en riant. Je me suis juste arrêté dans un endroit que je connais.

— Qui se trouve faire la meilleure soupe à l'oignon de tout Londres ? dit-elle, alléchée par la délicieuse odeur.

— Peut-être. Mais dites-moi ce que vous en pensez.

Elle alla chercher des serviettes en papier pour y poser le pain frais croustillant, et Leo ouvrit l'enveloppe en papier kraft. Ils étudièrent la liste tout en mangeant.

— Voilà une bonne question…, dit-elle en montrant une ligne sur la feuille. J'aurais dû en dire plus sur nos méthodes pour donner la même chance à tout le monde dans les épreuves sportives.

— Cet auditeur appelle régulièrement. Je serais surpris qu'il ne le fasse pas lundi prochain. Je préviendrai le standard qu'on veut lui parler.

— Vous pouvez faire ça ? demanda-t-elle.

Chacun n'attendait donc pas son tour ?

— On le fait tout le temps. C'est une émission de radio. Nous équilibrons les appels pour avoir la meilleure diffusion possible… Arrêtez, dit-il comme elle fronçait les sourcils.

— Quoi ?

— Ne prenez pas cet air réprobateur. Je sais ce que vous pensez…

— Non, sûrement pas.

Le silence qui suivit ne fut troublé que par le craquement de la chaise de Leo.

— Vous pensez que notre objectif est de sensibiliser, d'atteindre les gens qui ont besoin des services que nous offrons, pas de les écouter vraiment.

C'était exactement ce qu'elle pensait.

— Et si c'était le cas ?

— Je vous répondrais que nous ne vivons pas dans le même monde. Pour moi, il s'agit avant tout d'audimat, de s'assurer que l'émission est assez populaire pour survivre. C'est parce que je suis réaliste que je suis bon dans ma partie.

Chaque fois que Leo faisait une chose bien, il la dépréciait en prétendant agir par intérêt. Mais peut-être était-il simplement honnête. Peut-être cherchait-elle en lui quelque chose qui n'y était plus depuis longtemps.

— Alors, vous n'êtes qu'un cynique ?

S'il l'était vraiment, il ne rappellerait pas tous ces gens après les émissions. Et pourquoi gardait-il la liste si jalousement ?

— Mouais.

— Je n'en crois rien, dit-elle en s'empourprant.

— Parce que vous êtes une idéaliste, répondit-il en sortant son téléphone, qu'il posa sur le bureau. C'est pour ça que *vous* êtes si douée dans ce que vous faites, et que vous êtes la mieux placée pour m'aider à passer ces appels.

Leo était peut-être allé un peu loin. Alex avait voulu le provoquer pour qu'il lui dise ce qu'elle avait envie d'entendre. Mais il n'était pas prêt à ça.

Il aurait été si facile, si agréable, de se laisser aller. De tendre la main et la toucher, sachant que leurs cœurs n'étaient pas si différents. Il en avait envie, et elle aussi, mais s'il s'aventurait dans son univers de douceur, il ne pourrait plus reculer.

Il était déjà passé par là et il reconnaissait les signes avant-coureurs des histoires d'amour qui s'épanouissaient brièvement avant de se faner, quand il devenait évident qu'il avait l'esprit ailleurs. Il avait fini par se résigner, persuadé qu'il épargnait bien des souffrances à tout le monde en entretenant avec les femmes des relations strictement amicales.

Une aventure avec Alex aurait sûrement été très douce, mais inévitablement courte. Et il avait besoin de temps pour l'aider à réaliser ses rêves pour sa fondation. Il était là pour qu'elle se serve de lui. Plus vite il l'en convaincrait, mieux cela vaudrait.

Elle n'insista pas. Il avait à peine fini de composer le premier numéro qu'elle avait retrouvé le sourire. Elle était prête à prendre la parole. Il lui sourit et se pencha pour répondre au téléphone.

— Allô… ici Leo Cross. C'est Nina ?

Long silence.

— Oui…

— Vous avez appelé pendant mon émission hier, au sujet de votre neveu John qui souffre de paralysie cérébrale. Vous voudriez savoir s'il pourrait pratiquer le football. Alex Jackson est avec moi…

— Vraiment ?

Alex s'approcha du micro.

— Bonjour, Nina.

— Leo… merci d'appeler. Je ne pensais pas que vous le feriez. J'aimerais vous dire…

— Nous vous écoutons, Nina. Parlez-nous de John…

Il avait fallu trois heures pour venir à bout de la liste. Plus longtemps que d'habitude, mais l'émission de la veille avait eu un franc succès. Alex avait beaucoup parlé, et Leo en avait profité pour l'observer. Il était frappé par la manière dont elle rayonnait quand elle évoquait ce sujet si cher à son cœur.

— C'est le dernier ? dit-elle en consultant la liste. C'est quoi, cette étoile à côté du nom ?

— Cela signifie que la personne est mineure. En l'occurrence, elle a dix-sept ans.

— Elle est assez âgée pour consulter seule un médecin si elle veut.

— Oui, mais pas forcément à la radio. Nous avons besoin de l'accord parental pour les mineurs de seize ans, et nous devons être particulièrement vigilants avec ceux qui ont entre seize et dix-huit ans.

Alex hocha la tête.

— Appelons-la vite, dit-elle. Je n'aimerais pas qu'une ado de dix-sept ans demande de l'aide et ne trouve pas d'interlocuteur. Vous me direz, c'est ce que nous sommes en train de faire, je suis stupide…

— Vous n'êtes pas stupide, répondit-il, ébranlé par la confiance obstinée qu'elle plaçait en lui.

Alex avait utilisé des surligneurs roses pour les cas suivis, verts pour les auditeurs qui n'avaient pas demandé à être rappelés, et jaunes pour ceux qui avaient soulevé des points importants dont elle voulait discuter lors de la prochaine émission. La liste commençait sérieusement à ressembler à une glace napolitaine, et Leo se demanda si elle apprécierait le glacier italien de Knightsbridge. Chassant cette pensée saugrenue, il composa le numéro de mobile.

— Bonjour, ici Leo Cross. C'est Carys ?

Au fil des appels, il s'était rapproché d'Alex, et il frémit en sentant ses cheveux frôler sa joue. Un glapissement alarmé résonna dans le téléphone, les faisant sursauter, tandis qu'une bouffée de parfum venait chatouiller les narines de Leo.

— Carys… ?

Silence, avec la télévision en fond sonore.

— Je ne peux pas parler…, chuchota-t-on sur la ligne.

— Très bien. Tu veux qu'on remette ça à plus tard ?

— Oui, s'il vous plaît…

Leo avait travaillé assez longtemps dans un service d'assistance téléphonique pour sentir quand une personne était prête à se confier. Leur jeune interlocutrice avait besoin de le faire en privé.

— Quelle heure te convient le mieux, Carys ? Veux-tu que je te rappelle dans une heure ?

— Oui. Merci.

— Pas de problème. Je t'appellerai à 8 heures, et si je n'arrive pas à te joindre, j'essaierai de nouveau demain.

— Bien. Merci.

La ligne fut coupée, et il leva les yeux vers Alex.

— Qu'est-ce qu'on fait maintenant ? demanda-t-elle.

Il sourit. C'était si naturel de sourire en plongeant son regard dans ses yeux dorés.

— On attend, et on la rappelle dans une heure.

— Ça va aller ? Vous n'avez pas d'autres projets ce soir ?

— J'ai un cocktail à Hampstead mais, en rentrant me changer maintenant, j'aurai le temps d'appeler Carys avant de repartir. Si vous m'accompagnez, nous pourrons lui parler ensemble. A condition que vous n'ayez pas d'autres plans.

— Non… Non, je n'ai rien de prévu. Vous êtes sûr que ça ne pose pas de problème ?

— Absolument. D'ailleurs, il commence à faire froid ici. Je vous déposerai chez vous ensuite.

— Si ça ne vous dérange pas… Il semble que Carys ait envie de parler.

— Effectivement, répondit-il en se levant. Allons-y.

Alex n'y connaissait rien en voitures, mais elle était impressionnée par le luxueux intérieur cuir de l'automobile de Leo, et la lumière des réverbères glissant sur la carrosserie lisse et brillante la fascinait.

— C'est là que vous habitez ? demanda-t-elle comme ils pénétraient dans le parking souterrain d'une grande tour de verre, à environ cinq cents mètres de la station de radio.

— Oui, répondit-il en coupant le contact. C'est pratique.

L'appartement, situé au dernier étage, était magnifique. Les lumières de la ville scintillaient derrière les hautes baies vitrées. Dans l'immense coin salon, une table de créateur trônait entre de longs canapés de cuir noir. Des fauteuils en cuir rouge apportaient une touche de couleur à l'ensemble, et une élégante bibliothèque tapissait un pan de mur. Seul un gigantesque tableau abstrait dans des tons bleus et verts détonnait dans cet univers géométrique aux lignes épurées.

Leo l'aida à ôter sa veste et se débarrassa de la sienne, jetant ses clés sur la table basse.

— Quelle vue superbe…

— Il m'a suffi d'un coup d'œil pour savoir que je voulais cet appartement. Le panorama est chaque jour différent, je ne m'en lasse pas.

Elle s'approcha de la baie vitrée et contempla le spectacle du Londres nocturne par-delà le toit-terrasse.

— Je suis surprise par l'ordre qui règne ici…

Il sourit.

— Je n'ai pas le temps de mettre le foutoir. Je ne l'occupe que la semaine, quand je suis en ville.

— Et le week-end ?

— J'ai une maison dans le Surrey, un peu loin pour rentrer tous les soirs… Faites comme chez vous.

Il était plutôt difficile de se sentir chez soi dans un cadre aussi impersonnel.

— J'hésite entre la vue et le canapé.

Riant doucement, il poussa un fauteuil rouge devant la baie vitrée.

— Voilà qui conciliera les deux. Vous buvez quelque chose ?

— Vous avez un jus de fruits ?

— Je vais voir.

Il traversa l'immense pièce, sans doute en direction de la cuisine, et elle se laissa choir dans le fauteuil. L'appartement de Leo ne lui apprenait rien sur lui qu'elle ne sût déjà. Beau, bien conçu, sophistiqué, il ne donnait aucune indication sur la vraie nature de l'homme qui l'occupait.

D'après l'architecte d'intérieur de Leo, l'espace devant les fenêtres servait de déambulatoire, et le salon était fait pour s'asseoir. Leo se conformait généralement à ces règles, mais il avait fallu deux minutes à Alex pour bouleverser la donne.

Trouvant un carton de jus de fruits non entamé dans le réfrigérateur, il remplit deux verres. Il poussa une table devant Alex et approcha un fauteuil pour lui. Pourquoi n'avait-il jamais pensé à modifier son cadre de vie ?

Elle avait ôté son écharpe et son gros pull, et se frottait la jambe, la main glissée dans sa botte.

— Ça va ?

— Oui. Mon membre fantôme me démange. En général, ça se calme quand je masse l'autre jambe.

Pendant l'émission, elle avait parlé de sa jambe sans la moindre gêne. Mais il n'avait pas abordé le sujet hors antenne, il voulait la laisser libre de l'évoquer. Ils venaient

42

de franchir une nouvelle étape qui marquait le début d'une certaine confiance.

— Vous ressentez souvent cette douleur du membre fantôme ?

— Occasionnellement. C'est plus une sensation maintenant.

— Et masser l'autre jambe vous apaise ?

— Oui. C'est un leurre, une manière de faire croire au cerveau qu'on agit pour remédier au problème. Un truc qu'on m'a appris en rééducation, dit-elle en souriant.

Il hésita. Il ne voulait pas franchir les limites qu'il s'était fixées, mais s'il se concentrait sur l'aspect médical…

— Je fais des massages du pied exceptionnels.

Elle s'empourpra.

— Ça me paraît un peu exagéré. Il suffit de frotter légèrement.

Il n'insista pas. Il consulta sa montre. Ils devaient rappeler Carys dans vingt-cinq minutes, il avait le temps de prendre une douche, froide de préférence, cela le calmerait.

— Bon, j'y vais. Avez-vous besoin de quelque chose ?

— Allez-y. Je ne suis pas seule, répondit-elle en désignant la fenêtre.

5.

Alex avait l'impression d'être isolée dans une bulle de lumière. Un silence total régnait, et elle avait la ville à ses pieds. Malgré le froid glacial dehors, elle avait chaud et était détendue. Leo devait être en train de se doucher, mais elle n'entendait aucun bruit dans l'appartement insonorisé.

Tant mieux. Elle préférait ne pas l'imaginer sous la douche, le corps ruisselant… Elle avait été prise de vertige quand il avait parlé de massage.

Enlevant sa botte, elle se massa doucement le pied jusqu'à ce que la sensation fantôme se dissipe dans l'autre jambe. La sonnerie d'un téléphone déchira le silence. Elle s'immobilisa, et la voix étouffée de Leo lui parvint.

La conversation dura un moment. Alex regarda sa montre. Ils devaient rappeler Carys dans dix minutes. La voix de Leo se rapprocha, devint plus audible.

— Carys… tu veux parler à Alex ? Je peux te la passer…

Carys n'avait pas dû pouvoir attendre qu'il la rappelle. Alex se retourna… et resta bouche bée.

Humides de la douche, les cheveux de Leo se dressaient sur son crâne comme s'il les avait hâtivement frottés avec une serviette. Peut-être celle qui ceignait ses hanches étroites et constituait son seul vêtement. Puissant, musclé, hâlé, son corps était encore plus parfait qu'elle n'avait osé l'imaginer.

Le pire, c'était qu'il n'en avait pas conscience, absorbé comme il l'était par sa conversation avec la jeune fille. Il était innocent comme l'enfant qui vient de naître, et carrément irrésistible.

— Très bien. Tu veux que je te rappelle… ? D'accord, je le fais tout de suite et je te passe Alex…

Il vint vers le fauteuil où elle était assise, paralysée par ce qui ressemblait fort à une violente bouffée de désir. Elle le regarda s'avancer avec un mélange d'assurance et de grâce animale qui lui coupa le souffle.

— C'est Carys, dit-il. Vous voulez la prendre pendant que je m'habille ? Elle a perdu sa jambe il y a six mois et elle a besoin de parler…

Il mit le haut-parleur et posa l'appareil sur la petite table. Un parfum de savonnette vint chatouiller les narines d'Alex qui déglutit nerveusement.

Il y eut six sonneries, puis un répondeur téléphonique se déclencha. Leo étouffa un juron.

— Allez, Carys, décroche… Je sais que tu es là…

Il refit le numéro. Alex retenait son souffle. Il était tout proche, une main posée sur l'accoudoir de son fauteuil, et elle avait beau fixer le téléphone, son superbe biceps empiétait sur sa vision périphérique.

La connexion se fit, et Alex entendit un bruit de respiration. Leo sourit.

— Carys, j'ai cru t'avoir perdue. Tu peux toujours parler ? demanda-t-il gentiment.

— Oui… Désolée…

— Pas de problème. Je sais que c'est dur pour toi. Alex est avec moi, ce serait bien si vous parliez un peu ensemble.

— Ça me ferait plaisir…

— Bonjour, Carys, c'est Alex. Merci d'avoir pris contact avec nous.

— Alex…

Carys pleurait. Alex se pencha vers l'appareil.

— Je pourrais peut-être te parler un peu de moi, murmura-t-elle, cherchant le regard de Leo qui acquiesça. Bien. On m'a amputée de la jambe droite sous le genou quand j'avais dix-neuf ans, à la suite d'un accident de la route. C'est terrible à affronter, n'est-ce pas ?

— J'ai l'impression que… toutes les choses que je voulais faire…

— Je sais. J'ai ressenti la même chose. Tout le monde dit que nous pourrons encore les faire, mais ils ne savent pas combien c'est dur, hein ?

— Non. Je n'arrête pas de m'affaler…

— Est-ce que ta kinésithérapeute t'a appris à tomber sans te faire mal ?

Concentrée sur l'échange, Alex remarqua à peine que Leo quittait la pièce.

Leo se frictionna les cheveux avec la serviette et se donna un coup de peigne avant de prendre ses vêtements. Pantalon sombre et chemise habillée. Il mettrait le nœud papillon plus tard. Enfilant ses chaussettes, il ramassa ses chaussures sans même vérifier si elles étaient cirées, et regagna le salon. Alex parlait toujours à l'adolescente.

Un moment, il se contenta de l'écouter exprimer ses sentiments — ceux-là mêmes que Carys avait avoué éprouver. Elle lui faisait comprendre qu'elle n'était pas seule, lui donnait de l'espoir, et il en fut étrangement touché.

— Je m'inquiète pour mon père. Il conduisait quand nous avons eu l'accident.

— Et que ressens-tu à ce sujet ? demanda Alex, qui fixait le téléphone avec une intense concentration.

— Je n'arrête pas de lui répéter que ce n'est pas sa faute, mais il ne veut rien entendre. Hier soir, je l'ai encore entendu se disputer avec maman au téléphone, il pleurait.

Carys ne l'avait pas dit à Leo. Du reste, il n'aurait pas su quoi dire. Il alla en silence jusqu'à son fauteuil devant la fenêtre et s'assit.

— Tu fais bien de t'en soucier, Carys. Ton père parle-t-il à quelqu'un ?

— Je ne crois pas. Maman et lui sont divorcés.

— D'accord. Ecoute, tu as beaucoup à affronter en ce moment, tu ne peux pas aider ton père. Mais il y a plein de gens qui le peuvent. Nous avons un groupe composé de familles très bienveillantes. Crois-tu qu'il pourrait assister à une de leurs réunions ?

— J'en doute. Il dit qu'il va bien, et que je suis la seule qui compte maintenant.

— Je ne suis pas d'accord. Vous comptez tous les deux beaucoup, dit Alex en regardant Leo.

— Je lui ai demandé de m'emmener à une des réunions dont vous parliez à la radio hier…

— Qu'est-ce qu'il en dit ?

— Il trouve que c'est une bonne idée. Mais… je ne sais pas si je pourrai faire tout ce que vous faites…

Alex rit doucement.

— Qu'importe ce que tu peux ou ne peux pas faire. Nous aimerions que tu viennes simplement observer, peut-être rencontrer des gens. Certains d'entre nous peuvent faire un peu plus que toi, d'autres moins, mais il s'agit avant tout de s'apprécier les uns les autres pour ce que nous sommes.

— Ça me plairait.

Carys avait une voix plus ferme, elle semblait plus sûre d'elle. Alex lui avait donné l'envie et le courage d'avancer.

— Eh bien, je te propose d'y réfléchir, je te rappellerai demain. Nous pourrons discuter de tes intentions, si tu le souhaites.

— Je ne peux pas toujours parler… Ma mère ignore que je vous appelle…

— Dans ce cas, envoie-moi un texto, je te rappellerai. Je t'en envoie un maintenant pour te donner mon numéro, dit-elle en sortant son portable.

Elles échangèrent leurs coordonnées.

— Je l'ai, dit Carys. Est-ce que Leo assistera à l'événement organisé ce samedi ?

— Je crois, répondit Alex avec un regard à Leo qui confirma.

— Il est aussi beau qu'à la télé ?

Leo se taisait depuis un moment, et Carys le croyait parti. Alex leva le doigt pour lui imposer silence.

— Je ne saurais juger. Tu me diras ce que tu en penses.

Il y eut un gloussement à l'autre bout du fil.

— J'aime bien discuter avec lui. Je vous envoie un texto demain, alors ?

— Entendu. J'attends de tes nouvelles.

Elles prirent congé l'une de l'autre et Leo s'adossa à son fauteuil avec une grimace. Alex souriait.

— Ne prenez pas cet air déconfit. Elle vous trouve séduisant.

— Etre réduit au rôle de beau gosse pendant que vous faites tout le travail important…

— Si j'ai besoin d'un beau mec pour pouvoir aider quelqu'un, je saisis les opportunités qui se présentent.

— Et vous me traitez de cynique ! répondit-il en riant.

— Pour moi, c'est un compliment. Carys se sent visiblement à l'aise avec vous, ça l'a aidée à exprimer ce qui compte pour elle. Ça vous pose un problème ?

— Pas du tout, répondit-il en se penchant pour enfiler ses chaussures et les lacer.

Empourprée par l'excitation, elle était vraiment très belle. Peut-être…

— Vous ne voulez pas m'accompagner ce soir ? Il y aura des gens intéressants à cette réception.

— Je ne crois pas avoir la tenue adéquate.

Quoi qu'elle porte, il était sûr qu'elle éclipserait toutes les autres. Mais elle risquait de se sentir mal à l'aise en jean.

— Si je vous dis que vous surclasserez tout le monde, ça peut faire l'affaire ? demanda-t-il, usant du charme qu'on attendait généralement de lui.

— Non. C'est sûrement trop huppé pour moi.

— Nous pourrions passer chez vous pour que vous vous changiez…

Elle fit la grimace.

— Je ne me changerai que pour enfiler mon pyjama.

— Très bien, dit-il, ne sachant trop s'il était déçu ou soulagé. Vous ne savez pas nouer un nœud papillon, par hasard ?

— Pourquoi ? Vous devriez savoir le faire, à votre âge.

— J'ai pour principe de ne jamais m'en charger quand il y a une dame avec moi.

Elle leva les yeux au ciel.

48

— Ça me semble un peu risqué. Qu'arriverait-il si elle voulait vous étrangler avec ?

Elle ne succombait pas à son charme, et il était de plus en plus fasciné par elle. Il regagna sa chambre en souriant.

Au lieu de regarder Alex remonter l'allée jusqu'à son immeuble, Leo décida d'arrêter la voiture devant la porte d'entrée.

— A demain après-midi alors ? demanda-t-il.

— Vous viendrez ?

Elle lui avait donné son agenda du mois à venir, mais elle n'aurait pas cru qu'il prendrait la peine d'assister aux réunions sportives organisées par la fondation.

— Si ça ne vous gêne pas. J'aimerais voir ce qui se passe les jours de manifestation.

— Vous êtes le bienvenu. Mais nous n'aurons probablement pas beaucoup de spectateurs. Ce genre d'événements ne ferait pas un bon audimat…

— Je m'en remettrai. Je serai peut-être un peu en retard, tout dépendra de mes consultations.

— Eh bien, à demain. Quelle que soit votre heure d'arrivée.

Il la suivit du regard comme elle descendait de voiture. Il était tout fringant avec son beau costume et son nœud papillon, et maintenant qu'elle savait ce qu'il y avait dessous, elle était troublée, et regrettait presque d'avoir dû décliner son invitation.

Leo semblait croire qu'elle avait forcément une petite robe noire dans son dressing, or elle ne possédait rien de tel. Et elle se serait sentie très mal à l'aise en arrivant à son bras dans une soirée branchée. Les *gens intéressants* devraient attendre qu'elle soit plus sûre d'elle.

Cette pensée lui fit claquer la portière plus violemment qu'elle n'aurait voulu. Elle adressa un sourire contrit à Leo et recula en haussant les épaules. Il agita la main et démarra.

*
* *

— Alors, comment est-il ? demanda Rhona à Alex en ôtant les couches de vêtements qu'elle avait empilées sur sa robe aux couleurs vives.

Le chauffagiste était passé tôt le matin, et les radiateurs fonctionnaient à plein régime, embuant les fenêtres.

— Il est… compliqué.

— Séduisant et compliqué. Le rêve de toute célibataire.

— … dit la fiancée du type le moins compliqué que je connaisse, rétorqua Alex en pensant au solide et fiable Tom, éperdument amoureux de Rhona.

— Où est ma tasse ?

— Là, répondit Alex en ouvrant le tiroir où elle l'avait cachée. Désolée, j'ai fait un peu de rangement.

— Je trouvais la pièce un peu austère, aussi, dit Rhona qui aimait le chaos organisé.

— Si tu voyais son appartement… La seule chose qui n'y était pas à sa place, c'est moi.

— Tu es allée chez lui ? s'écria Rhona en s'asseyant à son bureau. Raconte. C'est un vrai blond ?

— Bien sûr. Il l'était déjà lors de notre première rencontre.

— Tu l'as approché d'assez près pour voir ses racines ?

— Je n'en ai pas eu besoin. Je sais reconnaître un vrai blond quand j'en vois un.

Rhona s'adossa à sa chaise.

— Naturellement blond, *très* beau, compliqué, appartement ordonné… Quoi d'autre ?

— Très talentueux.

— Ah ! Il te plaît, alors.

— Il a… beaucoup de charme. Et il est grand.

Elle se garda de mentionner le corps musclé de Leo. Elle s'efforçait de ne pas penser à ce qu'il avait pu en faire la veille, après l'avoir quittée. Les journaux du matin publiaient une photo de lui descendant l'escalier d'un bel immeuble au bras d'une très célèbre et fort jolie femme.

— Tu sors toujours avec des types sérieux, Alex. Tu n'as jamais envisagé de badiner un peu avec quelqu'un qui laisserait un grand sourire sur tes lèvres en partant ?

50

— Tu me suggères sérieusement de sortir avec un type qui me plaquerait à la première occasion ?

— Oui. Qui chamboulerait ton univers, et s'en irait sans un regard en arrière. Tu as besoin de perdre ton temps avec des hommes comme lui, avant de trouver le bon.

Alex soupira. Leo bouleversait déjà son univers, et l'expérience n'était pas vraiment positive. Il était charmant, imprévisible, mais elle le sentait capable d'engagement et de compassion. Elle savait d'instinct qu'il était différent de l'image qu'en donnaient les médias.

— Je ne veux pas d'un homme qui me quitterait. Et je ne peux pas lui taper sur le nez avec ma baguette magique pour le faire changer.

— Alors contente-toi de dix minutes de pure magie. Je parie qu'il rendrait les choses très intéressantes…

Alex *savait* qu'il rendrait les choses intéressantes. Elle y avait pensé. Mais ces dix dernières années lui avaient appris à se concentrer sur les objectifs réalisables.

— Je ne vois pas l'intérêt de gâcher son énergie à courir après des choses qu'on ne peut pas avoir. La vie est belle. Pourquoi faire des choix qu'on sait perdus d'avance ?

— Je ne sais pas, admit Rhona après réflexion. Tu veux un café ?

— Oui, merci. Et merci pour cette conversation, Rhona…

Rhona ne répondit pas. Il n'y avait rien à dire. Tout était clair dans l'esprit d'Alex. Leo était séduisant, complexe, et probablement inapte à toute relation. Elle ne voulait pas d'un tel homme.

6.

L'après-midi, les effets de la photo du journal avaient commencé à se faire sentir, excitant la jalousie d'Alex. Elle avait fini par se convaincre que tout le bon qu'elle voyait en Leo n'était que le fruit de son imagination.

Il lui avait fallu trois mois pour obtenir le droit de stationner sur le parking des professeurs, mais quand elle arriva à l'école où devait se tenir la manifestation sportive, la voiture de Leo était garée sur un emplacement réservé au conseiller principal d'éducation, avec sur le pare-brise l'autorisation officielle de l'établissement sur papier à en-tête. Son sac à l'épaule, elle se dirigea vers le gymnase. Devant l'entrée, Leo bavardait avec la directrice, emmitouflé dans une parka.

Alex soupira. N'y avait-il donc personne sur cette fichue planète qui soit insensible à son charme ?

— Et Together Our Way s'est chargée de former votre personnel… ?

— Oui, nous avons un atelier de deux jours chaque été, pendant les vacances. Le premier était réservé à notre personnel, mais l'an dernier, nous avons invité les professeurs d'éducation physique de toutes les écoles de la circonscription, dit Belinda Chalmers, légitimement fière de l'initiative prise par son établissement.

— Cela a-t-il eu une influence sur la pratique du sport à l'école dans son ensemble ? demanda Leo qui, absorbé par la conversation, n'avait pas remarqué Alex.

— Avez-vous déjà vu les vainqueurs d'une course acclamer les perdants sur la ligne d'arrivée ? Cela ne m'était jamais arrivé avant que j'assiste à une des courses d'Alex. Maintenant, beaucoup de nos enfants le font.

— Impressionnant. Alors, les jeunes souffrant de handicaps ne se contentent pas de suivre. Ils montrent la voie.

— Exactement.

— Et vous prenez des enfants de toute la région ? Pas seulement de cette école ?

— En effet. Mais nous n'avons pas assez de place pour prendre tous les candidats, malgré notre projet de nouveau gymnase. Nous avons également un grand nombre de formateurs, ça nous limite aussi.

— Pensez-vous que je pourrais organiser une interview téléphonique avec vous pendant mon émission ? Ce serait génial d'entendre quelqu'un qui comprend l'impact plus large du travail réalisé par Alex et sa fondation.

— Bien sûr. Je serais très heureuse d'en parler.

— Formidable. Je vous appellerai demain si vous permettez, nous mettrons ça au point.

Leo remarqua enfin la présence d'Alex et son visage se fendit d'un grand sourire.

A cet instant, un minibus se faufila dans la place de parking à côté de sa voiture, et arracha son rétroviseur.

— Il n'a pas dû me voir, dit Leo.

Mais Belinda Chalmers fonçait déjà vers le parking pour réprimander le chauffeur.

— Votre voiture empêche l'ouverture de la porte latérale du minibus, or il est plus facile aux enfants de descendre de ce côté-là, dit Alex.

Comme Leo sortait ses clés de voiture, le chauffeur du minibus recula et coupa le moteur. Les portes arrière s'ouvrirent et, sautant à terre, il commença à décharger les sacs de sport des enfants dans une cohue indescriptible.

Profitant qu'il tournait le dos, un jeune garçon sauta du véhicule.

— Asseyez-vous tous !

Mais l'ordre du chauffeur arrivait trop tard, un autre gamin venait de tomber du minibus.

Un hurlement strident déchira l'air. Puis un autre. Lâchant

son sac, Alex courut vers le bus. Plus rapide, Leo s'était agenouillé près de l'enfant qui se débattait, pendant que Belinda Chalmers grimpait à l'arrière du véhicule pour ramener l'ordre.

— Andrew, Andrew, dit Alex, s'efforçant de calmer l'enfant hystérique.

— Lâchez-moi…

Le gamin se redressa et assena un coup de poing à Leo qui retint sa respiration, mais ne réagit pas.

— Andrew, murmura-t-il, les mains levées en signe d'apaisement. Je ne vais pas te faire du mal. Je veux juste m'assurer que tu vas bien.

L'enfant s'immobilisa, fixant sur lui son regard intense.

— Tu n'aimes pas trop les docteurs, pas vrai ?

C'était l'euphémisme de l'année. Quand Andrew avait commencé à venir aux séances d'entraînement, il avait déclaré que les docteurs lui avaient volé son pied gauche et qu'il les détestait. Il travaillait là-dessus avec ses thérapeutes qui regagnaient lentement sa confiance, mais sa chute et ce praticien inconnu l'avaient visiblement déstabilisé.

— Andrew, ce monsieur est comme ton docteur de l'hôpital, le Dr Khan, dit Alex avec un regard à Leo. Il ne te touchera pas si tu ne veux pas.

Andrew fondit en larmes. Il se tenait la jambe droite, il avait dû se faire mal en tombant. Il réagissait à la douleur en se protégeant de la seule façon qu'il connaissait.

— Dites-lui… je veux pas de lui.

— Dis-le-moi toi-même, murmura Leo avec douceur. Bien fort, pour que je t'entende…

— *Je veux pas de vous !* cria Andrew.

— D'accord. Mais tu permets que je reste ? Je ne m'approcherai pas de toi.

Son éclat semblait avoir calmé le garçon qui hocha la tête en silence. Leo ôta lentement sa parka. Voyant où il voulait en venir, Alex la lui prit des mains et, l'étendant sur le sol gelé, elle s'assit dessus.

— Tu dois avoir froid. Viens ici.

Elle souleva l'enfant avec douceur pour le prendre contre

54

elle et il se laissa faire. Elle le garda dans ses bras jusqu'à ce que ses tremblements s'apaisent.

— Ça va mieux ? demanda Leo.

Andrew acquiesça.

— Si tu t'es fait mal, montre-nous à quel endroit. Alex pourrait peut-être jeter un coup d'œil ?

Andrew désigna sa cheville, et Alex releva le bas de son pantalon de survêtement. Il se blottit contre elle et ne protesta pas quand elle lui enleva son pantalon et sa chaussette. Sa cheville était rouge et commençait à enfler. Andrew la regarda tristement. Blesser un de ses « bons membres » était le pire cauchemar d'un amputé.

Leo était perplexe. Comment allaient-ils remédier au problème sans perturber davantage le jeune garçon ?

— Ça n'a pas l'air si terrible. Avec un peu de glace et un bandage, ça ne sera plus qu'un mauvais souvenir, dit-il en priant pour qu'il n'y ait pas de fracture. Mais nous gênons le passage, reprit-il en levant les yeux vers le minibus où Belinda Chambers et deux instituteurs surveillaient les enfants. Tu veux bien venir dans ma voiture ?

Andrew regarda l'automobile et son visage s'illumina. Leo l'ignorait, mais il avait la passion des voitures.

— Je ne sais pas comment je vais sortir de cette place de parking. Tu veux essayer la fonction *park assist* avec moi ?

Andrew hocha la tête, et Leo le souleva dans ses bras pour l'emporter dans sa voiture, où il le déposa délicatement sur le siège passager.

— Je vais t'attacher.

Il lui mit la ceinture de sécurité et en profita pour examiner sa cheville. Puis il referma la portière.

— Il sait s'y prendre, dit Belinda Chalmers.

Plantée à côté d'Alex, elle regarda l'automobile quitter la place de parking sans que Leo touche le volant, sous le regard fasciné du jeune garçon.

— Quelqu'un a prévenu la mère d'Andrew ? Ça a l'air d'une foulure, mais il pourrait y avoir une fracture.

— Elle est en route, répondit la directrice. Je vais faire entrer les enfants, si vous voulez bien l'attendre.

Maintenant qu'on pouvait accéder à la porte latérale du minibus, Alex préférait que les enfants commencent l'entraînement dans le gymnase. Leo ne semblait plus avoir besoin d'elle, mais il y avait trois professeurs de sport qualifiés pour surveiller les exercices, et Andrew était sous sa responsabilité en attendant l'arrivée de sa mère.

Ouvrant la porte de la voiture de Leo, elle se glissa à l'arrière.

— Comment ça va, Andrew ?

— Bien, répondit le garçonnet, fasciné par l'examen du tableau de bord.

Leo se retourna et sourit à Alex.

— Si tu laissais Alex jeter un coup d'œil à ta cheville, Andrew ? Ça doit te faire mal, dit-il, lui prenant la main pour l'empêcher d'allumer les feux de brouillard.

— Vous pouvez le faire, si vous voulez, répondit l'enfant.

— D'accord. Merci.

Il se pencha pour examiner sa cheville de près, guettant la moindre grimace de douleur sur son visage.

— Ce n'est pas grave. Quelques jours de repos, et tout rentrera dans l'ordre. Je vais protéger ta cheville, en attendant que ta maman vienne te chercher.

Le petit garçon acquiesça, et Leo descendit de voiture pour aller fouiller dans son coffre. Evitant de prendre sa mallette médicale pour ne pas l'effrayer, il lui montra comment fonctionnait l'attelle gonflable qu'il allait lui poser.

Quand la mère d'Andrew arriva, il s'était laissé convaincre d'accepter l'attelle. Descendant de voiture, Leo laissa sa place à la jeune mère inquiète.

— Andrew… ça va, chéri ?

— Oui. On rentre à la maison, maman ?

— Laisse-moi d'abord parler au docteur, dit Marion, surprise de trouver son fils aussi détendu en présence d'un médecin.

— *Non !* On rentre à la *maison !* cria rageusement Andrew.

— Andrew, s'il te plaît, bredouilla Marion, impuissante.

Leo intervint. Toujours là quand il fallait, à charmer tout

le monde pour arriver à ses fins. Alex commençait à se lasser de ses entreprises de séduction.

— Donne-moi une minute pour parler à ta maman, d'accord ? On ne te fera rien contre ton gré, sois tranquille.

Leo attendit l'approbation d'Andrew.

— Il semble que ce ne soit qu'une foulure, dit-il à la mère. Mais il doit faire une radio, par mesure de sécurité.

Marion grimaça, visiblement réticente à l'idée de patienter des heures à l'hôpital.

— Oui… Merci.

— Mon cabinet travaille avec une clinique voisine, qui reçoit nos patients. Nous allons y conduire Andrew, on s'occupera de lui immédiatement puis je le ramènerai ici.

— Ça doit être une clinique privée. Nous n'avons pas d'assurance…

— Ça ne vous coûtera rien. Nous avons un arrangement avec eux.

Marion regarda Alex d'un air hésitant.

— Ce serait mieux pour Andrew, approuva la jeune femme.

— Je vous en suis reconnaissante. Merci, docteur.

— Appelez-moi Leo. Voilà ce qu'on va faire…

Alex aurait aimé les accompagner, mais apparemment, Andrew et sa mère avaient juste besoin de Leo.

Descendant de voiture, elle alla récupérer son sac de sport. La séance d'exercices avait déjà commencé, elle n'avait plus qu'à la prendre en route. Au moins, elle n'aurait plus à assister à l'écœurant déploiement de charme de Leo…

Alex était partie sans dire où elle allait. Elle était différente ce soir. Elle avait bien géré le problème avec Andrew, mais ce changement subtil intriguait Leo.

— Vous ne venez pas avec nous à la clinique ? demanda-t-il, la rattrapant à l'entrée de la salle de sport.

— Vous n'avez pas besoin de moi.

Il fut tenté de rétorquer qu'au contraire il avait *désespérément* besoin d'elle. Cela marchait en général. Mais Alex n'était pas comme les autres, elle exigerait des explications.

— Vous ne voulez pas venir ?

Elle se retourna et il vit une lueur de mépris dans ses yeux.

— Bien sûr que si. Mais je dois rester ici pour aider aux exercices…

— Vous êtes la directrice de la fondation, non ?

— Un terme un peu ampoulé…

— C'est vous qui gérez l'association, ça fait de vous la directrice, que ça vous plaise ou non. Il est donc de votre responsabilité de montrer le chemin, d'afficher vos valeurs.

Elle le regarda fixement, avant de comprendre.

— Et un de nos principes fondamentaux est de ne jamais abandonner quelqu'un… Attendez-moi, dit-elle en lui fourrant son sac de sport dans les bras. Je vais les prévenir qu'Andrew va bien et que je l'accompagne à la radio.

En pénétrant dans l'élégant hall de réception derrière Leo, Marion prit le bras d'Alex.

— C'est très huppé… Nous n'avons pas d'assurance-santé, vous êtes sûre que c'est gratuit ?

— Ne vous inquiétez pas, répondit Alex, certaine de pouvoir faire confiance à Leo sur ce point.

Il soutenait Andrew qui marchait, la cheville protégée par l'attelle. Libre de ses mouvements, l'enfant ne se gêna pas pour aller bavarder avec la réceptionniste.

Celle-ci remplit un formulaire et le tendit au garçonnet qui le prit, sous le regard amusé de Leo.

— Je peux l'emmener directement à la radio ?

— Oui, salle 9.

La jeune femme adressa à Leo un sourire éblouissant qui allait bien au-delà des exigences de sa profession.

Leo fit semblant de se perdre dans le dédale de couloirs pour permettre à Andrew de trouver la bonne porte. Dans la salle, il invita Marion et Alex à s'asseoir et installa l'enfant sur la table d'examen, laissant les rideaux ouverts pour qu'il puisse voir sa mère.

Une assistante apporta une tasse de thé à Marion, manifestement mal à l'aise. Leo lui sourit.

— Mon cabinet est juste à côté. Nous avons un accord avec la clinique qui nous permet de disposer de ses installations.

— C'est très aimable à vous. L'hôpital est formidable avec Andrew, mais son médecin habituel n'est pas là en ce moment, et le centre d'urgence…

— Je sais. Ils font un travail formidable, mais l'attente est parfois longue. Cette solution est plus facile pour Andrew.

De fait, le jeune garçon accepta docilement que Leo procède à un examen complet, et ne protesta pas quand il le laissa avec le technicien pour la prise des radios.

— Ça me paraît bien, déclara Leo après avoir étudié les clichés et confirmé l'absence de fracture. Je vais te donner un soutien pour ta cheville, j'aimerais que tu le gardes une dizaine de jours, le temps de consolider ta cheville, mais après, tu pourras courir comme un cabri.

— Je pourrai vous appeler pendant votre émission ?

— Si tu veux. Mais ta maman devra s'en charger. De quoi veux-tu parler ?

— De votre automobile.

— Ça n'intéresse personne. Si on parlait plutôt de tes séances d'entraînement sportif avec Alex ?

— Peut-être.

— On appellera, dit Marion. J'ai écouté l'émission de lundi, où on annonçait la participation d'Alex.

— Et qu'en avez-vous pensé ?

— J'ai trouvé ça génial. C'est vraiment bien que vous traitiez de ce problème à la radio. Je regrette de ne pas l'avoir su plus tôt, j'aurais dit à mes amis d'écouter l'émission.

— Ça s'est décidé à la dernière minute, dit Alex avec une moue. Ma fondation n'était pas le premier choix de Leo.

Il chercha son regard et le soutint, comme s'il ne s'adressait qu'à elle. Il avait le chic pour parler à chaque interlocuteur comme s'il était le seul et l'unique.

— Alex a remplacé au pied levé quelqu'un qui s'était désisté. Nous avons vite compris que nous avions commis une grosse erreur en ne la choisissant pas en priorité.

Elle détourna les yeux avec effort, refusant de se laisser duper par ses belles paroles.

— Vous êtes juste gentil…

Elle ne tenait pas particulièrement à ce qu'il le soit. Elle voulait retrouver l'homme d'affaires qui la laissait insensible.

— Je ne suis *jamais* gentil, répondit-il en soulevant Andrew dans ses bras. Viens, bonhomme. Il est temps de rentrer chez toi.

Leo s'était contenté de tirer quelques ficelles pour faciliter les choses à Andrew. Mais quand l'enfant lui avait tapé dans la main avant de repartir avec sa mère, il avait été touché. Les incidents les plus anodins étaient parfois les plus gratifiants.

— Merci.

Ils avaient réussi à assister aux dix dernières minutes de la séance d'exercices, et il regagnait le parking en compagnie d'Alex.

— De rien. Ça doit être compliqué quand les enfants se blessent. Ils ont déjà eu leur dose de traumatisme.

— Oui. Certains ne se laissent pas démonter, mais d'autres… C'est parfois ceux qu'il faut surveiller le plus qui montrent le plus de sang-froid.

— J'ai remarqué… Vous avez vu les journaux ce matin ?

— Non.

Visiblement mal à l'aise, elle ne lui avait même pas demandé de quoi il parlait. Il s'arrêta pour lui faire face, mais elle continua de marcher comme si de rien n'était.

— Rembobinons la bande.

Elle se retourna lentement.

— Quoi ?

— Reprenons. Je vous invite à un cocktail, vous refusez, et je me retrouve dans le journal en compagnie d'Evangeline Perry…

— Et alors ? Vous avez le droit de descendre un escalier avec quelqu'un, non ? Je le fais tout le temps, fit-elle d'un air pincé.

— J'avais le bras autour d'elle car une demi-douzaine de paparazzi venait de lui tomber dessus.

En général, il laissait les journalistes tirer les conclusions qu'ils voulaient, tant il méprisait les ragots qu'ils colportaient, mais, cette fois, il tenait à ce que la situation soit claire.

— Ce que vous faites ne me regarde pas, Leo.

— Je sais. Mais je tiens à m'expliquer : je connais Evie depuis des années, et nous discutions de certains problèmes que vous et moi avions abordés pendant l'émission…

— Oh ! à d'autres, Leo…

— Arielle, la sœur d'Evie, faisait partie de l'équipe nationale de course à pied. L'année dernière, elle a contracté une méningite qui a provisoirement mis fin à sa carrière. Arielle a toujours dit qu'elle voulait travailler avec des enfants quand elle arrêterait la compétition, et ce projet la travaille depuis un moment…

— Et vous êtes tombé sur sa sœur par hasard à ce cocktail.

— Non, j'avais prévu d'y rencontrer Evie, c'est notamment pour ça que je vous ai demandé de venir. Elle était avec son compagnon… le type derrière nous sur les marches.

Il se tut, et elle le fixa avec stupeur.

— Certes, elle a mis un peu de glamour dans une soirée plutôt rasoir, mais c'était entièrement fortuit…

— Elle est la même dans la vraie vie ?

— C'est une personne très gentille.

— Est-elle aussi belle ? J'ai vu son dernier film…

— Evangeline est une star de cinéma. Ça fait partie de son job d'être belle. Elle n'est pas payée pour être gentille, mais elle l'est aussi. Elle a promis de me donner une interview pendant l'émission de vendredi.

— Bien, bredouilla Alex avec gêne en ouvrant la portière de sa voiture et en jetant son sac de sport sur le siège arrière.

— Vous l'écouterez ?

— J'essaierai.

Elle monta dans la voiture et le moteur rugit. Puis elle quitta la place de parking en marche arrière, manquant emboutir l'auto de Leo.

Il sourit. Elle écouterait l'émission vendredi.

7.

Leo l'inconnu. Avec lui, Alex avait perpétuellement l'impression d'être dans une galerie de miroirs, elle était incapable de déterminer si l'homme à qui elle avait affaire était le vrai Leo, ou seulement un reflet.

A en juger par le regard suffisant qu'il lui avait décoché, il ne doutait pas qu'elle écouterait son émission du vendredi.

Et elle le fit quand même.

Evangeline parla avec passion de la maladie de sa sœur, qui l'avait fait réfléchir à la création d'un programme destiné aux jeunes athlètes handicapés. Alex regretta de l'avoir mal jugée. Mais elle ne s'était pas trompée sur Leo. Il était de toute façon perdu pour elle.

Elle était été stupide d'être jalouse d'Evangeline. Le pire, c'était que Leo le savait. La journée du lundi promettait d'être difficile.

Alex arriva en avance à la station de radio. Il ne fallait pas que les auditeurs sentent un malaise entre Leo et elle, elle devait donc détendre l'atmosphère. Mais sa nervosité ne fit qu'empirer durant la demi-heure qu'elle passa seule à se préparer dans le salon de détente. Puis Leo entra.

— Prête ?

— Leo… Leo, attendez. Excusez-moi pour la photo du journal…

Il posa ses yeux bleus sur elle, et elle rougit.

— Les paparazzi sont arrivés aux mêmes conclusions que vous, comme tous les lecteurs du journal. Pourquoi pas vous ?

— Cela ne me regardait pas.

— Je dois accepter qu'on monte parfois mes faits et gestes en épingle, Alex. Mais je me soucie de ce que vous pensez, c'est pourquoi j'ai pris la peine de m'expliquer.

Cela ressemblait étrangement à un compliment.

— Vous cherchez à être gentil, là ?

Il sourit. De ce sourire lumineux qui ne semblait dissimuler aucun secret.

— Non. Je ne suis jamais gentil, répondit-il en consultant sa montre. Il faut qu'on y aille. Aurez-vous dix minutes à m'accorder ensuite ? J'ai des détails à voir avec vous pour la semaine prochaine.

Quand Alex et Leo pénétrèrent dans le studio, tout se mit en place. Il sourit. Elle sourit. Elle réussit à trouver des réponses aux questions des auditeurs. Contrairement au lundi précédent où sa nervosité avait nui à son discernement, elle se rendit compte que Leo alimentait ce qu'elle disait sans jamais affirmer, laissant la discussion ouverte. Et l'heure fila à toute vitesse.

Quand ils eurent laissé l'antenne au présentateur suivant, Justin les rejoignit.

— Vous avez été fantastiques, tous les deux. Et les suivis des appels ? demanda-t-il en brandissant une enveloppe kraft.

— Alex aimerait peut-être les prendre, répondit Leo.

— Oui, merci.

— Il y a autre chose…

Leo bondit sur ses pieds sans laisser Justin finir sa phrase.

— On s'en occupe, Justin. La voiture attend ?

— Elle n'est pas arrivée. Comme on a quelques minutes…

— Plus tard.

Leo ramassa le manteau d'Alex et le lui tendit pour qu'elle l'enfile. Puis il la sortit du studio manu militari.

— Qu'est-ce qu'il y a, Leo ? demanda-t-elle, déconcertée.

— On peut parler dans la voiture ? répondit-il, interpellant l'assistant de production qui passait dans le couloir. Jo, tu as demandé la voiture ?

— Pas encore. Justin m'a dit d'attendre…

— Peux-tu me rendre service et l'appeler maintenant ?

C'était insensé. De toute évidence, Leo voulait s'entretenir avec elle en privé. Au point d'être prêt à passer une heure à tourner dans Londres en voiture !

— Je prendrais bien un café d'abord, dit-elle.

Leo lui sourit.

— Dans ce cas… Oublie la voiture, Jo, dit-il en entraînant Alex.

Dehors, il commençait à neiger. De gros flocons duveteux voletaient dans le halo des réverbères et des phares, transformant la rue en paysage de carte postale. Leo tendit son bras à Alex qui y posa sa main gantée.

Il soupira. Il ne se reconnaissait pas. Lui qui passait son temps à parler de toutes sortes de sujets intimes à toutes sortes de gens… Qu'est-ce qui le bloquait ? Il était pourtant doué pour dire les choses, non ?

Comme ils marchaient en silence, elle tendit sa main libre et prit des flocons dans sa paume.

— La première neige de l'hiver. Je l'aime comme ça, fraîche, propre, prête à recevoir l'empreinte de mes pas…

— Moi aussi.

Elle essayait de le mettre à l'aise. Cela le perturba encore plus, c'était plutôt son rôle à lui d'habitude.

Il ouvrit la porte de son immeuble et s'effaça pour la laisser entrer. Il salua le concierge d'un sourire, et ils se dirigèrent vers l'ascenseur.

Pénétrant dans l'appartement, elle marcha jusqu'à la fenêtre d'un air émerveillé.

— Oh ! Comme c'est beau, Leo ! C'est toujours comme ça quand il neige ?

— Pas toujours.

Dans le ciel lumineux, un amoncellement de nuages d'un rose laiteux planait au-dessus de la ville. De gros flocons voltigeaient derrière les vitres. Plus loin, de blancs tapis scintillants recouvraient déjà les toits. Avait-il une seule fois admiré la vue par temps de neige ?

Il s'approcha, et Alex tourna vers lui son visage radieux.

— Je parie qu'en se tenant là un soir de Noël, on voit le traîneau du Père Noël traverser le ciel…

Peut-être, si Alex était là. Elle essayait encore de le mettre à l'aise. Il sourit.

— Je vais préparer le café.

— Ce n'était qu'un prétexte. Je n'en ai pas vraiment envie.

En d'autres termes : *Allons droit au but.*

— Justin voudrait qu'on parle de sexe dans l'émission… annonça-t-il en grimaçant.

Elle haussa les sourcils.

— Vraiment ? Alors je ferais mieux de me mettre à l'aise, dit-elle en ôtant sa veste matelassée, qu'elle posa sur le dossier du canapé. Allez-y. Je suis tout ouïe.

Elle le taquinait et cela ne l'aidait pas. Il se sentait déjà suffisamment gêné.

— Facilitez-moi les choses, d'accord ? Justin est très satisfait de la façon dont vous avez traité bon nombre de sujets, et il aimerait qu'on aborde cette question. Je lui ai fait part de mes réserves, et je lui ai dit que je vous en parlerais.

Elle réfléchit un moment.

— Je trouve que c'est une bonne idée. Nous nous occupons d'adolescents âgés d'au plus vingt et un ans, et la dimension sexuelle d'une relation peut être un problème pour eux. Quelles sont vos réserves ?

— D'abord, vous évoquez avec beaucoup de candeur vos propres expériences et c'est très bien, mais je ne voudrais pas que vous vous sentiez forcée de partager des choses que vous tenez à garder privées.

— D'accord. En principe, j'aime parler de n'importe quoi, si ça peut aider quelqu'un.

— Très bien. Mais vous ne devez pas oublier que vous êtes à la radio. Je répugne à faire parler mes invités de sujets qui les embarrassent.

— Et j'apprécie cela. Quelle autre réserve avez-vous ?

Elle plongea son regard dans le sien et il eut l'impression de s'y noyer. Les yeux d'Alex avaient le pouvoir de lui ôter tous ses moyens, aussi s'efforça-t-il de ne pas les regarder.

— Je trouve que c'est un sujet délicat. Je ne veux pas minimiser les difficultés pratiques qu'un handicap peut causer, car j'ai souvent rencontré ce type de problèmes parmi mes patients. Mais, en même temps, ce serait une erreur de sous-entendre que souffrir d'un handicap implique nécessairement qu'on a un problème d'intimité physique.

Elle eut un sourire lumineux.

— Puisque vous en êtes conscient, ça fait de vous la personne idéale avec qui tenter le coup, non ?

Pendant un instant vertigineux, Leo crut qu'elle voulait *vraiment* faire un essai avec lui, *personnellement*.

— Si on le faisait ? reprit-elle, l'arrachant à ses fantasmes. Nous parlerons des effets d'une amputation sur l'image qu'on a de son corps. Et s'il en sort quelque chose et qu'un auditeur pose des questions spécifiques, nous y répondrons.

C'était ainsi qu'il aurait dû formuler les choses depuis le début au lieu de rendre gênant un sujet au fond parfaitement simple.

— D'accord, admit-il. Si ça vous va.

— Ça me va tout à fait. Et je vous remercie de l'avoir suggéré. Je tiens à insister sur un point : quand quelqu'un tient vraiment à vous, il vous prend comme vous êtes. Et la communication est la clé de toute relation.

— Ça s'applique à tout le monde, j'imagine.

— En effet. On peut s'asseoir maintenant ?

Alex n'aurait jamais cru cela de Leo, mais c'était touchant. Il n'osait pas parler de sexe. C'était une nouvelle facette de l'énigme qu'il incarnait, et qu'elle brûlait de résoudre.

— Qu'est-ce qui vous a amené à faire des émissions médicales pour la radio ? demanda-t-elle, s'asseyant dans un des grands canapés de designer tandis qu'il prenait place en face d'elle.

— Je pense qu'il est important d'être là les uns pour les

autres. Beaucoup de ceux qui nous appellent ont le senti-ment qu'ils n'ont personne sur qui compter. Trois heures par semaine, je suis celui vers lequel ils peuvent se tourner.

— Et le reste du temps ?

Il eut un sourire teinté de tristesse.

— J'espère que celui que je leur ai consacré changera quelque chose pour eux. Ce n'est pas une science exacte.

— A notre première rencontre, vous aviez l'ambition d'être à la pointe, de sauver des vies...

— A notre première rencontre, j'étais déguisé en capitaine de vaisseau spatial. J'ai changé d'avis là-dessus aussi.

— Vous étiez magnifique. Prêt à vous envoler vers l'inconnu pour conquérir de nouveaux mondes.

Il secoua la tête.

— C'était davantage le style de mon frère. J'ai toujours été le plus raisonnable.

— Vous ne m'avez pas dit que vous aviez un frère...

— Nous étions vrais jumeaux, et il arrivait toujours à être beaucoup plus séduisant que moi. Je préférais cacher son existence, dit-il, railleur.

— Puis-je vous demander pourquoi vous employez le passé ?

— J'aimerais qu'on me pose plus souvent cette question...

C'était peut-être un effet de l'éclairage tamisé de la pièce, mais, quand il leva ses yeux bleus, elle crut voir le jeune homme rencontré dix ans plus tôt.

Elle déglutit, la gorge nouée.

— Comment s'appelait votre frère ?

— Joel. Il est mort six mois après notre rencontre. Juste avant Noël.

— Je suis désolée, Leo. Sincèrement.

— Ne le soyez pas. On ne parle pas beaucoup de lui et... j'aimerais parfois qu'on cesse de ménager mes sentiments.

— J'imagine que les gens croient bien faire.

— Oui. Mais Joel mérite mieux que le silence.

— Je serai heureuse de faire du bruit avec vous.

— Ça me va. Vous prendrez un cognac avec moi ?

— Non merci.

Se dirigeant vers un meuble sous le grand tableau moderne, il l'ouvrit et en sortit un verre ballon.

— Joel souffrait de dépression. Il n'en parlait pas, mais je sentais que quelque chose clochait, et j'ai abordé le sujet avec lui. Je l'ai persuadé de consulter, mais comme il fallait des mois pour décrocher un rendez-vous dans le public, nous nous sommes cotisés pour qu'il voie un thérapeute en consultation privée.

Il se retourna brusquement et la liqueur ambrée tourbillonna dans son verre.

— Ça n'a pas servi à grand-chose. Joel s'est suicidé.

— Mais vous avez essayé de l'aider. Vous avez été là pour lui…

— Pas quand il fallait. Et j'aurais dû en parler à mes parents, ils auraient peut-être pu faire quelque chose. Joel m'avait demandé de ne rien leur dire.

— Vous avez respecté sa volonté, non ?

— Quelquefois il faut aller à l'encontre de ce qu'on vous demande, remarqua-t-il avant de prendre une gorgée de cognac, suivie d'une autre.

— C'est pour ça que vous avez été bénévole sur cette ligne d'assistance téléphonique ? A cause de Joel ?

— Oui. Je n'avais pas été là quand il avait eu besoin de moi, la seule façon de me sentir un peu mieux était d'être là pour d'autres…

Il but une nouvelle gorgée d'alcool, comme pour chasser le froid mortel qui l'envahissait.

Soudain, la galerie de miroirs s'écroula. Le charmant Leo, l'homme d'affaires, le cynique, le médecin. Toutes ses contradictions eurent brusquement un sens.

Leo était exactement ce qu'il semblait être. Un homme passionné, dévoué, qui avait été brisé par la culpabilité et le regret. La célébrité, le taux d'écoute de son émission de radio n'étaient qu'une manière d'atteindre les gens. Et il s'y vouait corps et âme, consacrant son énergie à des personnes qu'il ne connaissait pas, parce qu'elles ne pouvaient pas le faire souffrir.

— Je sais ce que vous pensez, dit-il avec douceur. On me l'a souvent répété. Je devrais lâcher prise.

— Vous êtes doué, mais vous ne lisez pas dans les pensées d'autrui, Leo, répondit-elle en se levant pour aller vers lui, mue par une force incontrôlable.

— De nombreuses personnes sont assez faciles à déchiffrer, dit-il, scrutant son visage.

— Allez-y, si vous croyez en être capable.

Il glissa doucement son doigt sur sa tempe, les sourcils froncés comme si cela exigeait un effort mental considérable.

— Hum, intéressant. Très intéressant…

Un moment, ce fut comme s'il pouvait *vraiment* deviner ses pensées. *Impossible !*

— Qu'est-ce qui est intéressant ?

— Je ne peux pas lire en vous. Je ne sais jamais comment vous allez réagir. Fascinant, conclut-il avec un sourire.

Il recourait encore à son numéro de charme, comme chaque fois qu'il voulait retourner une situation à son avantage. Mais elle était subjuguée, et quand elle croisa son regard, elle crut à sa sincérité. Elle déglutit.

— Vous savez, Leo, même si vous étiez capable de lire dans l'esprit des gens, vous ne pourriez pas voir l'avenir.

— On peut voir le passé, mais il est trop tard pour le changer. Quant à l'avenir…

Il haussa les épaules.

— Et le présent, Leo ?

Si Alex n'avait pas été aussi belle, Leo aurait balayé la question d'un haussement d'épaules, sans se soucier de sa troublante proximité.

— Ce n'est qu'un moment. Evanoui avant qu'on ait la moindre chance de savoir quoi en faire.

Elle tendit la main et referma les doigts.

— Là. Je l'ai.

Le temps parut suspendu, une impression très étrange qui donnait à Leo un sentiment de bien-être et de sécurité, à l'abri d'un monde qui ne pouvait pas lui faire de mal.

— Qu'est-ce que vous allez en faire ? demanda-t-elle.

— Je voudrais dire à Tara que je regrette de ne pas l'avoir revue. *Vous* dire que je suis désolé de ne pas avoir été là et…

Elle posa un doigt sur ses lèvres pour lui imposer silence.

— Si je vous dis que vous êtes pardonné, peut-on laisser ça derrière nous ? Dans le passé ?

N'importe quoi semblait possible, à condition d'être contenu dans ce moment. Il lui prit la main et déposa un baiser sur sa paume.

— Le capitaine Boone et Tara, dit-elle en souriant. Laissons-les échanger un baiser d'adieu et s'évanouir dans l'univers. Et revenons à ce que *nous* avons à faire.

Peut-être avait-elle raison. Dix ans plus tôt, il avait laissé échapper l'occasion de l'embrasser et l'avait regretté. La pensée de réitérer cette erreur lui était insupportable.

— Avec plaisir.

Si cela pouvait aider Leo à avancer, pourquoi pas ? Etre déguisé permettait de faire des choses qu'on n'aurait pas faites normalement, on pouvait prétendre ensuite avoir joué la comédie. Dans une grossière imitation du pistolet paralysant de Tara, Alex leva deux doigts qu'elle pointa contre ses côtes.

Leo sourit.

— Vous avez vu cet épisode, n'est-ce pas ?

L'épisode où Tara tenait le capitaine Boone en joue avant de l'embrasser. Oui, elle l'avait vu.

— J'ai beaucoup regardé la télé pendant ma convalescence.

Il leva les mains en signe de reddition, comme s'il se sentait vraiment menacé.

Mais son sourire était irrésistible. Elle effleura ses lèvres d'un baiser.

— Très agréable…, l'entendit-elle souffler contre sa joue.

Elle s'écarta pour le taquiner, puis se rapprocha et promena lentement ses lèvres sur son visage.

— Encore mieux…

Il baisa ses doigts, et attendit. Alors elle posa la main sur sa nuque et l'embrassa à pleine bouche.

Il la regarda s'écarter en souriant, visiblement ravi de la laisser mener la danse. Mais ils savaient que cela ne durerait pas. Comme elle l'embrassait de nouveau, il lui saisit le poignet et, l'attirant à lui, la plaqua contre le mur.

Il l'embrassa à son tour. D'abord avec tendresse, puis avec une urgence grandissante qui lui coupa le souffle. Leo savait embrasser une femme. Avec assez de maîtrise pour la faire réagir à sa guise, et juste la bonne dose d'abandon.

Ses lèvres tracèrent un sillon de feu sur sa joue, et elle sentit ses dents mordiller son oreille.

— Tara…

L'emploi du nom fictif n'était pas une erreur. Il lui faisait comprendre que tout cela n'était pas réel. Juste un intermède avant le retour à la vraie vie. Il l'embrassa encore, doucement et lentement cette fois. Il n'y aurait rien de plus, elle le savait. Elle vit une trace de regret dans ses yeux, comme s'il faisait ses adieux à Tara.

— Je suis content qu'on ait attendu, dit-il en lâchant son poignet. Si j'avais fait ça à vingt et un ans, ça m'en aurait mis plein la vue.

— Et maintenant ?

— Ça m'en a mis plein la vue, dit-il en riant et en plantant un baiser sur son front. Mais je ne promets pas de vous rappeler.

— Parce que… ?

— Il y a longtemps que je n'ai pas donné toute mon attention à quelqu'un.

Il ne voulait pas s'intéresser à elle, car il avait mieux à faire. Il vouait sa vie à aider les autres depuis qu'il était passé à côté des moments les plus importants de son existence, quand il avait manqué les appels à l'aide de son frère.

— Et je ne mérite rien de moins, répondit-elle, sarcastique.

— Absolument, dit-il en souriant. Vous voulez quelque chose à boire, peut-être ?

Le message était clair : elle pouvait rester ou partir, et

même si leur baiser n'avait été qu'un instant volé au temps, il ne regrettait rien. C'était pour cela qu'elle devait partir.

— Il est temps que je rentre. Vous voulez bien m'appeler la voiture, je vous prie ? demanda-t-elle.

Le véhicule arriva quelques minutes plus tard. Leo la raccompagna au rez-de-chaussée et échangea quelques mots avec le chauffeur comme s'il lui confiait quelque bien précieux. Puis il regarda la voiture s'éloigner.

Hésitant à lui envoyer un texto comme ce matin-là dans l'autobus, elle y renonça. Leur histoire, amorcée dix ans plus tôt, s'était achevée ce soir.

8.

Avoir Leo comme ami. Alex sourit. Un ami séduisant, charmant, qui semblait la comprendre, et qu'elle fréquenterait peut-être plus longtemps que s'il avait été une aventure passagère. Après tout, elle avait connu des situations plus étranges.

Ils pourraient déjeuner ensemble de temps en temps, discuter de leurs vies, se promettre de se revoir. Sans pression. Sans attente. Qu'importait si Leo était prisonnier du passé au point de ne pouvoir profiter du présent.

Tout cela était possible à condition d'oublier leur baiser. Ce n'était pas si difficile. D'autant qu'elle devait impérativement se concentrer sur la grande course de samedi.

Impressionné par la présence d'une équipe de radio, le directeur du centre sportif avait autorisé l'association à utiliser la piste principale au lieu de l'étroite piste d'entraînement. Beaucoup de choses allaient dépendre de cette manifestation, il *fallait* que tout se passe bien.

Le samedi, Alex arriva au centre sportif une bonne heure avant la rencontre, mais la voiture de Leo était déjà garée sur le parking. Quand elle frappa à la fenêtre, il leva les yeux de son téléphone.

Ses yeux… Son sourire…

Il finit de taper un texto et, descendant de voiture, prit son sac de sport sur le siège arrière.

— Vous avez l'intention de vous joindre à nous ?

— Si on me le demande.

— Et si je ne vous le demande pas ?

— Vous le ferez, dit-il en se dirigeant avec elle vers le

73

gymnase. Vous ne résisterez pas à l'envie de me confronter à un groupe de gringalets et de les regarder m'écraser.

— Vous pensez supporter bravement l'humiliation de les laisser gagner ?

— Je pense que je serai fier de courir avec eux. Et je les respecte assez pour donner le maximum. Vous courez ?

— Oui. Vous croyez pouvoir me battre ?

— J'essaierai, répondit-il, interrompu par la sonnerie de son téléphone, qu'il consulta. Ah, elle arrive… J'ai pris la liberté d'inviter quelqu'un. J'espère que ça ne vous dérange pas.

— Bien sûr que non. Mais la course ne commence pas avant une heure, dit-elle en regardant un SUV se garer sur le parking. Qui est-ce ? Quelqu'un de la radio ?

— Hum… non, dit-il avec gêne. Je… La sœur d'Evie est à Londres pour deux semaines, je leur ai demandé de venir.

— Quoi ? Evangeline Perry ! s'écria-t-elle, les yeux fixés sur la mince jeune femme qui descendait de voiture, le visage dissimulé derrière la visière d'une casquette de base-ball. Vous avez invité une star de cinéma à ma course ? Vous auriez pu m'en parler, Leo.

— Pour vous affoler ? Sûrement pas. Elles sont là parce qu'elles s'intéressent à ce que vous faites, elles seront discrètes.

— Il ne vous est pas venu à l'esprit qu'on pourrait la reconnaître ?

— Si, évidemment. Vous disiez que les enfants avaient besoin qu'on leur montre de l'intérêt. Et on n'aura pas à s'occuper d'Evie, son garde du corps veillera sur elle.

— Son garde du corps ! Pour l'amour du ciel, Leo, si vous essayez de mettre la pagaille… Je vous ai dit que vous ne pouviez pas débarquer et prendre le contrôle. Ce sont les enfants qui comptent.

— C'est pour ça qu'Evie est là. Parce qu'ils passent en priorité, et qu'elle veut leur témoigner son soutien. Accordez-lui au moins le bénéfice du doute…

— J'en serai ravie. A vous en revanche, j'en suis moins sûre.

— Vous dites ça pour me faire plaisir, répondit-il, moqueur.

Il se retourna en riant vers les deux femmes qui approchaient, un homme dans leur sillage.

— Leo, dit la femme à la casquette, l'embrassant sur les joues avant de tendre la main à Alex. Bonjour, je suis Evie Perry. Vous devez être Alex.

De près, elle était magnifique. Peau de pêche, immenses yeux verts, boucles rousses qui s'échappaient de sa casquette. Son jean et sa grosse veste sport de marque ne changeaient rien à sa longue silhouette svelte.

Comment ne pas se sentir lourdaude à côté d'elle ? Alex lui serra la main en s'efforçant de ne pas trembler.

— Merci infiniment d'être venue. Je… je regrette de ne pas avoir été prévenue, j'aurais pu… faire quelque chose.

Evie éclata d'un rire argentin.

— D'après Leo, vous en faites déjà beaucoup. Il n'arrête pas de parler de vous.

Alex eut un moment de stupéfaction. Qu'il pût avoir une pensée pour elle en présence d'une telle femme méritait réflexion. Mais Evie reprenait :

— Voici ma sœur, Arielle. Elle s'intéresse beaucoup à ce que vous réalisez et, comme nous voulons créer un programme similaire aux Etats-Unis, nous sommes ici pour apprendre de vous.

— Je… je n'ai pas grand-chose à vous enseigner… Mais j'aimerais que vous rencontriez quelques enfants…

— Nous sommes là pour ça, répondit Arielle avec un sourire aussi chaleureux que sa sœur.

— Bon, mesdames, dit Leo, ramassant son sac et celui d'Alex pour se diriger vers l'entrée, ne restons pas là.

Quelqu'un avait reconnu Evie, et la nouvelle de sa présence s'était répandue comme une traînée de poudre parmi les concurrents et les bénévoles. Leo ouvrit le chemin jusqu'aux couloirs de course, tandis qu'Alex présentait la jeune Hayley aux deux sœurs.

— Voici Hayley, notre meilleure coureuse.

— Je suis moins bonne que vous, bredouilla Hayley à l'adresse d'Arielle.

— Quelle distance cours-tu ? lui demanda Arielle avec un grand sourire.

Hayley, sous le charme, restait muette.

— Elle est la meilleure au mille mètres, répondit Alex. Mais elle est aussi excellente sur des distances plus courtes.

— Bravo. Quel est ton meilleur temps au mille mètres ?

— Je… Pas aussi bon que le vôtre.

— Je m'entraîne depuis un peu plus longtemps que toi, répondit Arielle en riant. Je peux voir tes temps ?

Hayley jeta un regard éperdu autour d'elle. Elle avait laissé le calepin où elle notait ses performances dans son sac.

— Va chercher ton carnet pour le montrer à Arielle, dit Alex.

L'excitation qui avait présidé à l'arrivée d'Evie et Arielle avait fait place à un bourdonnement joyeux. Rhona s'occupait du son, et les gradins se remplissaient lentement. Les premiers concurrents commençaient à s'échauffer, tout semblait marcher comme sur des roulettes. Assise au bord de la piste, Alex se sentait un peu inutile.

— Tout va bien ? demanda Leo en s'asseyant à côté d'elle.

— Merci, répondit-elle en souriant. Vous aviez raison, pour Evie.

Il haussa les épaules.

— Vous avez pris son numéro ?

— Non. J'aurais dû ?

Il soupira.

— Vous êtes un bon contact pour elle, et les deux sœurs peuvent vous aider. Vous avez les mêmes priorités.

— Je suppose. Mais c'est déjà gentil à elles d'être venues. Je ne peux décemment pas leur demander plus.

Levant les yeux au ciel, il sortit son portable et tapa un texto. Puis elle entendit son téléphone biper.

Leo avait envoyé un message commun à Evie et à elle. Sur les gradins où elle était assise avec des parents, Evie scruta son téléphone et leur fit signe.

Le portable d'Alex bipa de nouveau et elle lut le texto :

Gardez mon numéro, Alex. Je vous appellerai.

Leo se pencha vers elle et elle eut très envie de se laisser aller contre lui.

— Je ne suis pas très douée pour créer des réseaux…

Contrairement à lui, pour qui la communication était une seconde nature.

— Non. Vous êtes douée pour créer la magie. Laissez-nous le reste, à nous autres, simples mortels.

Vérité enrobée de compliment, ou compliment teinté de vérité ? Elle ne savait jamais, avec lui.

— Je peux vous aider à quelque chose ? demanda-t-elle.

— J'ai besoin d'un micro, dit-il en faisant signe à un technicien qui s'empressa de lui en apporter un.

— Voilà l'ordre de passage, dit l'homme en lui tendant un papier que Leo fourra dans sa poche sans même y jeter un coup d'œil. Nous commencerons par une introduction…

— Accordez-moi une minute, dit Leo en se levant pour filer dans la direction opposée.

— Il est toujours comme ça ? demanda Rhona derrière Alex.

— Oui, répondit le technicien. On lui donne une liste qu'il ne regarde même pas, et nous finissons par le suivre sans savoir ce qu'il nous réserve.

— Et ça fait de bonnes émissions ? demanda Alex.

— Les meilleures. C'est pour ça qu'on le laisse faire, répondit l'homme en allant rejoindre son collègue.

— Tu vas essayer de le garder sous contrôle, alors ? dit Rhona. Histoire de préserver les apparences ?

— Je suppose, fit Alex en allant rejoindre Leo.

En dépit de l'excitation fébrile qui régnait dans le grand gymnase, tout le monde avait fini par s'asseoir. Entre les parents, les familles, et ceux qui avaient entendu parler de la manifestation à la radio, les gradins étaient bondés. Leo tendit le micro à Alex, lui montra comment le régler, et elle entendit sa voix déformée résonner dans les haut-parleurs.

Elle s'empressa de couvrir le micro de la main.

— Allez-y, vous…

— Pas le temps, répondit-il avec un sourire.

Elle prit une profonde inspiration et d'une voix hésitante commença par remercier tout le monde d'être venu. Un concert d'applaudissements salua la présence d'Evangeline et d'Arielle, puis celle de Leo.

— Au nom de nos jeunes compétiteurs d'aujourd'hui, je vous souhaite à tous la bienvenue. S'il vous plaît, montrez-leur combien vous avez hâte de les voir en action…

Le gymnase résonna d'un tonnerre d'encouragements. Tout le monde était debout et l'enceinte vibrait sous les acclamations. Près de la ligne de départ, les concurrents patientaient, le sourire aux lèvres.

Ils avaient réussi. Ensemble, ils avaient pu créer l'événement. Les durs mois d'entraînement et de collecte de fonds, la formation, l'encouragement avaient été le fait d'Alex. Mais c'était grâce à Leo que les enfants garderaient de cette journée un souvenir inoubliable.

Elle lui fourra le micro dans la main et retourna à la hâte vers son siège près de la piste. La gigantesque vague d'enthousiasme qu'ils avaient suscitée lui faisait monter les larmes aux yeux, et elle ne voulait pas que Leo le voie.

Les courses commencèrent, sous les encouragements de la foule. Alex s'affairait, veillant à ce que chaque participant soit bien échauffé et prêt à courir. Elle encourageait les jeunes athlètes à faire de leur mieux tout en leur recommandant la prudence pour éviter les blessures.

Puis il y eut la première pause. Au bord de la piste, où il s'entretenait avec des concurrents, Leo remarqua le petit Sam dont Alex lui avait déjà parlé. Il fit signe à l'enfant de s'approcher.

— Comment t'appelles-tu ?

— Sam.

— Bonjour, Sam. Qu'est-ce que tu vas faire aujourd'hui ? Tu vas participer à une course ?

— Oui.

— Eh bien, bonne chance. Applaudissons tous Sam…

Leo faisait le tour des participants, chaque enfant avait droit à une salve d'applaudissements.

Deux fillettes se tenaient par la main, l'une d'elles s'avança timidement.

— Je m'appelle Alice, je voudrais dire quelque chose.

Elle était toute rouge, mais elle avait l'air déterminé. Leo lui tendit le micro.

— Qu'est-ce que tu veux dire, Alice ?

Elle hésita, et sa camarade Hayley lui pressa la main.

— J'ai été amputée de la jambe il y a deux ans…

Dans le silence qui s'abattit sur le stade, Alice jeta un regard affolé autour d'elle.

— Oui ? dit Leo, l'encourageant gentiment à poursuivre.

— Avant, je faisais de la course en compétition. J'ai recommencé à m'entraîner grâce à la fondation, et je veux dire à tout le monde que…

Elle se tut, et Alex joua des coudes pour arriver jusqu'à elle. Alice évoquait peu son envie de reprendre la compétition, mais elle avait trouvé le courage d'en parler devant tous ces inconnus. Son intérêt passait avant tout le reste, et Alex voulait la protéger.

Leo avait repris le micro et baissé le son.

— C'est génial, Alice. Tu voulais dire autre chose ?

Alice hocha la tête en silence.

— D'accord, prends une inspiration et regarde-moi. Oublie les autres et adresse-toi à moi. Quand tu seras prête…

— Je voulais dire qu'on peut toujours faire plus que ce qu'on croit, il faut juste oser se lancer.

Les applaudissements crépitèrent, et Leo leva la main pour faire le silence.

— Que fais-tu pendant tes séances à la fondation, Alice ?

— Je ne peux pas encore courir, il me faut une lame pour ça. En attendant, j'améliore ma forme physique en faisant de l'exercice, du footing… Et j'aime le mur d'escalade.

— J'aurais besoin de conseils dans ce domaine, dit Leo en souriant. Mesdames et messieurs…

Il n'en dit pas plus. Un tonnerre d'acclamations s'éleva dans le public, tandis qu'Alice et Hayley agitaient la main pour saluer la foule.

9.

Alex, mettant un point d'honneur à accueillir elle-même les nouveaux venus, s'approcha de l'homme et de l'adolescente qui hésitaient à l'entrée du stade.

— Bonjour, je suis Alex Jackson.

Le visage de la jeune fille s'éclaira d'un sourire.

— Bonjour, je suis Carys.

Alex espérait qu'elle viendrait aujourd'hui. Avait-elle parlé à son père de leur conversation téléphonique ?

— Ben Wheeler, dit l'homme en lui tendant la main. Il paraît que ma fille vous a téléphoné.

Alex lui sourit. Il avait les cheveux grisonnants, de fines rides autour des yeux, et un sourire empreint de lassitude.

— Nous sommes toujours heureux de parler avec des gens qui ont envie de nous rejoindre.

— Je ne sais pas si elle est prête. Elle a des problèmes avec l'adaptation de sa prothèse…

— Papa !

— Ce n'est pas inhabituel, répondit Alex. Il faut du temps pour s'y faire. Nous pouvons apporter notre aide et nos conseils dans ce domaine. En attendant, je peux peut-être présenter Carys à certains de nos membres.

— Oui, c'est que…, fit Ben en passant la main sur son front d'un geste d'impuissance. Ça va aller avec les gradins, Carys ?

— Je suis kinésithérapeute, je veillerai à ce qu'elle ne tombe pas, répondit Alex avec un sourire persuasif. Asseyez-vous. Les courses vont bientôt reprendre.

Elle lui désigna un siège devant les parents de Hayley, et

Ben s'y assit. Immédiatement, le père de Hayley se pencha vers lui pour se présenter.

Comme Carys hésitait devant les marches, Alex suggéra de passer de l'autre côté où il n'y avait pas d'escalier.

— Non. Je crois que je peux descendre.

— Bravo. On va le faire ensemble, dit Alex, glissant la main sous son bras pour la soutenir le cas échéant.

Carys posa prudemment sa jambe artificielle sur la première marche.

— Je croyais que vous alliez lui parler, murmura-t-elle alors qu'elles étaient presque arrivées en bas.

Jetant un coup d'œil par-dessus son épaule, Alex vit que le père de la jeune fille conversait avec d'autres parents.

— Comme nous te l'avons dit au téléphone…

— Bonjour. Tu es Carys ? demanda Leo en surgissant devant elles.

Alex lui fit signe de s'écarter, et Carys put terminer sa laborieuse descente. Arrivée en bas, elle s'adressa à Leo.

— Je suis venue pour mon père. Il est là-haut. Voulez-vous aller lui parler ?

— Je crois qu'il vaut mieux le laisser bavarder avec ces personnes pour le moment.

— Il vous écoutera, car vous êtes médecin, insista Carys.

— Si tu lui montrais plutôt que tu peux te faire des amis en venant ici ? suggéra-t-il.

Carys se tourna vers Alex pour quêter son approbation. L'adolescente lui avait confié que ses parents n'étaient jamais d'accord, et Alex la soupçonnait de les monter l'un contre l'autre. Elle préféra ne pas contredire Leo.

— Il a raison, dit-elle.

— Ton papa est en train de parler avec d'autres parents. Ils savent exactement ce qu'il ressent, il vaut mieux le laisser écouter ce qu'ils ont à dire.

Alex acquiesça.

— D'accord, dit Carys en haussant les épaules. On peut toujours essayer.

Leo la présenta à Hayley et Alice, qui lui firent une place entre elles. Les trois adolescentes se mirent à bavarder.

— Si vous participez à la course des adultes, vous devriez aller vous changer, Leo, dit Alex.

— Bien sûr… Préparez-vous à admirer mon dos pendant toute la durée de l'épreuve.

— Dans vos rêves.

Il feignit l'étonnement.

— Comment, vous n'avez toujours pas compris que j'ai *toujours* raison…

— Dans vos rêves, là encore. Filez vous changer. Et préparez-vous à admirer *mon* dos, rétorqua-t-elle en le plantant là pour gagner le vestiaire des femmes.

Leo se mordit les lèvres. La perspective de contempler le dos d'Alex pendant toute la course sans pouvoir être accusé de la reluquer était tentante. Assez pour lui donner envie de traîner la patte pour rester derrière elle. Mais elle qui semblait lire en lui devinerait qu'il la laissait gagner.

Il se consola en la regardant s'éloigner. Avec une prothèse de jambe, chaque pas demandait plus d'énergie qu'avec deux jambes, il le savait.

Et durant la course, le balancement maîtrisé et gracieux de son corps montra aux enfants et à leurs parents ce qu'ils pouvaient accomplir en travaillant dur.

Mais tout ce qu'elle faisait lui rappelait leur baiser.

S'il n'avait pas cédé à son impulsion, il ne serait pas aussi tourmenté à présent. C'était sa faute.

— Leo, Evangeline vous demande.

Il leva les yeux vers le garde du corps d'Evie.

— Il y a un problème ?

— Arielle ne se sent pas bien.

— Une de ses migraines ? demanda-t-il.

Depuis sa méningite, Arielle souffrait de maux de tête et de vertiges invalidants.

— Oui. Elle est à l'infirmerie.

*
**

Veillée par sa sœur, Arielle était étendue, les yeux clos, sur le lit de l'infirmerie. Evie entraîna Leo dans le couloir et referma la porte derrière eux.

— Comment va-t-elle ?

— Elle en a assez fait pour aujourd'hui. Elle doit rentrer à l'hôtel se reposer. Tu veux bien l'examiner, Leo ?

— Tu veux que je vous accompagne à l'hôtel ?

Il avait posé la question pour la forme. Enchanté par cet après-midi, il n'avait aucune envie de partir.

— Oh ! Leo, ça ne te dérange pas ?

— Pas du tout. J'ai fini ce que j'avais à faire ici, mentit-il d'un ton qui lui parut convaincant.

— Je regrette de partir maintenant. Et Arielle aussi. Ces enfants ont tant de courage.

— Pourquoi ne restes-tu pas ? Je m'occuperai d'Arielle jusqu'à ton retour.

Sa place était avec ceux qui avaient besoin de lui, pas avec Alex, même s'il rechignait à l'admettre.

— Ça ne t'ennuie pas ? Arielle veut que je reste, mais j'ai des scrupules…

Il posa la main sur son bras.

— Ce n'est pas un problème. Ces gamins méritent tout le soutien qu'on peut leur apporter. Arielle a apporté son dossier médical ?

— Oui, il est sur la coiffeuse de sa chambre. Avec ses médicaments.

Evie le serra dans ses bras et l'embrassa sur la joue. Mais elle avait beau être considérée comme une des plus belles femmes du monde, elle n'était pas Alex…

— Rends-moi un service, Evie, tu veux ?

— Bien sûr.

— Sam, le petit rouquin aux taches de rousseur qui vous a suivies tout l'après-midi… Alex dit qu'il adore participer aux courses, même s'il arrive le dernier. Veille à ce qu'on l'acclame pendant qu'il court, d'accord ?

— Bien sûr. Tu n'es pas le seul à savoir manipuler les foules, tu sais.

— A présent, écarte-toi. J'ai une patiente à voir.

Le dimanche, Alex grignotait un sandwich à son bureau quand son portable sonna. C'était Leo. Elle avait attendu, la veille au soir, dans l'espoir qu'il l'appellerait après avoir quitté le gymnase si brusquement, mais elle n'avait eu aucune nouvelle. Et voilà qu'il lui téléphonait.

— Bonjour. Où êtes-vous ?

— A mon bureau.

— Vous avez déjeuné ?

— Je viens de finir. Comment va Arielle ?

— Beaucoup mieux. Les migraines ne sont pas rares après une méningite. Je suis passé la voir ce matin, elle allait bien.

— Tant mieux… J'aimerais lui envoyer quelque chose pour la remercier d'être venue à la manifestation et lui dire ma joie de la savoir remise. J'ai pensé à des fleurs, mais sa chambre et celle d'Evie doivent en être pleines…

Il rit doucement.

— En effet, on se croirait dans un jardin botanique, je ne sais pas comment Evie supporte ça. J'ai éternué toute la soirée… Vous avez des photos d'hier ? J'ai vu Rhona brandir un appareil-photo.

— Attendez, je vais voir si elle les a déjà téléchargées sur le serveur… Oui, elles sont là.

— Si vous en choisissiez quelques-unes pour les leur envoyer avec un mot personnel ? Je suis sûr qu'elles apprécieraient beaucoup.

— C'est bien peu de chose…

— Ce sera parfait… Vous restez à votre bureau ?

— Je crois que je vais sortir acheter une carte pour la joindre aux photos. Je serai de retour dans une demi-heure.

— Alors je vous verrai à ce moment-là.

Sans attendre de réponse, il raccrocha. Elle fixa son portable, médusée.

— Ça me va aussi, Leo…

Elle reposa l'appareil sur le bureau. Que cela lui convienne ou pas, Leo viendrait, de toute façon.

*
* *

Le stylo à la main, Alex cherchait l'inspiration pour rédiger sa carte à Arielle quand on frappa doucement à la porte.

Habituée à voir les portes s'ouvrir devant Leo, elle ne prit même pas la peine de lui demander comment il était entré dans l'immeuble sans sonner.

Qui n'aurait pas ouvert à Leo ? Il donnait toujours l'impression d'être à sa place, où qu'il aille. Concession au dimanche, il portait un jean foncé et un pull anthracite, et ses cheveux blonds étaient un peu plus ébouriffés que d'habitude. Une ruse, bien sûr. Pour donner l'impression qu'il ne travaillait pas *toujours*.

— J'ai pensé que vous auriez besoin d'un remontant pour vous stimuler un peu. Prête pour un cocktail tellurien ?

Ainsi donc, il s'en souvenait. Mais elle ne devait pas y attacher trop d'importance. Cet épisode de leur vie s'était déjà conclu par un baiser d'adieu.

— Je ne crois pas être prête pour un de ces trucs avant encore dix ans…

Mais c'était tentant. Leo était tentant.

— Ils se sont bien améliorés, vous savez, dit-il, s'approchant du bureau avec deux verres et un shaker.

— Je crois me souvenir que les verser dans l'évier était la seule chose qui pût les rendre acceptables…

Il éclata de rire.

— Allons, Alex, vous ne croyez pas que tout peut s'améliorer, avec un peu d'effort ?

— Je ne suis pas sûre que le bleu soit ma couleur…

— C'est la couleur de tout le monde. Surtout la vôtre…

Il ouvrit le shaker et versa une mesure dans chaque verre. C'était peut-être son imagination, mais elle eut l'impression que le liquide bleu était légèrement moins vif que le cocktail tellurien d'origine.

Leo lui mit un verre dans la main et s'assit sur une chaise.

— Portons un toast. A tout ce que nous pouvons accomplir, dit-il en trinquant avec elle.

Elle porta prudemment son verre à ses lèvres.

— Oh ! C'est plutôt bon, dit-elle avant de prendre une nouvelle gorgée. C'est même très bon.

Pas trop sucré, juste assez pour tempérer l'amertume.

— Vous devinez ce qu'il y a dedans ? demanda-t-il en souriant.

— Hum. Du curaçao bleu, à l'évidence, dit-elle en buvant une autre gorgée. Pour le reste, je ne vois pas… Vous n'auriez pas mis de la vodka, si ?

— Non. Je voulais que ça ait du goût, pas vous soûler.

— C'est bon à savoir, dit-elle en prenant encore un peu de cocktail pour lui montrer qu'elle tenait le coup. Alors, pourquoi êtes-vous là, Leo ?

— Pour vous offrir un cocktail de dimanche après-midi ?

— Ça n'existe pas. Pourquoi cette visite ?

— Pour m'excuser d'avoir filé hier.

— Vous n'avez pas à vous excuser. Je sais que vous avez dû partir. Et je me réjouis qu'Arielle aille mieux.

— Il y a autre chose, dit-il, sortant une enveloppe pliée de sa poche. J'ai parlé à Alice hier.

— Oui ?

— D'après elle, les lames de course ne sont pas systématiquement fournies par la Sécurité sociale, et sa famille n'a pas les moyens d'en acheter une. Vous l'avez aidée à constituer des dossiers de demande de financement, mais ça n'a rien donné jusqu'ici, et elle a trouvé un travail.

— C'est vrai. Elle réapprovisionne les étagères d'un supermarché deux soirs par semaine, mais ça ne couvrira pas les frais. Je vais devoir trouver autre chose…

Leo se pencha et lui tendit l'enveloppe. Elle en sortit une feuille de papier pliée contenant un chèque.

Elle lut attentivement la lettre. Le don que Leo faisait à la fondation devait rester anonyme et servir à l'achat d'une lame de course pour Alice. Elle retint son souffle, refoulant ses larmes.

— Ça suffira ?

— C'est plus que suffisant. Outre l'achat de la lame, cette somme pourra servir à son entretien pendant deux ans.

Elle posa le chèque sur le bureau d'une main tremblante.

— C'est… très généreux de votre part, Leo. Merci.

— Avec plaisir.

— Et vous me liez les mains. Je suis forcée d'accepter.

— Je sens venir un *mais*…

Elle prit une profonde inspiration.

— Mais je veux que vous réfléchissiez à la raison pour laquelle vous faites ça.

— Hier, vous avez dit qu'Alice avait un grand potentiel, qu'elle ne pourrait jamais réaliser sans aide. Que voulez-vous de plus ? Vous croyez que je ne peux pas me le permettre ?

— Je sais que vous en avez les moyens financiers. Mais ça ne vous achètera pas… le pardon.

Il eut l'air choqué. Un moment, Alex crut qu'il allait reprendre son chèque et sortir en claquant la porte. Qu'avait-elle fait ?

Puis il s'adossa à sa chaise et se frotta le visage.

— Pourquoi faut-il que vous rendiez tout si difficile, Alex ?

— Parce que… Parce que si je ne vous le dis pas, je trahirai Alice. Et moi-même, avoua-t-elle en prenant sa main.

— Dites-le alors, murmura-t-il, soutenant son regard.

— Je veux que vous sachiez que vous ne faites pas ce don pour rembourser une dette, mais parce que vous êtes un homme bien et que vous avez du cœur.

— Vous ne comprenez pas, Alex.

— Alors, expliquez-moi.

Il porta sa main à ses lèvres pour un fantôme de baiser, et la garda entre les siennes.

— Ça doit rester entre nous. Personne ne doit savoir.

— Je comprends.

Que pouvait-il y avoir de si grave ?

— Mes parents croient que Joel est mort d'une overdose accidentelle. Cela leur apporte un peu de réconfort, je ne peux pas leur enlever ça. Mais ce n'était pas un accident. Il m'a appelé.

— Mais… vous ne lui avez pas parlé, n'est-ce pas ? Vous ne savez pas ce qu'il voulait vous dire.

Il secoua la tête avec lassitude.

— Il m'a appelé cinq fois, Alex, et j'ai manqué tous ses

appels. Si ce n'était pas un appel au secours, je ne sais pas ce que c'était…

Elle le regarda fixement, pétrifiée. Il devait constamment y repenser, se demander s'il n'aurait pas pu sauver la vie de son frère jumeau.

— C'était le dernier week-end avant que je rentre à la maison pour Noël, ma petite amie a voulu partir quelque part. J'ai coupé mon téléphone, laissant mon frère seul l'unique fois où il avait vraiment besoin de moi…

— Mais… Leo, les gens manquent tout le temps des appels…

— Je sais. Et généralement ce n'est pas grave, mais… Tout ce que je veux, c'est donner à Alice l'opportunité de courir de nouveau. Je ne cherche pas à obtenir le pardon, puisque ce que j'ai fait est impardonnable.

Que lui dire ? C'était cruel, déchirant, et elle n'avait pas de réponses à lui donner.

— Alice a dit…

— Je sais, j'ai entendu. Si on se donne à fond, on peut tout accomplir. C'est une belle pensée, surtout venant d'une enfant qui a déjà subi tant d'épreuves. Mais elle ne sait pas tout, Alex. Vous et moi savons qu'il y a des choses qu'on ne peut pas faire, et on doit apprendre à vivre avec ça.

— Ne voulez-vous pas y réfléchir ?

Secouant la tête, il lâcha sa main.

— Non, je ne vais pas y réfléchir. Parce que je ne peux rien changer. Si j'y pensais trop, ça me détruirait. Et j'ai des choses à faire.

Elle était en train de le perdre. Il versa le reste du cocktail dans son verre et le but d'un trait. Puis il se leva.

— Vous partez ?

— Je vous l'ai dit, j'ai à faire. De la paperasse.

— Vous ne pouvez pas la faire une autre fois ? Nous pourrions aller manger quelque chose, voir un film…

Il sourit. De ce sourire immuable, charmant, qui cachait tant de choses.

— Ça ne peut pas attendre ? Je dois vraiment travailler.

De toute évidence, il avait oublié qu'il l'avait d'abord invitée à déjeuner. Il se refermait sur lui-même en se retranchant derrière des excuses éculées.

— D'accord. Une autre fois, répondit-elle, consciente qu'il faudrait un vrai miracle pour le faire changer de point de vue.

— Fantastique. A demain, lança-t-il par-dessus son épaule en se dirigeant vers la porte.

10.

Comme s'il ne s'était rien passé, Leo était souriant et détendu en arrivant à la station de radio. Il prit sans un mot, avec une gracieuse inclination de la tête, le reçu de chèque qu'Alex lui tendait.

Elle l'aurait volontiers secoué pour le faire réagir, mais à quoi bon. Le charme courtois de Leo était une carapace protectrice derrière laquelle il se retranchait, et elle était impuissante à l'abattre.

Les soixante minutes de l'émission filèrent à toute allure. Leo la soutint quand c'était nécessaire, et la laissa parler quand elle savait où elle allait. Au moment de prendre congé des auditeurs, ils s'adossèrent à leurs sièges en soupirant à l'unisson.

— Fabuleux ! s'écria Justin en déboulant dans le studio. C'était parfait, tous les deux.

— Rien à voir avec moi, répondit Leo en riant. C'est l'*Heure médicale d'Alex Jackson* que tu viens d'écouter.

— Vous avez magnifiquement abordé le thème du sexe…

— En fait, nous avons parlé de la conscience de son corps. Tu as dû mal entendre, Justin.

— Le sexe, la conscience de son corps, c'est pareil… Enfin, peut-être pas, rectifia le producteur devant l'air réprobateur de Leo. Mais c'était super, comme du sexe sur les ondes.

Alex aussi avait été sensible à cette rencontre des esprits, qui n'était pas sans rappeler une communion des corps.

— Tu as la liste des gens à rappeler ? demanda Leo.

Justin lui tendit une enveloppe.

— Voilà. Il y en a pas mal, je le crains…

90

— C'est ce que nous voulons, dit Alex.

— On commence par la moitié ? dit Leo en sortant de l'enveloppe une douzaine de feuilles agrafées.

— Oui, merci. Je ne crois pas pouvoir tout faire demain.

Il détacha la moitié des feuillets qu'il remit dans l'enveloppe. Il attendit que Justin s'en aille, et coupa la communication avec la salle de contrôle.

— En dépit des apparences, Justin est un des meilleurs producteurs de radio. J'ai de la chance de travailler avec lui.

— Vous ne le lui dites pas pour éviter qu'il ne s'endorme sur ses lauriers ?

— Je lui ai dit. Un soir où nous étions un peu éméchés, nous nous sommes avoué notre admiration mutuelle. Mais on n'en parle pas. Nous formons une bonne équipe, et il le sait.

— Il veille à ce que vous restiez concentré, et vous veillez à ce qu'il reste honnête ?

— Une fois de plus, vous me croyez meilleur que je ne le suis.

Il se leva, sa manière habituelle de mettre fin à une conversation avant qu'elle ne le touche de trop près.

Il alla jusqu'à la porte.

— Qu'est-ce qu'il y a ? demanda-t-il comme elle ne bougeait pas.

Elle lui sourit innocemment. Cette fois, il ne s'en irait pas, pas avant qu'elle ait fait ce qu'elle avait à faire.

Il soupira et revint s'asseoir.

— Très bien. J'attendrai.

Elle fouilla dans son sac et en sortit une clé USB qu'elle lui glissa dans la main.

— Les photos…

— Pour notre site web ? demanda-t-il.

— Non, j'en ai donné à Justin avant votre arrivée. Celles-ci sont pour vous.

Elle se leva et, se plantant devant lui, posa les mains sur les accoudoirs de son fauteuil.

— J'ai trouvé l'émission géniale ce soir. Merci, dit-elle en soutenant son regard. La façon d'aborder le sexe m'a vraiment plu.

— Ça veut dire qu'on va boire un café ?

Elle se redressa.

— Merci, mais non. Je dois y aller. J'ai demandé à l'assistant de production de m'envoyer la voiture dès la fin de l'émission.

Elle attrapa son manteau et son sac, et sortit.

Il neigeait de nouveau, et les flocons légers tourbillonnaient derrière les fenêtres, chahutés par le vent. Leo avait pris une douche et, affalé sur son lit, regardait les photographies sur l'écran de son ordinateur.

Il revoyait cette belle journée comme s'il y était. Il entendait les applaudissements qui avaient salué Hayley quand elle avait franchi la ligne d'arrivée. Il voyait Alex courir vers Alice pour la serrer dans ses bras, toutes deux souriant à l'objectif. D'autres clichés avaient été pris après son départ. Le petit Sam à la traîne, les vainqueurs de sa course se retournant pour l'encourager à franchir les derniers mètres. Evie soulevant le petit garçon qui agitait les bras d'un air triomphant, acclamé par la foule debout.

Roulant sur le dos, Leo contempla le plafond. Alex lui avait donné ces photos car elle savait qu'elles le toucheraient.

Mais leur baiser lui avait appris tout ce qu'il avait besoin de savoir. Il serait si facile, si doux, de se perdre dans ses bras. Mais la culpabilité viendrait fatalement tout détruire.

Il trouverait un équilibre, il apprendrait à l'aimer comme une amie, et cela suffirait. Il s'y mettrait demain. Ce soir, il voulait regarder les photos, encore une fois.

— Qu'est-ce que vous faites samedi ?

Alex n'avait pas eu de nouvelles de Leo depuis vingt-quatre heures mais, fidèle à lui-même, il allait droit au but sans s'embarrasser de préambule.

— Je comptais passer la nuit chez mes parents dans le Sussex pour me préparer au mur d'escalade de dimanche. Vous viendrez dimanche, n'est-ce pas ?

— Je ne manquerais ça pour rien au monde… J'ai des billets pour une soirée samedi. La station de radio a une table réservée. Vous m'accompagnez ?

— Quel genre de soirée ? demanda-t-elle en cherchant un prétexte pour se défiler, consciente qu'elle ne serait pas à sa place.

— Un dîner dansant. Il y aura beaucoup de gens bien. Vous aurez l'occasion de rencontrer du monde et de vous faire connaître. C'est une formidable opportunité.

Une formidable opportunité de se ridiculiser, oui.

— Je ne sais pas, Leo. Il faudrait que je parte dans le Sussex juste après…

— Pas forcément. La soirée a lieu au sud de Londres, je peux vous y emmener. Nous irons ensuite chez moi dans le Surrey, dormir un peu. Et on se lèvera tôt dimanche pour nous rendre dans le Sussex.

Cela pouvait marcher… Alex secoua la tête. Comment pouvait-elle seulement l'envisager ?

— Ce sera amusant. L'occasion de se mettre sur son trente et un…

— Pour être franche, je ne crois pas avoir de tenue convenable. C'est une soirée habillée, n'est-ce pas ?

— Si c'est ce qui vous tracasse, allons faire les magasins…

Oh ! non. Elle se vit essayer des dizaines de robes pendant que Leo patientait devant le salon d'essayage. Il la convaincrait probablement de prendre une tenue qu'elle ne porterait jamais !

— Réflexion faite, j'ai peut-être un truc qui traîne au fond de ma penderie.

— Génial. L'an dernier, la plupart des femmes étaient en robes longues. On ne peut pas se tromper avec du noir…

— Je m'en souviendrai. Et… eh bien, merci pour l'invitation. Et à samedi, alors.

Soit cinq jours plus tard…

— Un truc qui traîne au fond de ta garde-robe ? cria Rhona depuis son bureau quand Alex raccrocha. Tu es invitée quelque part ?

— Leo me convie à une soirée dansante samedi. Il pense que ce serait bien que je rencontre des gens.

— Il a raison.

— Je sais. Mais qu'est-ce que je vais mettre ? Je n'ai rien d'habillé.

— Maman peut te faire quelque chose, si tu veux.

La mère de Rhona avait été couturière, elle cousait encore ses vêtements et ceux de sa fille, ce qui permettait à Rhona d'exhiber des tenues originales et tendance.

— Merci. Je ne veux pas l'ennuyer avec ça.

— Ça ne la dérange pas. Va jeter un coup d'œil dans les magasins, pour voir si quelque chose te plaît. Tu as bien une idée de ce que tu aimes.

Alex aurait voulu être naturellement glamour, comme Evie. Pour épater Leo.

— Je voudrais surtout ne pas détonner.

— Va faire du lèche-vitrine. Quand tu auras quelques idées, tu te sentiras beaucoup mieux.

Alex ne se sentait pas mieux du tout. Elle avait fait trois ou quatre magasins d'Oxford Street et avait essayé une douzaine de robes noires sans trouver son bonheur. Elles étaient trop sophistiquées, trop décolletées… D'ailleurs, le noir ne lui allait pas.

Elle se laissa choir dans un fauteuil devant les cabines d'essayage. C'était un désastre. Elle allait écumer les boutiques les trois prochains jours, puis elle paniquerait et finirait par acheter n'importe quoi. Et elle se sentirait encore plus mal, parce que Leo serait parfait et absolument craquant.

Elle regarda sa montre. Le magasin fermait dans une heure. Elle pouvait encore jeter un coup d'œil pour voir si elle n'avait rien manqué, ou aller boire un café. Peut-être pourrait-elle revenir le lendemain soir, après le travail…

Ce fut alors qu'elle la vit. Elle se leva et examina l'étiquette. Ce n'était pas excessif. Si la robe lui allait…

Elle la prit et fonça dans une cabine. Il y aurait sûrement un problème, comme avec les autres…

Mais la robe *lui allait*. Elle était simple, et la jupe dansait souplement autour de ses jambes. Elle se contempla dans le miroir.

— Très joli, dit une vendeuse.

— Ravissant, renchérit une cliente en pénétrant dans une cabine d'essayage, les bras chargés de vêtements. Ça vous va très bien. D'une élégance discrète, mais classe.

Exactement ce qu'Alex cherchait. Remerciant la femme d'un sourire, elle sortit son portable.

— Rhona… j'ai besoin de ton aide…

Leo devait admettre qu'il attendait la soirée avec impatience. Le temps de se doucher et de s'habiller, son excitation était palpable. Il jeta un coup d'œil dans la glace. Soignée mais discrète, sa tenue permettrait à sa cavalière de capter l'attention générale sans lui faire de l'ombre.

Non qu'Alex ait besoin de lui pour éblouir. Un rien l'habillait, car c'était son sourire qu'on remarquait. Elle était de ces femmes qui faisaient oublier ce qu'elles portaient.

Il prit les clés de son 4x4, garé à côté de sa berline dans le garage du rez-de-chaussée. Ces derniers jours, le crachin avait alterné avec la neige, la route menant à sa maison du Surrey devait être boueuse. Vérifiant qu'il avait tout, il quitta son appartement et appela l'ascenseur.

Arrivé devant l'immeuble d'Alex, il chercha son nom sur le tableau et pressa le bouton d'appel. Elle répondit immédiatement et le fit entrer. Il gravit l'escalier et frappa à sa porte. Il fantasmait depuis plusieurs jours sur ce qu'elle allait porter, et avait opté pour une classique mais élégante petite robe noire, près du corps sans être moulante.

Elle vint lui ouvrir et il resta bouche bée, subjugué.

— Vous êtes…

Elle rougit, embarrassée.

— C'est trop… ?

Beaucoup trop. Comment pourrait-il détacher les yeux d'elle pour avoir une conversation cohérente avec qui que ce fût ?

— Vous êtes sensationnelle, bredouilla-t-il.

— Ça vous plaît ?

Si ça lui plaisait ? Etait-elle folle ? Elle portait une robe d'un beau vert émeraude, à la coupe sobre, dont l'encolure et les manches étaient coupées dans un tissu transparent ton sur ton. Des paillettes ornaient son épaule et sa manche droites, d'autres serpentaient sur sa poitrine pour disparaître dans les plis de sa jupe. Ses cheveux étaient relevés en chignon, les pinces argentées qui retenaient ses boucles évoquant les épingles en forme de poignard de Tara. Comme elle s'écartait pour le faire entrer, les paillettes de sa robe scintillèrent, et ses manchettes lancèrent des éclairs argentés.

Elle s'était donné du mal pour lui plaire. C'était un peu comme partager un secret, comme un clin d'œil à leur passé destiné à lui seul.

— C'est époustouflant.

Elle était époustouflante. Il se pencha vers elle.

— Si vous me dites que vous avez un pistolet paralysant sanglé à la jambe, je m'évanouis.

— La bosse gâcherait la ligne de la jupe, dit-elle en riant. Mais je suis armée.

— Prête à y aller ?

— Oui, répondit-elle.

Elle prit son manteau et sa pochette argentée, et lui indiqua un sac de voyage qu'il ramassa, captant au passage de subtils effluves de son parfum.

— Armée comment ? demanda-t-il en lui offrant son bras.

Les yeux d'Alex pétillèrent de malice.

— La meilleure stratégie est toujours la surprise.

N'aurait-il pas dû se munir d'une arme, lui aussi ? Tous les hommes de la soirée allaient se battre pour capter l'attention d'Alex. Mais il avait l'avantage. Et il était prêt à parier qu'elle était le genre de femme à repartir avec le cavalier qui l'avait amenée.

11.

Dieu merci, Leo avait aimé sa robe. Ce qui avait commencé comme une plaisanterie avait tourné à l'angoisse quand Alex avait pris conscience que son idée risquait de faire un flop. Elle avait passé toute une soirée à rire avec Rhona et sa mère en cousant des paillettes sur sa robe. Puis elle avait eu peur. Mais le regard approbateur de Leo l'avait rassurée.

Il leur fallut une heure pour arriver à l'hôtel où se tenait la soirée. Leo semblait conscient de sa nervosité, mais il sut la calmer. Quand elle pénétra à son bras dans l'immense salle de réception, elle était moins impressionnée qu'elle n'avait craint.

Il la conduisit à leur table, et elle fut soulagée de reconnaître Justin, parmi d'autres visages familiers. Leo était en forme, discrètement attentif tout en riant et plaisantant avec les autres, et elle commença à bien s'amuser.

On servit le dîner, puis vint le moment des discours, heureusement brefs. Après quoi les invités se levèrent et déambulèrent dans la salle pour bavarder. Leo connaissait tout le monde, et se sentait visiblement investi d'une mission, entraînant Alex d'un groupe à l'autre pour la présenter et parler de sa fondation.

— Un monsieur très gentil, dit Alex après s'être entretenue avec un homme aux cheveux blancs qui s'était beaucoup intéressé à son travail.

— Il fait partie du conseil d'administration d'une des plus grosses boîtes d'édition du pays, chuchota Leo à son oreille.

Il lui précisa son nom, et elle porta la main à sa bouche en rougissant.

— C'est vrai ?

Il sourit avec malice.

— J'ai bien fait de ne pas vous le dire avant. Vous vous seriez fermée comme une huître au lieu d'être vous-même.

— Je vous le concède.

— Il n'est pas arrivé où il est en faisant la risette aux gens, vous savez.

— Vous croyez que j'ai été trop… ?

— Vous avez été parfaite. Voulez-vous danser ?

Elle avait très envie de danser avec lui. D'avoir son bras autour de sa taille, de sentir son corps bouger contre le sien. L'apothéose d'une soirée magnifique.

— Je vais d'abord faire un saut aux toilettes…

Elle fendit la foule et déboucha dans un ravissant boudoir où deux femmes bavardaient, plantées devant la glace. Alex s'approcha pour se remettre du rouge à lèvres.

— J'ai vu Leo en arrivant, dit la femme en robe bleue. Il est plus craquant que jamais.

— Il faut que je lui parle ! répondit la robe noire.

— Tu apprécies les parties à trois ? dit l'autre en ricanant.

— Ça ne me gêne pas de partager, chérie. Mais Leo ne me semble pas être de ce genre-là.

Lèvres pincées, Alex fixa son reflet dans le miroir en s'efforçant de rester impassible.

— Tu as écouté son émission lundi ? Ces deux-là s'entendent bien. Apparemment, il l'a amenée ce soir.

— C'est vrai ?

— Oui…

La femme en bleu s'interrompit avant d'articuler :

— Elle n'a qu'une jambe. Quelle idée de l'inviter à une soirée dansante.

— Pauvre fille. Tu veux toujours faire une offre à Leo ?

— J'ai essayé. Il n'est pas intéressé. Je lui ai proposé deux fois ce qu'il gagne à la station de radio, il dit qu'il préférait se concentrer sur des questions médicales sérieuses — dieu sait ce que cela signifie — et qu'il était heureux de travailler avec Justin. *Justin*, tu te rends compte… !

— Dommage. Avec son audience, il pourrait faire un tabac.

Alex jeta aux deux femmes un regard meurtrier qu'elles ne virent pas. Elle avait déjà entendu ce genre de commentaires, mais leurs remarques lui restaient sur le cœur. Comment osaient-elles la qualifier de *pauvre fille* et croire qu'elle ne pouvait pas danser ?

Ravalant sa colère, elle remit son bâton de rouge à lèvres dans son sac et se dirigea vers la porte, rendant même son sourire à la femme en bleu en passant.

Tournant à l'angle du couloir, elle entendit une exclamation.

— *J'adore* sa robe ! Je me demande où elle l'a achetée.

— Et tu as vu ses chaussures ? Magnifiques !

— Elle est tellement gracieuse, dire que je peux à peine marcher avec ces fichus talons…

Leo se tourna vers Alex en souriant, et elle posa la main sur le revers de sa veste en un geste possessif.

— Vous voulez toujours danser ?

— J'adorerais, répondit-il avec un grand sourire.

Il prit sa main et l'entraîna vers la piste de danse. Elle avait les doigts glacés et les joues brûlantes. Combien de personnes les observaient avec les mêmes pensées que les deux pestes des toilettes ?

Il mit la main dans son dos et elle lui sourit, mais tout son corps était raide, tendu. Il esquissa quelques pas de danse, et elle le suivit comme un automate.

— Qu'est-ce qu'il y a ? demanda-t-il tendrement.

— Rien.

Il la guida vers le bord de la piste. Il allait la ramener à sa chaise, et tout le monde croirait qu'elle ne pouvait pas danser…

— Non, Leo. Je veux danser…

— D'accord. Mais qu'est-ce qui se passe ?

— Je… Ce n'est rien. Les gens parlent sans réfléchir…

— Si vous me disiez tout ? Dans l'intérêt de la recherche ?

— La recherche ?

— Oui. Je suis toujours intéressé par les bêtises que peuvent proférer les gens.

Elle ne put retenir un sourire.

— Ça ne va pas vous plaire…

— Ça ne vous plaît pas non plus, visiblement. Alors, on sera deux. Voyons ça comme un exercice de rapprochement.

Il l'attira contre lui et emprisonna sa main dans la sienne.

— Deux femmes bavardaient aux toilettes. Elles disaient qu'une partie à trois avec vous ne leur déplairait pas…

— J'espère que vous les avez remises à leur place.

— Elles ne s'adressaient pas à moi. J'ai surpris leur conversation.

— Compris. Elles cancanaient dans un coin pendant que vous vous recoiffiez. Beau travail de couverture, lieutenant. Vous les avez maîtrisées à coup d'épingles à cheveux ?

— Les miennes ne sont pas assez acérées, répliqua-t-elle, plus détendue, évoluant lentement au rythme de la musique douce.

— Elles vous ont donc échappé. Peu importe. Nous les aurons plus tard. Poursuivez votre rapport de surveillance, je vous prie, lieutenant.

Elle ne put s'empêcher de rire.

— Elles connaissaient l'émission de radio. Elles ont parlé de moi comme d'une *pauvre fille*, et se demandaient pourquoi vous m'aviez invitée ce soir alors que je ne peux évidemment pas danser.

Un éclair de colère fulgura dans les yeux de Leo. Il soupira.

— Et vous ne leur avez pas botté les fesses ?

— Ce n'est pas l'envie qui m'en manquait. Mais l'une d'elles a dit qu'elle vous avait offert le double de ce que vous gagnez actuellement…

— Je vois de qui il s'agit, coupa-t-il. Clara Goodwin est une emmerdeuse, personne n'a envie de travailler pour elle. Mais même si elle m'avait fait la meilleure offre du monde, vous auriez quand même dû lui botter les fesses.

— Ça aurait été un peu exagéré. Une prothèse de jambe peut faire très mal, vous savez.

— Quand même, vous me décevez, lui chuchota-t-il à l'oreille. Vous êtes la plus belle femme de cette soirée. Vous êtes intelligente, généreuse, et vous dansez magnifiquement.

100

Même si vous n'avez pas réagi à leurs provocations, je suis fier que vous ayez accepté de m'accompagner ce soir.

Elle se laissa aller contre lui.

— C'est gentil de me le dire.

— Je ne suis jamais gentil, vous le savez, répondit-il en l'entraînant dans un rythme plus soutenu. Si vous me laissiez mener maintenant ?

— Je n'avais pas conscience de… mais vous avez peut-être raison. Prenez la barre, capitaine.

— Avec plaisir. Attention, inconnu en approche par tribord avant.

Il tourna sur lui-même et la robe d'Alex s'envola derrière elle. Elle lâchait enfin prise mais elle ne risquait pas de trébucher, Leo était là.

Ils dansèrent un moment en silence sans se quitter des yeux. Il était doué. Danser avec lui était un pur plaisir.

Il pinça les lèvres d'un air songeur.

— Ai-je raison de penser que vous vous servez de moi ? demanda-t-il.

— Absolument. Je suis en train de montrer à toute l'assemblée que je peux danser toute la nuit si je veux !

— Ne vous en privez pas.

— Vous m'utilisez aussi, répondit-elle en souriant. Ces deux chipies sont là, en quête d'une partie à trois…

— Silence. Je dois chasser cette idée de mon esprit, et je vous préviens, ça risque de prendre un moment.

— Prenez tout votre temps.

Elle pouvait danser toute la nuit. Et elle comptait bien profiter de chaque minute.

Leo avait eu du mal à réprimer sa colère. Comment Clara Goodwin avait-elle osé traiter Alex de la sorte ? Il n'avait jamais levé la main sur une femme, mais il aurait volontiers tenu cette peste pendant qu'Alex la giflait à toute volée.

Alex se montrait protectrice avec les enfants dont elle s'occupait, positive et encourageante à la radio, il ne fallait pas pour autant oublier qu'elle aussi avait des sentiments, que la cruauté des autres pouvait la blesser.

Mais pour l'heure, elle était blottie contre lui et rien ne semblait pouvoir les atteindre.

Il dut cependant céder sa place, car bon nombre d'invités voulaient s'entretenir avec elle en dansant. Et elle était là pour nouer de nouveaux contacts.

Il finit toutefois par la récupérer.

— Voulez-vous vous asseoir un moment ? demanda-t-il.

— Volontiers. Laissons passer cette danse.

— On pourra toujours se rattraper avec la suivante.

Ils n'en eurent pas l'occasion. Comme ils se dirigeaient vers le bar, un brouhaha leur parvint du fond de la salle, et Leo vit un employé de l'hôtel se précipiter vers eux en fendant la foule.

— Docteur Leo Cross ?

— Oui ?

— Il y a eu un accident en cuisine, monsieur. Nous avons besoin d'un médecin de toute urgence.

— Très bien, j'arrive.

Leo lança un regard d'excuse à Alex qui inclina la tête, déçue. Il emboîta le pas au serveur en maudissant le sort qui l'éloignait encore d'elle. Comme si une force malveillante s'acharnait sur lui.

Mais il n'y pouvait rien. Il avait accepté les règles en devenant médecin. Elle comprendrait.

Il suivit l'employé le long d'un couloir de service.

— Que s'est-il passé ?

— Le cuisinier s'est tranché le doigt. On a appelé une ambulance, mais nous n'arrivons pas à stopper l'hémorragie.

— Vous avez un kit de première urgence ?

— Oui, il y en a un à la cuisine. On s'en sert souvent.

— Vous avez mis en place les mesures d'hygiène et de sécurité prévues dans ce genre de cas ? demanda Leo.

Le blessé avait dû beaucoup saigner, il fallait prévenir tout risque d'infection.

— Oui. Je vais faire évacuer le personnel pour nettoyer la pièce.

Ils franchirent une porte donnant dans une immense cuisine. En dépit de l'heure tardive, une demi-douzaine d'employés était agglutinée autour d'un homme assis par terre. Des traînées sanglantes maculaient le sol carrelé, et une flaque rouge commençait à se former autour de lui.

— Reculez, s'il vous plaît.

Leo ôta sa veste, retroussa ses manches, et prit une paire de gants en latex dans la trousse médicale posée sur la desserte. Tout le monde se pencha pour mieux voir.

Recroquevillé sur lui-même, le cuisinier tenait sa main blessée en gémissant doucement.

Leo déchiffra le nom brodé sur la poche de son tablier.

— Alan, je suis médecin. Montrez-moi votre main.

Le blessé le repoussa, et du sang dégoutta de la serviette qui enveloppait sa main.

— Alan, regardez-moi, dit Leo, tournant son visage vers lui. Je suis médecin. Je sais que vous avez très mal, mais je dois examiner votre main.

Cette fois, Alan n'opposa aucune résistance, et Leo défit délicatement le pansement de fortune. L'index avait été sectionné au niveau de la première phalange, et le sang pulsait du moignon, dégoulinant sur le sol.

— Levez le bras, Alan, ordonna Leo, soulevant la main du blessé qui l'injuria en geignant de douleur.

Leo trouva les veines du poignet et appuya fort pour ralentir l'hémorragie.

— Quelqu'un peut m'apporter… ?

Il leva la tête et vit six paires d'yeux qui le fixaient d'un air hébété. Il avait besoin d'un coup de main, mais aucun des badauds ne semblait disposé à jouer les bénévoles. Puis une tache verte apparut dans son champ de vision, surmontée d'yeux couleur de miel.

Alex accourait à la rescousse.

12.

— Il me faut de l'eau et beaucoup de gaze, dit Leo. Enfilez une paire de gants. Et faites attention à ne pas glisser dans la flaque.

Alex travaillait à l'hôpital, elle connaissait les procédures. Mais il n'avait pu s'empêcher de la mettre en garde.

— Je sais, dit-elle gentiment.

Elle prit le matériel dans la trousse médicale et, évitant la flaque de sang, posa devant Leo une bassine d'eau et un gros paquet de gaze.

— Merci. J'aurai besoin d'un bandage dans un moment.

Il nettoya au mieux la main d'Alan et enveloppa de gaze ce qui restait du doigt avant de s'apercevoir qu'il ne pourrait pas tout faire seul.

— Laissez-moi vous aider, dit Alex.

Relevant le bas de sa robe, qu'elle noua grossièrement sur le côté, elle banda le doigt blessé et fixa le pansement avec du sparadrap.

Leo relâcha sa pression sur le poignet d'Alan. Il ne voulait pas faire un garrot si ce n'était pas absolument nécessaire, et l'hémorragie semblait endiguée.

— L'ambulance sera bientôt là, on vous donnera quelque chose pour la douleur, dit-il à Alan.

— Où est-il ? demanda le blessé en regardant autour de lui.

Il voulut se lever et Leo l'en empêcha. Il fallait maintenant se mettre en quête du bout de doigt. Mais il devait rester avec Alan. Comment réagirait Alex s'il la chargeait de cette tâche ingrate ?

— J'ai une chose un peu délicate à vous demander…

— Je m'en occupe…, répondit-elle.

Elle posa sa main gantée sur le bras du blessé.

— Alan, je vais chercher votre doigt. Vous ne pouvez pas partir à l'hôpital sans lui ! Ne bougez pas, et faites ce que dit le docteur. Je vais le trouver.

Comment résister à la chaleur de son sourire, à son ton rassurant ? Même Leo se sentit mieux. Le blessé s'adossa au mur en soupirant.

— Pouvez-vous m'apporter de quoi faire une attelle ? demanda Leo.

Hochant la tête, elle ouvrit plusieurs tiroirs et brandit une spatule plate en bois.

— C'est parfait.

Elle lui tendit la spatule avec une nouvelle bande et il entreprit d'immobiliser la main blessée. Quand il leva la tête, elle était devant le plan de travail, fouillant délicatement dans les épluchures et les morceaux de légumes. Mais elle n'avait encore rien trouvé. Pourvu que le doigt n'ait pas roulé sous la table dans la panique qui avait suivi l'accident. Elle dut penser la même chose car elle regarda autour d'elle avec attention et fit un pas vers l'évier.

— Je l'ai. Il y a des épluchures dessus.

— Otez ce que vous pouvez, mais ne le lavez pas. Le chirurgien nettoiera le reste. Enveloppez-le dans de la gaze humide.

Elle sortit un sachet en plastique de la trousse médicale, le vida de son contenu, et y glissa le précieux paquet enveloppé de gaze avant de le refermer avec soin.

— Génial. Mettez de la glace, mais veillez à ce qu'elle ne soit pas en contact avec les tissus, dit Leo.

Dans le réfrigérateur, elle trouva un paquet de glace pilée. Elle en jeta la moitié dans l'évier, et mit le paquet dans le sachet contenant le doigt en répartissant bien la glace, puis elle referma le tout. Elle revint auprès d'Alan.

— Le doigt est intact. Je l'ai mis dans la glace.

— On va pouvoir me le greffer ?

— Il y a de grandes chances, répondit-elle. De nos jours,

les chirurgiens font des miracles. Ils vous expliqueront tout à votre arrivée à l'hôpital.

Même si les chirurgiens n'avaient pas pu réaliser l'impossible pour elle, elle se montrait rassurante. Leo n'avait jamais rencontré de personne aussi généreuse.

— Merci… Comment vous appelez-vous ? demanda Alan.

— Alexandra.

— J… joli nom.

— Merci, dit-elle en pressant sa main valide. Je sais que ça fait mal. L'ambulance ne va plus tarder, on vous soulagera.

Un bruit de voix à l'entrée de la cuisine confirma ses dires. Bientôt, un ambulancier se précipita vers eux.

— On n'a plus grand-chose à faire, on dirait ? dit-il en voyant la main bandée d'Alan et le sac de glace.

Leo surveilla l'injection de l'antalgique, et le blessé fut installé dans un fauteuil roulant. Alex confia le sachet à l'ambulancier qui emmena rapidement Alan.

— Comment faites-vous ?

— Quoi donc ? demanda Leo.

— Regardez-vous, dit-elle en scrutant sa chemise. A part cette tache minuscule sur une manche, vous êtes propre comme un sou neuf !

Il rit.

— J'ai travaillé aux urgences pendant ma formation. La meilleure école pour apprendre à esquiver les éclaboussures.

Arrachant ses gants de latex, il les glissa dans le sac réservé aux déchets biologiques, et elle l'imita. Puis il se dirigea vers l'évier et se lava soigneusement les mains au savon liquide.

L'instant d'après, elle était à côté de lui et glissait ses mains sous le robinet. Il enduisit ses doigts de savon et elle se figea, le laissant entremêler ses doigts aux siens et frictionner ses paumes.

Il eut conscience d'avoir franchi une limite. Avant d'aller trop loin, il arracha une serviette en papier du distributeur et la fourra dans la paume d'Alex.

— Vous avez une tache sur la jambe… là.

— Oh… ma prothèse…

Elle se pencha pour frotter le sang séché avec la serviette, et le nœud qu'elle avait fait à sa robe se défit.

Leo mit les mains autour de sa taille et la hissa sur le comptoir.

Retroussant sa jupe jusqu'aux genoux, elle enleva sa prothèse et l'examina.

Elle avait évoqué devant lui les nombreux problèmes qu'elle avait à affronter du fait de son handicap, et il avait déjà vu des amputés ôter leurs prothèses. Mais à cet instant, il ne se sentait pas médecin. Il était le cavalier d'un soir d'Alex, et elle lui faisait suffisamment confiance pour se montrer à lui sans artifice.

— Je vais nettoyer tout ça...

Il détacha une serviette en papier et l'imbiba d'eau et de savon, lavant le sang et s'assurant qu'il ne restait aucune trace sur le membre de silicone couleur chair.

— C'est bon... Oh ! mince, il y a du sang sur ma chaussure !

Elle défit sa jolie sandale argentée et examina avec consternation la tache sombre qui maculait la semelle intérieure.

— Rhona va me tuer...

— Les chaussures sont à elle ?

— Oui... Elle les a vaporisées de peinture argentée...

Elle gratta les lanières de l'ongle, et de petits éclats argentés tombèrent sur le sol.

— On lui offrira une nouvelle paire.

— Elle les a achetées dans une boutique d'occasion. Elles sont uniques.

— On trouvera un moyen de la dédommager. On y va ? La soirée touche à sa fin.

Et il n'avait aucune envie de la partager avec d'autres. Plus maintenant.

— Quand vous voudrez. Je suis prête.

— Très bien. Enlevez l'autre sandale.

— Pourquoi ? Elle est tachée aussi ?

Il se pencha vers elle.

— Non. Mais il y a trois possibilités. Je vous porte dans la voiture...

— Pourquoi feriez-vous ça ?

— Parce que si vous remettez votre chaussure souillée, vous salirez le talon de votre prothèse. Et vous ne pouvez pas aller jusqu'au parking pieds nus sur le gravier. Donc, je vous porte, et on risque de vous prendre pour une malheureuse incapable de marcher. Mauvaise option.

— Oui, admit-elle en souriant.

— Ou on pensera que je vous enlève pour une folle nuit de passion…

— Pas mieux.

— Ou alors, vous tenez vos sandales salies à la main, et tout le monde croira que je vous porte parce que vous ne pouvez plus les remettre.

— C'est la meilleure solution.

— Très bien. Où est votre pochette ?

— Je l'ai confiée à l'épouse du monsieur très gentil.

— Bien. Je vais la chercher, avec nos manteaux, dit-il. Vous voulez bien m'attendre ici ? Je ne serai pas long.

— Je crierai si j'ai besoin de vous.

Elle était vraiment délicieuse. Ces dernières heures, ils avaient franchi une étape. D'un naturel méfiant, elle avait baissé sa garde avec lui ce soir.

Il rabattit ses manches de chemise et attacha ses boutons de manchettes avant d'enfiler sa veste.

Comme il allait sortir, elle lui fit signe d'approcher et défit son nœud papillon, puis son col.

— Si vous vous souciez des apparences, vous devez paraître un peu moins soigné. N'oubliez pas que vous venez de vous battre pour sauver une vie. Question d'image.

Elle défit un deuxième bouton de sa chemise et il ne put réprimer un frisson trouble.

— Voilà qui est mieux. Vous êtes superbe comme ça…

Leo revint moins de cinq minutes plus tard, accompagné de l'équipe de nettoyage de l'hôtel.

Il était *vraiment* superbe. On n'aurait jamais dit qu'il avait eu une soirée aussi mouvementée. Il avait rassuré Alex sur les pestes des toilettes et l'avait fait se sentir belle. Et il s'était battu pour sauver le doigt d'Alan.

Il se pencha pour la soulever dans ses bras.

— Vous êtes plus lourde que vous n'en avez l'air.

— Vous devez être moins costaud que vous n'en avez l'air…

Elle prit ses sandales et glissa son bras autour de son cou. Elle actionna la poignée de la porte, et ils sortirent dans le couloir. Il la reposa dans le hall tapissé de moquette où un employé de l'hôtel les attendait avec leurs manteaux et la pochette d'Alex.

— Leo… !

Surgie de nulle part, la femme en bleu fonçait sur Leo.

— Clara… Ravi de te voir. Sois gentille, tiens-moi la porte.

Il se tourna vers Alex en souriant et la souleva dans ses bras, visiblement décidé à remettre Clara à sa place.

L'air frais de la nuit arracha un frisson involontaire à Alex. Elle se serra machinalement contre lui, étonnée par son mutisme.

— Ne faites pas cette tête, Leo. Cette fille n'a aucune importance.

— Prenez mes clés de voiture dans ma poche.

Elle farfouilla ostensiblement dans la poche de sa veste, lui arrachant enfin un sourire.

— Arrêtez, ou je vous jette en travers de mon épaule, à la manière des hommes des cavernes !

13.

Après vingt minutes d'autoroute, Leo et Alex roulèrent un moment sur d'étroites routes en lacet, traversant des villages pittoresques. Puis il bifurqua et la voiture se mit à cahoter sur un chemin boueux à peine carrossable. A gauche, la lune se reflétait en tremblotant dans une étendue d'eau noire.

— Oh ! regardez, Leo. La lune est pleine ?

— C'est demain la pleine lune, je crois.

— Vous habitez près d'ici ? demanda-t-elle, son regard n'embrassant que des champs à perte de vue.

— De ce côté, répondit-il en montrant le lac.

Elle devina la silhouette d'une demeure nichée parmi les arbres au bord de l'eau.

Bientôt, Leo ralentit et guida la voiture en marche arrière dans une sorte de hangar aux murs de pierre et au petit toit pentu. Il descendit et se dirigea vers le fond de la bâtisse. Soudain, Alex se crut au pays des merveilles.

Les lumières perçaient la nuit. Illuminant le sentier pavé et un petit pont qui enjambait le ruisseau alimentant la retenue d'eau. Sculptant l'escalier de pierre qui donnait accès à la solide demeure sur l'autre rive.

On ne pouvait y accéder qu'à pied. Mais l'idée de se blottir dans les bras de Leo dans la douce brise nocturne lui parut soudain terriblement tentante.

Il contourna la voiture et lui ouvrit la portière.

— Vous pouvez marcher ?

— Oui. J'ai juste besoin de mes tennis, dans mon sac.

Sans un mot, il la souleva dans ses bras et elle se nicha contre son corps tiède.

110

— C'est charmant, dit-elle. Tout ça vous appartient ?

— Je suis propriétaire du domaine, mais un sentier public relie la route au village, de ce côté du lac. On vient traditionnellement y pêcher l'été, et je ne changerais ça pour rien au monde.

— Sympa. Un repaire secret, avec plein de gens qui vont et viennent sur l'autre rive…

— C'est ce qui me plaît. Evie a séjourné ici une quinzaine de jours l'été dernier. Quand les paparazzi se sont renseignés au pub du village pour savoir où elle était, les habitants les ont envoyés dans l'autre direction, dit-il en riant.

— Ils ont fini par la trouver ?

— Non, répondit-il, s'arrêtant au milieu du pont pour la laisser admirer le plan d'eau. Un de mes lieux préférés.

— C'est magnifique.

L'eau sombre frémissait doucement aux pieds des grands arbres, reflétant les milliers d'étoiles qui scintillaient dans le ciel nocturne étrangement clair. Elle avait l'impression d'être dans les bras d'un prince charmant qui l'emportait dans son château de famille.

Leo gravit les marches menant à la demeure et déposa Alex pour ouvrir la porte et allumer la lumière. Elle pénétra dans un grand hall illuminé où régnait une douce chaleur.

— Faites comme chez vous. Je vais chercher nos manteaux et verrouiller la voiture…

Elle resta seule dans le vestibule. Le pied de sa prothèse étant légèrement incurvé pour s'adapter au talon d'une chaussure, elle devait marcher sur les orteils. Etrangement, il lui semblait normal d'explorer la maison sur la pointe des pieds, comme une princesse de conte de fées égarée dans quelque mystérieux palais. La cuisine était moderne et fonctionnelle, comme elle s'y attendait. Mais le salon fut une révélation, avec ses grands canapés moelleux bleu poudré, et ses rayonnages en chêne croulant sous les livres et les bibelots accumulés au fil du temps. Dans l'âtre de la cheminée de pierre s'entassaient les bûches.

La salle à manger était tout aussi accueillante avec ses portes-fenêtres ornées de rideaux à motifs, et sa table patinée.

L'endroit respirait l'élégance, mais on s'y sentait chez soi, contrairement à l'appartement londonien de Leo.

Elle l'entendit revenir et regagna le vestibule.

— C'est votre alter ego qui vit ici ?

— Je suis la même personne, ici et à Londres.

Une nouvelle pièce du puzzle. Tout comme les secrets de Leo expliquaient sa personnalité complexe et en apparence incohérente, cette maison éclairait bien des choses. Le Leo amateur de lumières et d'excitation citadine avait besoin d'un foyer, et ce foyer, c'était ici.

Il monta les bagages d'Alex au premier et lui montra sa chambre, une pièce confortable et élégante aux grandes baies vitrées ouvrant sur un balcon, avec sa propre salle de bains.

Au rez-de-chaussée, il prépara du chocolat chaud — les cocktails étant apparemment réservés à l'appartement de Londres. Otant sa veste, il s'assit sur un canapé pendant qu'elle se lovait dans l'autre.

— Je suis vraiment navré pour ce soir, dit-il sombrement. Ça ne s'est pas passé comme on l'espérait, hein ?

— Vous ne pouviez quand même pas laisser cet homme se vider de son sang.

— Non. Mais s'il fallait qu'il se tranche le doigt, j'aurais préféré qu'il choisisse un autre jour. Cette soirée était censée racheter le samedi précédent, dit-il, jouant machinalement avec son téléphone posé sur l'accoudoir.

— Vous n'avez pas à vous racheter avec moi, Leo. La vie est-elle toujours aussi mouvementée avec vous ?

Il secoua la tête en riant.

— Non. Généralement, je peux passer des semaines sans que quelqu'un tourne de l'œil devant moi !

— C'est bon à savoir. Je redoutais d'être la suivante.

— Ça n'arrivera pas, dit-il gravement.

— Je plaisantais…

— Pas moi.

Elle avait été fière de l'aider à soigner cet homme, ce soir. Quand ils travaillaient ensemble dans un objectif commun, elle avait l'impression que cela renforçait leur lien. Le travail permettait à Leo d'oublier l'obsédant écho de son passé et de vivre dans le présent, ne fût-ce qu'un moment.

Elle vida sa tasse de chocolat. Leo était le meilleur des hommes. Le seul qu'elle ne pourrait jamais avoir, car il serait toujours ailleurs.

— Il est tard, dit-elle. Je dois aller me coucher.

— Je ne tarderai pas à en faire autant. Dormez bien.

Il ramassa la trousse en cuir contenant l'ordinateur portable qu'il avait apporté. Quand il ne s'occupait pas d'un patient, il téléphonait, et quand il n'était pas sur son mobile, il lisait des mails, examinait des papiers. Il n'arrivait tout simplement pas à décrocher.

— Votre batterie n'est pas encore à plat ? demanda-t-elle, se retenant à grand-peine de lui confisquer son ordinateur.

Il sourit.

— J'en apporte toujours une de rechange.

— Dommage. Bonne nuit.

En gravissant l'escalier, elle l'entendit allumer l'appareil. Quelle que soit l'heure, il avait toujours un impératif qui ne pouvait pas attendre.

En s'éveillant, Alex sut qu'elle était à la campagne. Même si les fenêtres étaient fermées sur la fraîcheur de l'aube, elle entendait le gazouillis étouffé des oiseaux, et captait des odeurs fraîches qui lui rappelaient la maison de sa famille.

Elle avait laissé les rideaux ouverts, sachant qu'elle s'éveillerait aux aurores. A la pâle lueur qui filtrait à travers les fenêtres, elle roula au bord du lit.

C'était le moment où elle ressentait le plus son handicap. Un nouveau jour, de nouveaux défis. Mais au lieu de courir à la fenêtre admirer le soleil levant, elle devait ramper ou, comme maintenant, attraper ses béquilles dans son sac et les déplier. Bientôt, elle s'adonnerait au rituel matinal du massage de son moignon avec une crème adoucissante, vérifiant qu'il n'y avait pas d'écorchures ou d'ampoules avant d'enfiler la fine chaussette qui protégeait sa peau du frottement de la prothèse.

Mais pour l'instant, elle avait du vague à l'âme. Elle avait besoin d'une pause avant d'affronter cette belle matinée.

Au début, elle avait pleuré sa jambe comme elle aurait pleuré la mort d'un être cher. Mais le chagrin s'était estompé, et si chaque nouveau jour lui remémorait ce qui avait été, il lui rappelait aussi qu'elle avait su faire une force de son handicap et aller de l'avant.

S'appuyant sur ses béquilles, elle alla à la fenêtre. Les ombres aperçues la veille se révélaient être les contours d'un grand balcon qui courait le long de la façade arrière de la maison et desservait d'autres pièces… dont peut-être la chambre de Leo.

Elle l'imagina frappant à sa fenêtre, une rose entre les dents. Elle sourit à cette pensée. Pas entre les dents, c'était trop artificiel pour Leo, une rose à la boutonnière plutôt.

Les matins d'été, peut-être s'asseyait-il là pour regarder le soleil se lever. Café et jus d'orange, seul avec les bruits de la campagne qui s'éveillait.

Elle regarda les champs saupoudrés de givre à l'horizon laiteux. Mais elle avait tout le temps de contempler la vue. Elle gagna l'étincelante salle de bains carrelée de blanc et ouvrit la porte de la douche.

Un tapis de bain antidérapant. Parfait. Deux poignées pour se tenir. Pas si courant dans une maison particulière, mais encore mieux. Elle se pencha pour les tester. Elles étaient solidement fixées, parfaitement placées. Une fine poussière rouge tomba de l'une d'elles.

Elle l'examina de plus près. De la poussière de brique.

Les poignées étaient neuves. Elles étaient là pour elle.

Leo n'avait jamais douté de sa parfaite autonomie. Il avait pris le temps de venir ici poser des mains courantes pour sa sécurité. C'était la chose la plus gentille qu'on ait jamais faite pour elle.

Leo espérait que travailler jusqu'à l'épuisement lui garantirait un sommeil de plomb. Mais il s'éveilla en pleine nuit, conscient de la présence silencieuse d'Alex dans la maison assoupie.

Il suffirait de sortir sur le balcon et d'aller frapper à sa fenêtre, et il la trouverait qui l'attendait. Même la température glaciale ne pourrait pas faire baisser la fièvre qui le consumait quand il pensait à elle.

La préparation du petit déjeuner lui fit momentanément oublier les effets de son sourire. Et ce matin, elle souriait *vraiment*, savourant visiblement cette belle matinée.

— Prête à y aller ?

Le sac de voyage d'Alex était dans l'entrée, les sandales abîmées dans un sac en plastique posé dessus. Elle portait un legging et un pull chaud en laine polaire, elle avait les cheveux attachés en queue-de-cheval. Seul le délicat vernis rose de ses ongles rappelait encore la soirée de la veille.

Hochant la tête, elle s'assura qu'il avait bien noté les coordonnées GPS de la ferme de son père.

Ils partirent dans le matin froid et piquant. Le long de la route, le patchwork de villages et de hameaux fit rapidement place aux grands espaces ouverts de la rase campagne.

— C'est par là ?

Ils avaient débouché sur une crête et, à la clarté du soleil matinal, il scruta l'horizon. A perte de vue, des champs émaillés de bosquets, avec un croisillon de routes étroites.

— Oui. Tournez ici, dit-elle, désignant un chemin qui menait à une immense grange en brique.

— Vous arrivez à grimper dans une grange ?

— Elle a été aménagée. Attendez de voir, répondit-elle avec fierté.

Un vieux camion était garé devant la bâtisse. Leo s'arrêta juste à côté, et Alex descendit de voiture, visiblement impatiente de lui montrer les lieux.

Les deux portes successives faisaient office de sas. A l'intérieur de la grange, une douce température régnait.

Alex se précipita vers l'homme en train de balayer le sol et le serra dans ses bras.

— Papa… Je te présente Leo.

Leo serra la main qu'il lui tendait. Il avait les cheveux poivre et sel, et les mêmes yeux songeurs qu'Alex.

— Howard Jackson, dit-il. J'écoute vos émissions avec Alex. Je suis ravi de vous rencontrer.

Leo se sentit un peu gêné. Depuis trois semaines, ils abordaient publiquement des sujets intimes, mettant les auditeurs à l'aise et permettant à chacun de s'exprimer librement.

— Nous… Alex est géniale. D'un naturel confondant…

— C'est gentil à vous de le dire, répondit Howard en souriant à sa fille. J'ai senti que vous la guidiez un peu.

— Plus qu'un peu, papa. Leo m'a beaucoup appris.

Il haussa les épaules.

— Alex nous a donné des directions sur les thèmes à couvrir. Et nous l'avons aidée à les présenter d'une manière qui lui convenait.

Howard rit doucement. Il ne semblait pas perturbé que sa fille parle à la radio de sexualité, pudiquement rebaptisée pour l'occasion *questions liées au corps*.

— Où est maman ? demanda Alex.

— Elle détartre la bouilloire. Je m'apprêtais à aller la chercher, dit Howard en sortant des clés de sa poche.

Elle les lui prit des mains.

— J'y vais. Tu peux faire visiter les lieux à Leo.

Elle s'en alla en souriant, laissant les deux hommes en tête à tête.

Leo examina la grande salle, sous le regard intéressé de Howard. Un côté était consacré aux murs d'escalade, du plus facile au plus difficile. Il y avait un espace de jeux pour les plus jeunes enfants, et d'épais tapis de sol étaient empilés dans un coin, prêts à transformer l'endroit en zone sécurisée où les gamins pourraient s'ébattre sans crainte de se blesser.

— Impressionnant. Vous utilisez souvent cette salle ?

— Seulement deux fois par mois l'hiver, à cause du coût du chauffage. Nous installons un faux plafond, et nous divisons l'espace pour en tirer le meilleur parti. Cette zone représente un tiers de la surface au sol.

— Une belle taille. Et il y fait assez chaud.

— Oui. Nous avons des radiateurs à infrarouge. Quand

il y a entre vingt et trente personnes, c'est parfait. L'été, on peut enlever les cloisons et faire encore plus d'activités.

— Quel genre de choses ?

— Il y a un centre d'équitation près d'ici, les moniteurs viennent donner des cours de temps en temps. Nous disposons aussi d'un espace pique-nique, et Alex organise des journées familiales avec différentes activités. Elle envisage même d'aménager un véritable couloir de course, mais ce n'est qu'à l'état de projet pour le moment.

— Pour le moment, répéta Leo en souriant.

Alex trouverait un moyen d'arriver à ses fins, cela ne faisait aucun doute.

Howard acquiesça en riant.

— Beaucoup de monde vient de Londres ? demanda Leo. Ce n'est pas tout près.

— Deux à trois voitures combles, les parents conduisent à tour de rôle. Il y a aussi une demande locale, nous sommes toujours pleins. Les questions de sécurité limitent le nombre de personnes que nous pouvons recevoir en même temps.

— Il a fallu du temps pour en arriver là, non ?

— Neuf ans, répondit Howard en fourrant les mains dans ses poches. Nous avons commencé petit. La grange se trouvait sur un terrain que j'avais acheté. Les frères d'Alex et moi avons construit le premier mur d'escalade l'été après qu'elle a perdu sa jambe.

Leo sentit sa gorge se serrer.

— Alors c'est comme ça que tout a commencé ?

— Oui. Vous n'imaginez pas le nombre de fois où je l'ai vue tomber de ce fichu truc, et remonter pour essayer encore… Je ne sais pas de qui elle tient, dit Howard avec un haussement d'épaules. Probablement de sa mère.

Leo en doutait. Il sentait en Howard la même détermination qu'Alex. Le vieil homme lui plaisait déjà beaucoup, il avait envie d'être honnête avec lui.

— Je… j'ai connu Alex il y a longtemps. A une soirée.

— Oui, elle me l'a dit. Une soirée costumée…

— Oui. En fait, c'était le soir d'avant son accident. Nous avions passé la nuit à discuter.

Howard rit.

— Alex a toujours été bavarde.

— Je veux dire…

— Je sais ce que vous voulez dire. Je suis son père, pas son garde-chiourme. Elle me l'a fait clairement comprendre quand elle était encore très jeune.

— Je l'avais raccompagnée à l'arrêt du bus le lendemain matin. Je regrette tellement de ne pas l'avoir ramenée chez elle…

Hochant la tête, Howard le regarda.

— Savez-vous ce que *moi* j'ai fait ? Alex avait l'habitude de nous téléphoner tous les dimanches matin. Mais j'étais occupé avec la ferme, et quand elle n'a pas appelé ce jour-là, ça ne m'a pas inquiété. En recevant l'appel de l'hôpital, ma femme a couru à travers champs pour venir m'annoncer la nouvelle.

Leo le dévisagea en silence.

— Quand Alex est née, sa mère me l'a mise dans les bras, et j'ai compté ses petits doigts, ses minuscules orteils. Et je me suis promis de toujours veiller sur sa sécurité.

Howard se pencha vers lui.

— Vous avez appris l'accident récemment, n'est-ce pas ?

— Oui. Ce jour-là, je l'ai appelée mais elle n'a pas répondu. J'ai cru qu'elle… Vous savez comment c'est…

— Oui, admit Howard en riant. J'ai connu ça en mon temps. Ecoutez, vous n'avez aucun reproche à vous faire.

Leo n'en était pas convaincu. Mais c'était un peu comme si Alex lui avait parlé par la bouche de son père. Peut-être même l'avait-elle laissé seul avec lui dans ce but.

— Merci.

— Ne me remerciez pas, dit Howard. Venez plutôt m'aider à déplacer ces tapis de sol…

14.

Il avait fallu environ deux heures pour préparer la salle, mais la transformation était achevée. Leo, Alex et ses parents eurent même le temps de déjeuner d'un bol de soupe et de sandwichs avant l'arrivée des premières voitures.

Leo reconnut Hayley et Alice, et Sam lâcha la main de sa mère pour venir lui annoncer fièrement qu'il allait faire de l'escalade. Comme le père de Carys hésitait à l'entrée, Howard alla le saluer et l'emmena faire le tour des installations avec sa fille. Fidèle au poste, Alex parlait à chacun et s'assurait que les bénévoles étaient à leur place avant les exercices d'escalade.

A 15 heures, on servit des rafraîchissements, et elle lui apporta un café.

— Vous vous amusez bien, Leo ?

— Faut-il vraiment que je réponde à ça ?

— Non, dit-elle en souriant. Je vous ai vu au mur avec Sam. Il s'accroche, hein ?

— Il est incorrigible. Comme quelqu'un que je connais…

— Je ne vois pas de qui vous parlez… On vient de m'appeler pour que je finalise le dossier sur l'allocation d'Alice, reprit-elle plus bas. J'ai demandé à sa mère si je pouvais passer bavarder avec elle demain, avant l'émission.

— C'est super. Merci.

— Vous ne voulez pas changer d'avis et venir avec moi ?

— Non. C'est votre fort. Je préfère rester à distance.

Elle le fixa, incrédule.

— Comment pouvez-vous dire ça ? Vous passez votre

temps à communiquer avec les gens, à la fois comme médecin et comme animateur radio !

— C'est différent.

Elle rougit. En général, c'était le signe qu'elle n'acceptait pas ses tactiques évasives.

— Alors, vous trouvez normal de vous investir avec des inconnus, et pas avec des gens que vous connaissez, dit-elle, les lèvres pincées.

Il devait prendre ses distances. Avant d'être forcé de lui avouer pourquoi il ne pouvait pas aller trop loin avec elle.

— Rendez-moi un service, Alex…

— Bien sûr.

— Lâchez-moi, voulez-vous ?

Elle éclata de rire, peut-être aussi soulagée que lui d'éluder cette question sans réponse.

— Entendu. Je crois que quelqu'un a du travail pour vous, dit-elle, désignant le petit Sam qui le regardait fixement, planté au pied du mur d'escalade le plus complexe.

— Il plaisante, là…

— Je ne crois pas. Allez user de votre charme pour le dissuader de grimper.

Les derniers mots que Leo avait dits à Alex à l'antenne étaient pour lui les plus importants. Les plus sincères. Ils avaient reçu tant d'appels que le standard avait failli sauter. Mais il avait pris le temps d'exprimer le fond de sa pensée :

— Ce dernier mois a été pour moi une source d'inspiration et m'a changé la vie. Ça a été un honneur de faire ce voyage avec vous, Alex.

— Merci, Leo. J'y ai pris un immense plaisir.

— Il faudra recommencer, dit-il, soutenant son regard pour lui montrer que ce n'étaient pas des paroles en l'air.

— J'en serai ravie.

Il crut voir des larmes dans ses yeux avant de se détourner, la gorge nouée, pour lancer les publicités.

Elle le regarda enlever ses écouteurs et couper le son avec la régie.

— Alors, c'est fini…, soupira-t-elle.

— J'ai dit qu'on remettrait ça, je n'affirme jamais rien sur les ondes que je ne pense pas.

— Trop de témoins ?

— Non. C'est juste important pour moi.

Elle lui adressa un sourire hésitant.

— Vous pourriez… m'appeler. Je promets de vous rappeler, cette fois.

C'était tout ce qu'il voulait entendre.

— Je sais où vous habitez maintenant. Si vous ne me rappelez pas, je vous trouverai.

— Terminé, dit Rhona en glissant la dernière des lettres de remerciements dans une enveloppe qu'elle ajouta à la pile. Comment on fait pour les chèques ?

— Ils sont prêts à partir à la banque, répondit Alex.

Il avait fallu toute la matinée et la moitié de l'après-midi pour venir à bout des lettres et des chèques reçus par la poste depuis une semaine. Elle se réjouissait de chaque mot, de chaque centime, mais cela représentait de nouveaux challenges pour l'association.

— Dépenser judicieusement cet argent va représenter beaucoup de travail, dit-elle en griffonnant sur son calepin d'un air songeur.

— C'est la faute de Leo. Et la tienne, bien sûr !

— Ravie de savoir que je suis responsable de mes problèmes, dit-elle, les yeux fixés sur ses gribouillis.

Leo, absorbé par le tournage d'une émission de télévision, ne reprendrait pas contact avec elle avant le début de la semaine. Et aujourd'hui, il devait aller à son cabinet, puis à la station de radio pour son émission du lundi soir. Peut-être pouvait-elle espérer un appel demain soir.

— On gérera, murmura-t-elle.

Ajoutant d'optimistes arabesques à son griffonnage, elle sursauta en entendant frapper à la porte, qui s'ouvrit à la volée.

La pointe de son crayon se brisa, la mine de plomb s'envola. Leo se tenait sur le seuil, immobile. Et il souriait.

— Quelqu'un veut du gâteau ?

Il portait un carton de la pâtisserie du quartier en équilibre sur un plateau supportant trois gobelets.

— Leo ! Ne soyez pas ridicule, bien sûr qu'on en veut ! s'exclama Rhona en l'attirant à l'intérieur, refermant même la porte derrière lui pour lui couper toute possibilité de fuite.

Il sourit, et le cœur d'Alex s'affola. Etait-il vraiment devenu plus beau en l'espace d'une semaine, ou lui avait-il manqué à ce point ?

— Asseyez-vous, dit Rhona, lui avançant une chaise et le débarrassant de la boîte en carton. Ah, Leo, vous savez toucher le cœur des femmes…

Riant doucement, il posa un gobelet devant elle et un autre devant Alex, gardant le plus petit pour lui.

— Expresso ?

Ce fut tout ce qu'Alex trouva à dire, incapable qu'elle était de détourner les yeux de Leo qui ne la quittait pas du regard.

— Oui. Il faut que je reste éveillé. J'ai été très occupé.

Probablement. Mais c'était son excuse pour tout. Cependant, il était là, et son sourire lui faisait tout oublier.

— J'allais partir à la banque. Ne mangez pas ma part de gâteau, dit Rhona en ramassant les chèques sur le bureau.

— C'est mon tour, dit Alex qui ne voulait pas qu'elle se sente de trop. J'irai plus tard.

— Ça ne me gêne pas. Reste avec Leo…

Leo mit fin à la discussion.

— En fait… je voulais vous parler d'une chose, à toutes les deux. Qu'est-ce que vous faites samedi ?

Alex consulta sa montre. Midi et demi, et la grange se remplissait déjà. Ils avaient décidé d'utiliser l'espace le plus grand à cause des nombreuses personnes attendues, elle avait pris sa journée la veille pour aider à tout mettre en place. Tôt le matin, une équipe de techniciens était venue installer une scène et poser des enceintes et des micros, puis était repartie. Et jusqu'ici, rien ne se passait.

— Où est-il ? grommela-t-elle fiévreusement à l'adresse de Rhona. Imagine qu'il ne vienne pas ?

— Tu l'as dit toi-même, Leo n'est jamais en avance. On a encore une demi-heure devant nous.

— Oui, mais…

Elles avaient invité tous ces gens à assister à un show musical, sans autres précisions, Leo ayant souligné que toute publicité risquait de faire déferler une horde d'indésirables et de provoquer des débordements. Tout était prêt, mais on n'avait toujours aucune nouvelle de lui.

Elle sortit son portable et scruta l'écran. Toujours rien.

— Tu as juste envie de le voir, dit Rhona, fine mouche.

— Non…, répondit-elle, consciente que c'était un mensonge. Pour l'instant, j'aimerais juste voir quelqu'un sur cette fichue scène…

Soudain, la porte derrière l'estrade s'ouvrit, et son père poussa Leo devant lui. Le cœur d'Alex battit plus vite. Puis un jeune homme franchit le seuil et monta sur la scène.

Bobby Carusoe. Le nom se répandit dans l'assistance comme une traînée de poudre. La jeune star, six fois en tête des hit-parades, avait pris d'assaut l'Amérique et l'Europe et était de passage en Angleterre entre deux tournées. L'idole des adolescentes.

Toutes les têtes se tournèrent vers lui, et il prit le micro pour s'adresser à la foule médusée.

— Tout le monde est là ?

— Non…, hurla Rhona du fond de la salle. C'est censé commencer à 13 heures…

— Alors on a le temps de faire connaissance. Mais d'abord, j'aimerais vous présenter une bonne amie à moi.

— Une amie ? couina Alex. Leo n'a pas parlé d'une amie !

Rhona désigna une jeune femme en robe lamée qui gravissait les marches montant vers la scène. Elle courut vers Bobby qui glissa un bras autour de ses épaules.

— Voici Aleesha…

Bobby et Aleesha saluèrent la foule, qui les ovationna. Puis Aleesha demanda le silence.

— Bobby et moi venons de faire un nouvel album qui

sort la semaine prochaine. Nous aimerions vous interpréter certaines de nos chansons en avant-première.

Un « oui ! » assourdissant résonna dans la grange.

— Qu'est-ce qu'ils vont bien pouvoir chanter ensemble ? murmura Alex.

Bobby était connu pour son répertoire sentimental, et le style d'Aleesha était plus pop rock, ils ne semblaient pas avoir grand-chose en commun.

— On s'en fiche. Ils sont là, non ?

Bobby sauta de la scène et tendit les bras à Aleesha pour l'aider à descendre. Alex s'avança, redoutant une bousculade, mais Leo assurait le service d'ordre. Comme il y avait autant d'enfants que d'accompagnants, la foule était relativement calme. Bobby et Aleesha se séparèrent pour aller parler aux spectateurs.

Alex tremblait. Au début, elle avait douté de l'idée de Leo, craignant qu'il ne soit impossible de contrôler une salle pleine d'adolescents en présence de leur idole. Mais Leo avait balayé ses objections. L'équipe de Bobby resterait en retrait, et traiterait les enfants avec attention et respect, et il y aurait assez d'adultes dans l'assistance pour prévenir tout débordement. Il ne s'était pas trompé. En dépit de l'excitation générale, l'événement semblait maîtrisé.

Leo se dirigea vers elle, s'arrêtant pour échanger quelques mots ici et là.

— Vous avez réussi, s'écria-t-elle.

— Toujours, répondit-il, lui rendant son sourire.

— Qu'est-ce qu'ils vont chanter ?

— Le nouvel album est un mélange de vieux succès de rock et de ballades revisitées par leur soin. C'est intéressant.

— Vous l'avez écouté ?

— Ils l'ont mis dans la voiture en venant ici.

— Comment avez-vous réussi le tour de force de réunir Bobby et Aleesha, Leo ?

— L'ami d'un ami. D'ailleurs, ils sont inséparables.

— Ils sortent ensemble ?

— Depuis environ un an, oui. Mais c'était un secret. Cet album représente un gros risque pour eux, à cause de leurs répertoires différents et parce qu'ils vont se montrer ensemble devant leurs fans pour la première fois. Combien de spectateurs attendez-vous encore ?

— Nous avons quarante enfants et autant de parents et de bénévoles. J'attends encore une vingtaine de chaque.

— Bien, dit-il, ses doigts s'attardant sur sa main.

Elle prit son bras et lui sourit.

— Quelqu'un se souvient de ça ?

Bobby chanta quelques accords, et Aleesha se joignit à lui.

— Moi ! cria le père d'Alex au pied de la scène.

— Aidez-nous pour les paroles, alors, l'invita Aleesha en souriant.

Les deux artistes étaient parfaits, charmant l'audience pour que parents et bénévoles puissent aussi profiter du spectacle. Le courant passait parfaitement entre eux, et ils chantaient autant qu'ils parlaient au public.

— Papa adore ce titre. Il nous le chantait souvent quand nous étions enfants.

— Vous êtes contente de la soirée ? demanda Leo.

— Oui. C'était risqué, mais… Je suis ravie qu'on l'ait fait.

Elle se rapprocha de lui et sentit son bras sur son épaule. D'abord léger, puis plus insistant, possessif. C'était un nouveau risque, qui semblait aussi en valoir la peine.

Contre toute attente, Aleesha et Bobby passèrent trois heures à chanter, parler avec le public, et poser gentiment pour des photos. Après les remerciements d'usage, ils repartirent avec leurs musiciens dans un convoi de trois SUV noirs.

Immédiatement, les chaises furent pliées et soigneusement empilées, le sol balayé, des sacs-poubelle remplis de déchets et emportés. La mère d'Alice voulut même nettoyer la scène avant que Leo s'interpose pour l'éloigner du matériel électrique.

— Retour à la maison ? proposa Leo, la dernière voiture partie.

— Oui. Laquelle ?

— N'importe. Je vous laisse le privilège de choisir.

— La campagne ? suggéra-t-elle.

— Donnez-moi vos clés de voiture. Je vais programmer votre GPS.

15.

Alex perdit Leo de vue derrière un gros poids lourd qui bloquait la route dans la traversée d'un village. Il faisait nuit quand elle bifurqua enfin sur le chemin menant chez lui. Se garant sous l'auvent, elle alluma l'éclairage.

Il n'était pas encore arrivé mais il lui avait donné les clés de la maison avant de monter dans sa voiture, elle n'avait plus qu'à suivre les lumières. Prenant son sac de voyage, elle traversa le petit pont et posa le bagage dans le hall d'entrée.

Des phares s'approchaient le long du sentier. Ce ne pouvait être que Leo. Poussant la porte, elle descendit les marches et gagna le pont illuminé.

La voiture de Leo se gara à côté de la sienne. Quand il éteignit ses phares, l'obscurité retomba. Surgissant de la pénombre, il s'avança vers Alex et posa les mains sur sa taille.

— Retrouvailles symboliques, entre ombre et lumière, murmura-t-il contre sa bouche.

— Maintenant que vous le dites… peut-être.

— Je ne sors avec personne depuis longtemps, avoua-t-il.

Il voulait apparemment qu'elle sache que les journaux racontaient n'importe quoi, et que leur rencontre était spéciale pour lui. Il se laissait enfin approcher.

Elle lui caressa la joue.

— Je serai heureuse de vous aider à…

— Je sais encore m'y prendre, dit-il avec un sourire malicieux.

Ses lèvres chaudes et tendres se posèrent sur les siennes. Nouant les bras autour de son cou, elle l'attira à elle. Ses

127

doutes s'envolèrent, et il n'y eut plus que Leo, dont le corps dur se pressait contre le sien dans l'air froid du soir.

Il défit avec frénésie la fermeture Eclair de sa veste. Sa main trouva son sein, et malgré les couches de vêtements, elle eut l'impression de sentir le contact de sa peau. Il étouffa son gémissement sous un baiser.

— J'ai envie de toi *maintenant*…, murmura-t-elle en lui mordillant l'oreille, excitant son désir.

— Je te veux partout, de toutes les façons…

Il s'adossa au parapet du pont et la hissa contre lui. Un bref et délicieux moment, elle crut que tout allait commencer là, aussi peu pratique et improbable cela fût-il. Elle chercha à tâtons la fermeture de son jean.

— Oublie ça, Alex. Il fait bien trop froid. Et c'est trop inconfortable.

— Je me moque du confort, comme des belles paroles.

Elle le voulait *lui*. Pas son charme chevronné, qui l'amusait mais n'avait aucune prise sur elle. Elle voulait le Leo brut, qui ne réagirait qu'au besoin, en prenant tout.

— Tiens-toi bien.

Il la souleva et elle enroula les jambes autour de ses hanches. Traversant le pont, il gravit les marches et referma la porte d'entrée d'un coup de pied.

Dans le hall, il s'immobilisa, et elle le sentit fouiller dans sa poche. Il posa son téléphone sur la desserte.

Elle l'embrassa, et il entreprit de gravir l'escalier, son précieux fardeau toujours dans les bras. Ils pénétrèrent dans la chambre de Leo.

— Allume, Leo.

La main de Leo claqua contre le mur et elle ferma les yeux, éblouie par la lumière. Elle s'agrippa à ses épaules en se sentant choir avec lui sur le lit.

— Ouvre les yeux, lui chuchota-t-il à l'oreille.

C'était presque un ordre. Il voulait qu'elle le voie. Il voulait la voir. Plissant les yeux, elle obéit et vit brièvement son sourire avant qu'il reprenne sa bouche.

Elle sentait tout son corps trembler de désir, et il semblait criminel de briser leur élan, mais…

— Leo, mon sac… j'ai besoin de ma béquille pour aller à la salle de bains.

Les mains de Leo se firent encore plus douces, et le tendre regard de ses yeux bleus lui donna envie de pleurer.

— Je vais le chercher si tu veux, dit-il en lui caressant la joue. Mais je n'ai pas besoin de sentir le parfum du savon quand je respire ton odeur. Et ce qui est à moi est à toi, tu peux en disposer. Tout ira bien.

Nous. Ce soir, elle n'allait pas faire les choses seule, ils allaient les faire ensemble.

— Je suppose… Trois jambes sont suffisantes.

— Trois jambes, quatre bras…

— Quatre yeux, huit doigts…, dit-elle, utilisant l'un d'eux pour caresser ses lèvres. Un de moi, et un de toi…

Il se redressa et l'attira contre lui.

Ils brûlaient de désir, mais ils prirent le temps d'échanger de longs baisers. Et le rythme ne faiblit pas quand il ouvrit son chemisier ou qu'elle déboutonna sa chemise. Ni quand elle enleva sa prothèse ou qu'il prit des préservatifs dans le tiroir de la table de chevet.

— Serre-moi…

Les yeux de Leo s'étaient assombris, et elle sentait son érection contre elle. Fébrile, il attendait.

Elle noua les bras autour de son cou, et ils étouffèrent un cri quand il entra en elle.

— S'il te plaît, Alex…

Il attrapa sa cuisse droite qu'elle avait instinctivement éloignée de son dos, voulant lui épargner le contact de son membre amputé, et elle enroula ses deux jambes autour de ses hanches pour l'attirer au plus profond d'elle-même.

Leurs bouches s'unirent dans le même cri. Les yeux dans les yeux, le souffle court, ils glissèrent l'un dans l'autre.

Il s'immobilisa soudain et elle plongea dans son regard, puis il s'enfonça en elle avec un cri de triomphe.

— Vas-tu me faire attendre, Leo ?

— Non, mon cœur. On a attendu assez longtemps.

Ils reprirent leur cheminement amoureux, et l'excitation

tremblante fit bientôt place à l'éblouissement d'un orgasme comme elle n'en avait encore jamais connu.

— Encore ? murmura-t-il contre son cou tendre, lui arrachant un frisson.

— *Encore ?*

Il changea légèrement de position, en quête de nouvelles sensations.

— Encore, dit-il.

Après un second orgasme qui faillit avoir raison du sang-froid de Leo, Alex l'avait fait rouler sur le dos pour se mettre à califourchon sur lui. Sa douce Alexandra. Elle l'avait chevauché jusqu'à ce qu'il capitule complètement, réprimant à grand-peine une folle envie de hurler son nom.

Peut-être l'avait-il fait, d'ailleurs. Elle l'avait poussé au-delà de ses limites. Elle était forte et athlétique, et pourtant douce, et ses mouvements étaient magnifiques à voir, les sensations qu'ils provoquaient toutes plus exquises.

Il ne se souvenait même pas d'avoir connu la jouissance. Juste d'avoir été balayé par une force irrépressible. Et de n'avoir pu ensuite que se lover contre elle dans le grand lit, en proie à une satisfaction encore jamais éprouvée.

Leo et Alex avaient dormi, parlé un peu. Puis il était descendu au rez-de-chaussée chercher une bouteille de champagne. La parfaite conclusion à cette soirée. Le charme de Leo lui permettait de se tirer adroitement de toutes les situations. Mais à cet instant, délicieusement maladroit, il renversa la moitié de sa flûte sur l'oreiller en l'attirant à lui pour l'embrasser. Et lorsqu'il fit couler un bain moussant et l'entraîna dans la baignoire, la moitié de l'eau se répandit sur le carrelage, l'obligeant à ressortir pour éponger le sol.

C'était un pur bonheur pour Alex de contempler son corps puissant flottant dans l'eau chaude. Chaque flexion de ses muscles, chaque centimètre de sa peau parfaite lui donnaient du plaisir. Et il était tout à elle cette nuit.

Et elle était sienne. Quand vint le jour, il la tira du lit pour la porter jusqu'à la fenêtre, où ils admirèrent le ciel qui s'embrasait aux couleurs de l'aurore. Ils prirent le petit déjeuner au lit, étroitement enlacés. Et ils refirent l'amour sans urgence, avec paresse et sensualité, prenant tout leur temps pour s'explorer l'un l'autre.

Quand Leo ouvrit les yeux, le soleil était haut dans le ciel, et Alex dormait encore. Il la contempla un moment, en se demandant quelle heure il était. Peu importait. Il n'avait rien à faire de cette journée, sinon la partager avec elle.

Un petit bip monta du rez-de-chaussée. Sans doute son téléphone. Mais…

L'appareil n'était pas à sa place habituelle sur la table de nuit. Il se redressa d'un bond et, sautant du lit, il attrapa ses sous-vêtements et descendit en courant. La veille, il avait laissé son portable dans l'entrée avec l'intention de le récupérer plus tard mais, absorbé par leurs ébats passionnés, il avait complètement oublié.

Il s'empara du téléphone et étouffa un juron. Trois messages, deux appels manqués. Il regarda les messages. Celui de Justin pouvait attendre. Un texto d'Evie lui apprenait qu'elle quittait Londres quelques jours avec Arielle et qu'elle l'appellerait à son retour. Aleesha avait laissé un message, Bobby et elle s'étaient beaucoup amusés la veille et ils tenaient à renouveler l'expérience.

Leo pénétra dans la cuisine et passa aux appels manqués. Tous deux de sa mère. Soudain le passé le frappa de plein fouet. Il pressa la touche de rappel d'un doigt tremblant.

Boîte vocale. Il coupa la communication. Non, il ne voulait pas laisser de message. Il rappela. Cette fois, sa mère décrocha.

— Maman… tout va bien ? demanda-t-il, secoué.

— Bien sûr, chéri. Je voulais juste te rappeler le dîner de mardi, avec Carl et Peter.

— Oh… oui. Je l'ai noté dans mon agenda. Merci, maman.

— Qu'est-ce qui se passe, Leo ?

— Rien… J'ai eu une longue journée hier et je n'ai pas beaucoup dormi. Je viens de me lever et j'ai un tas de messages sur mon téléphone.

— Bon sang, Leo, on est dimanche. Ça peut attendre, non ?

— Bien sûr. Ecoute, je suis dans la cuisine en sous-vêtements, là…

— Epargne-moi les détails. Va mettre quelque chose.

— D'accord. A mardi soir, alors. Vers 19 heures ?

— Parfait. Et n'apporte pas de vin. Ton père vient d'en acheter deux caisses qui encombrent la cuisine, la seule façon de ne pas trébucher dessus, c'est de les boire.

Il mit fin à la conversation et reposa l'appareil. Il n'avait aucune raison de s'inquiéter. Tout allait bien, alors pourquoi avait-il l'impression que son cœur allait exploser ?

Il savait pourquoi. Il avait fini par lâcher prise avec Alex. Oubliant tout le reste, il s'était entièrement livré à elle. Il se sentait coupable, comme un gardien ayant déserté son poste.

Un bruit sourd en provenance de l'étage l'arracha à ses pensées. Il gravit l'escalier quatre à quatre et se précipita dans la chambre. Assise sur le lit, Alex, emmitouflée dans son peignoir, se massait le genou.

— Tu vas bien ?

Elle lui sourit, les larmes aux yeux.

— Oui. J'ai juste fait une chute.

Elle avait dû se lever quand il était descendu. Il avait rangé sa prothèse dans un coin la veille pour leur éviter de trébucher dessus. Il n'avait pas réfléchi.

— Tu t'es fait mal ?

— Non. La moquette est épaisse.

Il s'aperçut qu'elle fixait le téléphone qu'il avait à la main. Il lui avait promis que tout irait bien, mais il avait mis sa prothèse hors de sa portée et l'avait laissée seule…

Il lâcha l'appareil et s'agenouilla devant elle.

— Oh ! Alex, je suis désolé.

Elle essuya une larme.

— Ce n'est rien. J'ai l'habitude de penser à tout ça. Pas toi.

— Je t'apporte ton sac.

— Merci. Je vais prendre ma douche dans la salle de bains où il y a des barres de sécurité, si ça ne t'ennuie pas.

Il avait envie de lui dire qu'elle n'en avait pas besoin, qu'elle pouvait s'appuyer sur lui. Mais en vérité, on ne pouvait pas compter sur lui. Elle méritait tellement mieux.

— Tu as fini avec tes appels ? demanda-t-elle.

— Oh ! oui. Rien d'urgent.

Il comprit ses larmes. Dans sa hâte à se lever, il avait dû la réveiller, et elle l'avait entendu s'agiter au rez-de-chaussée. Il avait trahi sa confiance.

Il se releva et enfila son jean. Il se sentait glacé.

— J'apporte ton sac et j'irai nous chercher de quoi manger.

— Merci, répondit-elle.

Alex avait bu le café que Leo avait préparé et chipoté avec ses crêpes.

— Que vas-tu faire aujourd'hui ? dit-il dans l'espoir qu'elle resterait, qu'ils pourraient arranger les choses.

— Je devrais rentrer. Je…

— Tu ne vas pas revenir, n'est-ce pas ?

— Non, j'ai besoin… Avec ma jambe, Leo, je dois…

Elle se tut.

— Je n'accepterai pas que tu utilises ta jambe comme excuse, Alex. Ce n'est pas une raison valable, et tu le sais.

— Oui, admit-elle avec un pâle sourire. J'ai besoin de sentir que tu es capable d'être avec moi et d'oublier le reste, sans le regretter ensuite. Et je ne crois pas que ce soit possible…

Il pouvait lui dire que si. Qu'il ferait tout pour ça. Mais ce serait mentir. La panique qui s'était emparée de lui ce matin avait été une réaction épidermique, mais bien réelle. Alex méritait infiniment mieux que ça.

— Non, en effet. Je regrette, Alex.

— Nous avons pris un risque et ça n'a pas marché… Tu veux bien faire quelque chose pour moi ?

— Bien sûr.

— Efface mon numéro de ton téléphone, et j'effacerai le tien. Je ne veux pas qu'on soit…

Elle haussa les épaules, toute explication était inutile.

— Tu ne veux pas que je scrute mon téléphone en me demandant si tu as appelé ? Car tu ne le feras pas ?

— Non.

Il sortit son portable de sa poche et, d'un doigt tremblant, effaça le numéro d'Alex. Quand il leva les yeux, il vit qu'elle en faisait autant.

— Je dois y aller, dit-elle en se levant.

Montant chercher son sac dans la chambre, il s'efforça d'ignorer le lit défait, de ne pas sentir l'odeur de leurs ébats qui imprégnait encore la pièce. Quand il la rejoignit, elle avait enfilé son manteau et sortait ses clés de voiture.

— Je vais porter tes bagages dans la voiture.

— Je peux me débrouiller. Merci.

Elle ramassa son sac et ouvrit la porte. Il la regarda traverser le petit pont, seule cette fois. Elle mit ses affaires dans la voiture, puis le moteur vrombit, et il eut envie de hurler.

— Sois heureuse, chuchota-t-il.

16.

Alex avait encore des élancements dans le genou à la suite de sa chute. Réveillée en sursaut quand Leo avait bondi du lit, elle avait immédiatement compris qu'elle l'avait perdu. Se lever et traverser la pièce aurait dû être facile — elle l'avait fait souvent — mais, terrassée par le chagrin, elle était tombée lourdement.

Par miracle, elle parvint au bout du chemin sans emboutir d'arbre. Se garant le long d'un champ, elle coupa le contact et frappa violemment le volant du poing.

Elle se serait sentie mieux si elle avait détesté Leo. Si elle avait pu se convaincre qu'il n'était pas un homme bien. S'il ne lui avait pas fait l'amour de cette façon la veille. Il était sincère alors. Elle savait qu'il était sincère.

Mais qu'importait. Leo lui avait été seulement prêté. L'espace d'une nuit merveilleuse, elle l'avait cru capable de vivre l'instant présent, puis le passé l'avait repris. Elle ne pouvait oublier son air coupable et contrit quand il était revenu dans la chambre. La nuit avait compté pour tous les deux, mais son expression avait tout gâché, tout détruit.

Sentant des larmes amères lui monter aux yeux, elle sortit un mouchoir en papier de la boîte à gants. Autant pleurer un bon coup. Elle était tombée, et malgré la douleur, elle allait devoir se relever.

Cela n'avait pas été si facile. Leo lui manquait. Quand elle passait devant la pâtisserie en allant à son bureau. Quand on lui disait qu'on l'avait entendue à la radio. Tout le temps.

Les sombres journées de mars laissèrent la place à un avril plus lumineux. Bientôt l'été serait là. Alice avait reçu sa lame de course et apprenait à courir avec. Elle avait demandé à Alex de publier une photo sur le site de la fondation pour que son bienfaiteur anonyme la voie et soit fier d'elle. Peut-être Leo la verrait-il.

— Regarde-moi ça ! cria Rhona en s'engouffrant dans le bureau avec un énorme bouquet de roses jaunes.

— Elles sont magnifiques. J'en déduis que tu as passé un bon week-end avec Tom ?

— Génial. Sauf que Tom ne m'offre que des roses rouges. Et jamais deux douzaines de cette qualité à longue tige, car nous économisons pour le mariage. Celles-ci sont pour toi.

— Moi ? dit Alex.

Elle songea immédiatement à Leo, sans doute parce qu'elle n'arrêtait pas de penser à lui.

— Toi. Des roses jaunes, symboles d'amitié, au cas où tu te poserais la question.

— De qui viennent-elles ?

Elle n'osait pas les toucher. Si elles n'étaient pas de Leo, il lui semblait déloyal de les accepter, même s'il n'y avait plus rien entre elle et lui.

Rhona prit la petite enveloppe, l'ouvrit, et en sortit une clé USB, avec une carte qu'elle lui tendit. De l'écriture ferme et fluide de Leo, un mot :

« *Merci.* »

Elle lâcha la carte comme si elle lui brûlait les doigts.

— Elles viennent bien de Leo ?

— Oui.

Rhona se laissa choir sur sa chaise.

— Qu'est-ce que tu vas faire, chérie ?

— Je ne sais pas. Je ne peux rien faire.

Elles en avaient déjà parlé. Alex avait pris des risques et elle avait perdu. Elle avait trop souffert pour recommencer.

— Je mets les fleurs dans l'eau et je vais nous chercher deux cafés, d'accord ? Puis nous nous occuperons de la clé USB.

— Entendu. Merci.

Les roses dans un vase et un café à la main, elles s'installèrent devant l'ordinateur de Rhona.

— Tu es sûre que tu veux que je voie ça ? demanda Rhona en glissant la clé dans le port USB.

— Oui. Des roses jaunes, hein ?

Un message d'amitié. Sans doute des photos prises à la station de radio…

Rhona cliqua sur le fichier puis sur l'icône. Une musique familière se fit entendre. Elles échangèrent un regard. Le générique de l'émission de Leo.

— Tu veux que j'éteigne… ?

— Non, écoute avec moi.

La voix de Leo. Douce, sexy. Avec effort, elle se concentra sur ce qu'il disait.

— Nous nous sommes attaqués à quantité de thèmes difficiles dans cette émission médicale, et nous sommes fiers que chacun puisse s'y exprimer librement. J'en suis arrivé à comprendre que partager nos expériences n'est pas seulement un moyen de guérir pour nous-mêmes, mais aussi pour les autres, c'est pourquoi j'ai décidé d'évoquer un sujet qui m'est très personnel. Le suicide de mon frère jumeau à l'âge de vingt-deux ans. Permettez-moi d'accueillir sur ce plateau le Dr Celia Greenway, qui est psychologue…

— Il parle de Joel, chuchota Alex, au bord des larmes.

— De qui ? Peu importe. On continue ?

— Oui… oui.

Une voix de femme :

— J'ai longuement parlé avec Leo et sa famille, et je précise aux auditeurs qu'ils m'ont autorisée à aborder certains aspects personnels de nos discussions. Selon vous,

137

Leo, qu'est-ce qui a été le plus difficile à supporter après ce drame ?

— *La culpabilité. Pendant de nombreuses années, j'ai été incapable de parler de ce qui s'était passé le soir de la mort de mon frère.*

— *Jusqu'à vos entretiens avec moi ?*

— *Oui…*

Leo était au bord de la rupture, Alex le sentait. Mais par un gros effort de volonté, il tenait le coup. Il s'entretint avec les auditeurs, les encourageant à s'exprimer et répondant à toutes les questions qu'on lui soumettait. Avec les habituels jingles et les coupures d'information, l'enregistrement durait trois quarts d'heure, et Rhona et Alex écoutèrent en silence.

Puis l'émission arriva à sa conclusion.

— *Je tiens à remercier Celia d'avoir été mon invitée ce soir. La ligne restera encore ouverte une heure pour permettre aux auditeurs qui souhaitent qu'on les rappelle de laisser leur numéro de téléphone. Enfin, j'aimerais exprimer ma gratitude à la personne exceptionnelle dont le courage m'a incité à faire ce premier pas ce soir. Bonne nuit à tous.*

— C'est l'émission la plus bouleversante que j'aie entendue depuis longtemps, soupira Rhona.

— Oui, dit Alex, hébétée.

— Qu'est-ce que ça veut dire ?

— Ce qu'il a dit. Leo dit toujours ce qu'il pense à la radio.

— Il veut que toi et lui… ?

— Non. Il a juste fait un premier pas. Cela prend du temps, de changer le cours de sa vie.

— Qu'est-ce que tu vas faire ?

— Je ne sais pas… Ou plutôt si. Ces photos d'Alice que tu as prises avec sa lame de course…

— Alice ? Tu veux dire que c'est *lui* le donateur anonyme ?

Alex acquiesça.

— Ce n'est pas un mauvais gars, finalement, dit Rhona.

— Non. C'est un homme très bien. Mais pas le *mien*.

Le message de Leo avait permis à Alex de tourner la page, et peut-être l'avait-il voulu ainsi. Elle se sentait encore meurtrie, mais se remettait lentement.

Son rythme cardiaque ne s'accéléra même pas quand elle entendit la voix de Justin au téléphone.

— Alex, comment ça va ? J'ai une faveur à vous demander.

— Oui ?

— Voulez-vous écouter l'émission ce soir à 22 heures ?

— 22 heures ? C'est l'heure musicale, non ?

— Oui. Le vendredi soir, l'émission dure deux heures. Mais peu importe. Je vous demande juste quinze minutes.

— D'accord, je serai à l'écoute pendant un quart d'heure. Que voulez-vous que je fasse ?

— Que vous réagissiez. C'est tout. D'accord ?

— Entendu.

— Génial. Je vous mets sur la liste. Il faut que j'y aille…

Assise sur le canapé avec une tasse de thé, un bloc et un stylo, Alex alluma la radio à 22 heures tapantes. Elle écouterait l'émission un quart d'heure, donnerait son ressenti puis irait se coucher.

— *Et voici Clemmie Rose, avec deux heures de musique pour vous détendre en ce vendredi soir. Si vous avez un message à passer à quelqu'un, appelez-nous. Mais d'abord…*

— *Bonsoir, Clemmie.*

Alex sursauta en entendant la voix de Leo. Elle jeta son stylo avec dégoût. A quoi jouait Justin ?

— *Vous avez un message, je suppose ?*

— *Oui. Pour le lieutenant Tara…*

— *Le* lieutenant Tara *?* demanda Clemmie.

— Non, *moi* ! cria Alex. Il veut dire moi !

— *La dame en question se reconnaîtra, et voici mon message pour elle.*

— *Allez-y, Leo.*

— Alors, arrête de l'interrompre, gronda Alex, excédée. Leo parla d'une voix claire, passionnée.

— *Tu n'as aucune raison de m'écouter, mais je te supplie de réfléchir à ce que je vais dire. Je t'aime, et je veux que tu me reviennes. Je te promets de ne plus te décevoir.*

— *Eh bien, chers auditeurs, je peux vous dire qu'il a l'air sincère*, dit Clemmie. *Et si la dame en question veut lui répondre, nous pouvons la passer immédiatement à l'antenne. En attendant, Leo, je vous laisse choisir la prochaine musique.*

— *Merci. C'est une chanson tirée du nouvel album d'Aleesha et Bobby.*

— *Oh ! j'adore. Il se vend comme des petits pains.*

— *Oui, ils ont pris un risque, et ça a payé. Les voici…*

Les larmes coulaient sur les joues d'Alex. En effaçant son numéro de téléphone, elle avait voulu l'effacer de sa vie car elle refusait de partager sa culpabilité. Elle tenait à avoir avec lui une relation bien *réelle*. Et l'aveu radiodiffusé de Leo ne pouvait pas être plus réel.

Elle se leva, les jambes flageolantes. Il l'aimait. Il ne la décevrait pas. Il l'avait promis.

— Respire. Compte jusqu'à dix, se dit-elle en arpentant la pièce, se demandant si Leo allait revenir à l'antenne.

La chanson finie, il y eut d'autres messages. De Darren pour Claire. D'Emma pour Pete. Étourdie, elle ne savait que faire. Pouvait-elle faire confiance à Leo ?

— *Nous avons Marion en ligne. Marion, à qui est destiné votre message ?*

— *À Leo. J'espère que la dame dira oui, mais dans le cas contraire, passez-lui mon numéro et moi je vous dirai oui, Leo.*

— Pas question ! hurla Alex en attrapant le poste de radio qu'elle secoua comme un prunier.

Alors elle sut. Elle prit son téléphone et le fixa.

Elle n'avait plus son numéro, et ne se rappelait pas celui de la station de radio. Elle attendit que Clemmie le redonne à l'antenne entre deux chansons.

Elle le composa et patienta. Puis la voix de l'opératrice se fit entendre.

— Allô… Allô, c'est Alex Jackson…

— Alex, j'ai une question pour vous. De quelle couleur était votre belle robe ?

— Ma quoi ? Ah oui… Verte. Elle était verte, répondit-elle, se rendant compte qu'on voulait s'assurer de son identité.

— Bien. Ne quittez pas… je vous passe Leo.

Il y eut quelques craquements sur la ligne, puis la voix de Leo résonna à son oreille.

— Alex ?

Elle ferma les yeux.

— Leo… on est à l'antenne ?

— Non. Il n'y a que toi et moi… C'est ta sonnette que j'entends ?

— Oui. Peu importe… Je n'ouvre pas. Leo…

Nouveau coup de sonnette.

— C'est toi ?

— Oui. J'espérais que tu m'ouvrirais…

Alex courut actionner le bouton d'ouverture de la porte.

Leo montait. Elle tira sur son long cardigan, défit sa queue-de-cheval pour libérer ses cheveux. Puis elle se calma. Leo l'aimait. Il l'avait toujours prise comme elle était.

On frappa discrètement à la porte et il entra.

Il était magnifique avec son smoking, son nœud papillon et sa chemise immaculée, ses yeux bleus si beaux.

— Tu as entendu ce que j'ai dit à la radio ? Tu me crois ?

— Oui. Tu dis toujours la vérité sur les ondes.

Il paraissait nerveux, son assurance charmeuse envolée.

— Tu veux bien m'écouter jusqu'au bout, Alexandra ?

Elle déglutit et acquiesça d'un signe de tête.

— J'ai beaucoup réfléchi, beaucoup parlé. J'ai décidé de tourner le dos au passé et de m'approprier le présent.

— De vivre le moment ?

— Je le vis déjà, maintenant.

Elle le sentait, le voyait dans ses yeux.

— Cette heure à la radio à parler de Joel… c'était bouleversant, Leo. Ça a dû être très dur pour toi.

— Moins dur que te perdre, répondit-il en prenant sa main. Je t'aime, et je sais que ça peut marcher entre nous. Acceptes-tu de me revenir ?

Elle avait l'impression que son cœur allait éclater, mais tout était devenu limpide. Elle porta sa main à ses lèvres.

— Je n'aurais jamais dû te quitter, Leo. J'aurais dû croire en toi, comme tu as cru en moi en m'acceptant comme je suis…

— Tu savais que je pouvais être un homme meilleur. Et j'ai fini par le croire aussi.

— Je t'aime, Leo. Je ne te quitterai plus jamais.

Il vida ses poumons, comme s'il recommençait enfin à respirer.

— C'est long, l'éternité.

— Nous en aurons besoin. Nous avons tant à faire ensemble.

Soudain il sourit et, tombant à genoux devant elle, il ôta la rose rouge de sa boutonnière et la lui tendit.

— Je t'aime, Alex. Et je ne te décevrai plus.

— Qu'est-ce que tu fais, voyons ? bredouilla-t-elle, folle de joie. Je suis affreuse et tu es si beau…

— Tu es la plus belle femme que je connaisse. Et je suis trop habillé, dit-il, défaisant son nœud papillon et déboutonnant son col. C'est mieux comme ça ?

— Beaucoup mieux.

— Veux-tu m'épouser, Alexandra ?

— Oui, répondit-elle en le relevant. Je t'aime tant, Leo, je veux être ta femme. Embrasse-moi…

Il fouilla dans sa poche et en sortit une bague dont le solitaire accrocha la lumière.

— Oh ! Leo, elle est magnifique. C'est trop…

— Je peux l'échanger contre une plus petite, si tu veux, répondit-il avec malice.

— N'y pense même pas.

Eclatant de rire, il glissa la bague à son doigt et, pour parfaire cet instant de bonheur, il l'embrassa avec passion.

Epilogue

Deux ans plus tard...

Leo ne savait plus quel moment avait été le plus heureux de sa vie. Il avait d'abord cru que c'était le jour où Alex avait accepté de l'épouser. Jusqu'à ce qu'elle devienne *vraiment* sa femme. Et puis il y avait eu la nuit passée dans cette maison isolée sur la plage pendant leur voyage de noces.

En apprenant à vivre libéré du poids de la culpabilité, il avait parfois trébuché en chemin, mais Alex l'avait toujours empêché de tomber, et il l'avait aimée chaque jour davantage. Et il avait été là pour elle, l'encourageant à travailler à plein temps pour Together Our Way et multiplier les projets de l'association. Le soir où elle s'était vu décerner le prix de l'Œuvre caritative de l'année, il avait été le plus fier des hommes.

Lorsqu'elle lui avait murmuré à l'oreille qu'il allait être papa, il avait cru que rien ne pourrait le rendre plus heureux. Jusqu'à ce qu'il tienne Chloe dans ses bras et compte ses petits doigts en lui promettant qu'elle pourrait toujours compter sur lui.

Et puis il y avait les petites choses. Quand Alex lui avouait son amour. Lorsqu'elle lui tendait la main au cœur de la nuit, ou qu'il l'arrachait à leur lit pour lui faire admirer le lever du soleil.

C'était une belle matinée d'été, et Chloe, âgée de dix mois, avait dormi pendant tout le trajet jusqu'à la maison du Surrey. Comme Leo garait la voiture, Alex s'avança avec Chloe et s'arrêta sur le pont pour l'attendre.

— Baba…, bredouilla le bébé, tendant ses bras potelés vers son père.

— C'est bien, trésor, s'écria Alex. Pa-pa. Dis-le encore ! Lâchant les bagages, il courut vers elles.

— Papa.

Il attrapa ses deux amours et les serra dans ses bras en riant.

— Tu lui apprends à dire ça quand j'ai le dos tourné ?

— Non. En fait, j'essaie de lui faire dire : « Papa, je peux emprunter tes clés de voiture ? » Mais j'ai encore du mal.

— Pour ma part, je travaille sur : « Maman, apportons son petit déjeuner à papa au lit. » Elle a presque réussi l'autre jour.

— J'ai mieux à faire au lit que te servir ton petit déjeuner. Il rit.

— Tu essaies d'être gentille ?

Elle l'embrassa sur les lèvres.

— Je ne suis jamais gentille.

S'il n'avait pas su que l'avenir leur réservait encore bien des instants magiques, Leo aurait volontiers juré que ce moment *était vraiment* le plus heureux de sa vie.

LEAH MARTYN

La valse du destin

Traduction française de
MICHELLE LECŒUR

HARLEQUIN

Titre original :
WEEKEND WITH THE BEST MAN

1.

Le dernier endroit où Dan Rossi aurait souhaité se trouver ce vendredi matin, c'était dans le service des urgences.

Et surtout pas avec ce patient : un junkie de dix-sept ans qui venait de faire un arrêt cardiaque. Maintenant, lui, le chef du service, devait lutter pour lui sauver la vie — une vie à laquelle ce gamin maigrichon avait attaché si peu d'importance. Comment avait-il osé ?

Son humeur était de plus en plus sombre.

— Commencez les compressions ! ordonna-t-il.

L'équipe se mit aussitôt en place, travaillant de concert autour de lui et exécutant ses ordres à la lettre.

En quelques instants, l'espoir monta puis retomba plusieurs fois. Il jeta un coup d'œil à sa montre. Ils avaient fait tout leur possible, mais Dan ne voulait pas abandonner. Pas encore. Surtout un jour comme aujourd'hui. Et pas avec ce patient. Une si jeune vie, quel gâchis !

— On continue !

Il sentait la sueur couler le long de son dos, son cœur battre à tout rompre entre ses côtes. Il n'aurait pas dû être là. Il avait perdu son filtre mental. Perdu… Perdu…

— Ça y est, il revient.

Dieu merci… Immédiatement, il se sentit soulagé d'un énorme poids et eut l'impression d'émerger d'un cauchemar.

— Le pouls est à soixante, annonça l'infirmière en chef, Lindsey Stewart, d'une voix calme. Il est en train de se réveiller.

D'un geste vif, Dan retira ses gants et les jeta dans la poubelle.

— Faites ce que vous avez à faire, dit-il.

Il eut à peine le temps de voir les yeux de Lindsey s'arrondir de surprise avant de se précipiter dehors.

— Quelle mouche l'a piqué ? demanda Vanessa Cole, la collègue de Lindsey, tandis que leur patient était transporté en soins intensifs.

— Quelque chose a dû le perturber, dit Lindsey. Habituellement, Dan reste très cool sous la pression.

— Après tout, il n'est pas là depuis longtemps et on ne sait pas grand-chose de lui. Il a peut-être un problème personnel… d'ordre sentimental ?

— Est-ce qu'il a seulement une petite amie ?

— Tu veux rire ! s'exclama Vanessa qui semblait toujours très au courant des commérages au sein de l'hôpital. Avec ce regard de braise ?

Lindsey secoua la tête.

— Dan Rossi est un médecin senior. Il ne se laisserait pas distraire par ce genre de sujet à l'hôpital. Je ferais mieux de lui parler. S'il y a un problème lié au travail, il faut qu'on le règle.

— Voyons, Lindsey…

Elle décela un brin d'exaspération dans la voix de Vanessa.

— Ne commence pas à te mettre martel en tête. Tu gères un service des urgences extrêmement efficace. Je parie qu'après un bon déjeuner il aura évacué ce qui le tracassait.

Instinctivement, Lindsey ne partageait pas l'avis de son amie. Elle savait reconnaître le stress mental quand elle le voyait et, dès le début de la journée, Dan Rossi n'avait pas été lui-même.

Elle fronça les sourcils, se demandant où il avait bien pu aller.

— D'ordinaire, c'est quelqu'un avec qui il est agréable de travailler…

Dan savait qu'il s'était mal conduit avec son équipe. Mais aujourd'hui, pour des raisons très personnelles, il lui avait été impossible de rester : il n'avait pas pu faire autrement que de sortir.

Il se réfugia dans une partie retirée du parc entourant l'hôpital, et poussa un profond soupir en se laissant tomber sur un banc. En fait, il n'aurait pas dû venir travailler du tout puisqu'il avait apporté ses problèmes avec lui, et toute l'équipe aurait bénéficié d'une journée de repos mental. En fait, se présenter à reculons dans un lieu où les émotions étaient souvent exacerbées n'avait pas été une riche idée.

Il étouffa un grognement. Le dernier patient avait été le facteur déclenchant qui avait réduit à néant sa capacité d'être objectif.

La dépendance et ses ravages… Et un garçon stupide qui avait abusé de son corps sans avoir conscience de ce don merveilleux qu'était la vie. Les bébés de Dan n'avaient pas eu la chance de bénéficier de ce don et de pouvoir respirer. Deux toutes petites filles, absolument parfaites.

Cela faisait deux ans, jour pour jour, qu'il les avait perdues. Il sentit quelque chose gonfler en lui. Le chagrin, qui n'avait nulle part où aller, était toujours là.

Un frisson le parcourut et il se rendit compte qu'il était sorti sans sa veste. Il fallait qu'il se secoue. Une fois cette journée passée, il se ressaisirait.

Il sortit son téléphone portable de sa poche et vérifia les messages. L'un d'eux émanait de son collègue et ami proche, Nathan Lyons.

Un resto ?

Dan lui répondit aussitôt.

Chez Leo, dans dix minutes.

Tout étant plus ou moins sous contrôle aux urgences, Lindsey décida de prendre sa pause déjeuner plus tôt que d'habitude. Elle avait besoin de rassembler ses idées. Dans la salle du personnel, elle fit réchauffer au micro-ondes le minestrone qu'elle avait apporté et, ignorant les bavardages autour d'elle, emporta sa soupe à une table près de la fenêtre pour la déguster tout en feuilletant un magazine.

Au bout de quelques minutes, elle releva la tête. Il fallait qu'elle parle à Dan : elle ne pouvait pas faire comme si rien ne s'était passé. Mais comment s'y prendre ?

En dehors de l'hôpital, ils n'avaient aucun contact. Que connaissait-elle réellement de lui ? Elle savait qu'il avait travaillé à New York et que, plus récemment, il avait quitté un des plus grands hôpitaux de Sydney pour exercer ici, dans la ville rurale de Hopeton. Mais à part ça ? Excepté le fait que Dan Rossi était très secret — ce qui en soi était une performance dans un environnement où l'on était constamment en contact avec les autres —, elle ignorait quasiment tout de sa vie privée.

Mais elle gardait un souvenir vivace du jour de son arrivée.

Lorsque l'équipe s'était rassemblée avant de commencer à travailler, elle avait noté ses cheveux noirs coupés court, ses yeux d'un bleu sombre soulignés de cernes profonds, et les épaules larges sous la chemise. Sans doute était-il sorti depuis peu de la douche car elle pouvait respirer son odeur très agréable. Dans un environnement où l'on se côtoyait souvent de très près pour le travail, c'était un détail qui avait son importance.

Il avait alors surpris son regard et, le temps d'un battement de cœur, ils avaient partagé un moment de sincérité, presque d'intimité. Sa bouche s'était détendue et il avait esquissé un vague sourire. Juste esquissé.

Depuis lors, il existait toujours comme une vibration entre eux. Mais au moindre progrès qu'elle croyait faire avec lui au plan personnel, il s'empressait de repartir dans la direction opposée.

Elle poussa un long soupir de frustration et abandonna son magazine. A quoi bon chercher à savoir ce qui motivait Dan Rossi ? Après la tromperie spectaculaire de son dernier petit ami, elle avait remis en question son jugement sur les hommes. Comment distinguer ceux qui étaient dignes de confiance de ceux qui ne cherchaient qu'à s'amuser ?

Après la matinée qui venait de s'écouler, Lindsey n'était pas d'humeur à s'attarder sur le sujet.

Chez Leo ne se trouvait qu'à cinq minutes de l'hôpital. C'était un petit café sans prétention, qui voyait défiler pratiquement tout le personnel médical. Le chef, Leo Carroll, élaborait des menus simples et bons. Il ouvrait dès 6 heures pour servir la première équipe de jour qui se contentait généralement d'un café et d'un petit pain au bacon. Le déjeuner commençait à midi et était servi jusqu'à 15 heures. Puis Leo fermait, nettoyait la salle et allait jouer de la guitare dans un bar de la ville spécialisé dans le blues.

Dan s'installa dans un box et étendit les jambes. Déjà, il sentait la tension l'abandonner peu à peu. Le soutien sans faille de Nathan l'avait aidé à se stabiliser d'une manière inestimable.

Il se rappela le jour où il avait atterri à Sydney après avoir quitté les Etats-Unis. Il était en train de récupérer ses esprits dans le salon des passagers, se sentant un peu perdu, quand il avait entendu quelqu'un l'appeler. Il avait fait volte-face et s'était retrouvé devant le visage en lame de couteau de son ami.

— Nate !

Avant d'avoir pu réagir, il avait été pris dans une étreinte à lui broyer les os.

— Content que tu sois de retour, avait dit Nathan d'un ton bourru.

— Comment savais-tu que je serais sur ce vol ?

— J'ai mes sources. Dépêchons-nous d'y aller, le parking me coûte une fortune.

Dan avait réservé dans un petit hôtel près du port en attendant de trouver un appartement.

— Tu as un travail de prévu ? lui avait demandé Nathan pendant le trajet.

— A Sydney. Je commence à St Vincent dans une semaine.

— Toujours aux urgences ?

— C'est ce que je sais faire le mieux. Et toi, toujours en médecine ?

— C'est ce que *je* sais faire le mieux.

Nathan lui avait jeté un coup d'œil de côté.

— Tu ne vas pas voir tes parents ?

— Pas pour l'instant.

Sa famille vivait à Melbourne. Il avait toujours eu pour eux beaucoup d'amour et de respect, mais il ne se sentait pas encore en état d'affronter leur compassion.

Il y avait eu un silence un peu lourd.

— J'ai rencontré une fille, avait dit Nathan avec un petit rire embarrassé qui avait détendu l'atmosphère.

Dan l'avait regardé d'un air amusé.

— C'est sérieux ?

— Je crois. Elle est hôtesse de l'air et s'appelle Samantha Kelly — Sami pour les intimes.

— Raconte ! Comment est-elle ?

— Blonde, drôle, douce, intelligente…

— Et elle te mène par le bout du nez. C'est super. J'espère que ça va marcher pour vous deux.

— Mmm… A propos… Si tu ne te plais pas à Sydney, tu peux toujours traverser la montagne et venir à Hopeton. Cela ne te ferait pas de mal de pratiquer un peu la médecine rurale. On cherche toujours des médecins qualifiés.

Dan s'était contenté d'esquisser un sourire. L'hôpital en question se trouvait à deux heures de Sydney en traversant les Blue Mountains.

— Figure-toi qu'on trouve toujours de l'or autour de Hopeton, avait conclu Nathan comme si ce dernier argument avait pu faire pencher la balance.

Six mois plus tard, Dan avait rassemblé ses affaires et avait franchi la montagne.

Dans une semaine avait lieu le mariage de Nathan et de Sami, et il était le garçon d'honneur du marié.

Au moment où il regardait sa montre, Nathan arriva en trombe.

— Désolé, je suis un peu en retard, dit-il en glissant sa large silhouette sur le banc en face de lui. Figure-toi qu'il a fallu que je mette sous perfusion trois mamies à la suite. Elles n'avaient pas de veines tellement elles étaient déshydratées. Bon sang, pourquoi les personnes âgées ne peuvent-elles pas boire de l'eau ?

— C'est une question de génération, répondit-il. Elles boivent du thé depuis toujours.

Il parcourut le menu.

— On a besoin de se requinquer. Qu'est-ce que tu prends ?

— Des pâtes.

— Pour moi, ce sera une tourte à la viande.

Leo arriva aussitôt pour prendre leur commande.

— Ce ne sera pas long, leur promit-il avant de repartir en cuisine.

Dan sentit peser sur lui le regard de son ami qui savait très bien ce que cette journée signifiait pour lui.

— Comment ça va ?

Il pinça les lèvres.

— On fait aller, comme on dit.

Nathan hocha lentement la tête.

— Ce doit être dur aussi pour Caroline. As-tu essayé de la recontacter ?

— Pour quoi faire ? Elle n'avait qu'une hâte : mettre fin à notre mariage.

— Mmm… Pardonne-moi d'être brutal, dit Nathan. Mais de toute façon, cela n'aurait jamais pu marcher après la mort des bébés.

— Probablement pas. Mais elle n'a même pas voulu essayer !

Ils avaient déjà eu ce genre de conversation auparavant.

— Ecoute, Dan. Je te connais depuis une éternité. C'est dans ton ADN de faire ton devoir et d'agir selon les règles. Mais Caroline et toi, vous n'étiez pas amoureux. A présent, pour ton propre bien, tu devrais te remarier.

Dan savait que les paroles de son ami étaient pleines de bon sens, mais il ne parvenait pas à franchir le pas.

155

— La dernière fois que j'ai parlé à Caroline, elle m'a dit qu'elle était passée à autre chose.

— Et tu ferais bien de l'imiter. Hé ! On est vendredi et Sami a décidé que cela nous ferait du bien de sortir dans un nouveau club. Pourquoi ne pas te joindre à nous ? ajouta Nathan en tambourinant sur la table.

Dan sentit ses orteils se recroqueviller dans ses chaussures. Rien ne pouvait être pire que de se retrouver seul avec un couple d'amoureux.

— Merci, mais ça ira. Toi et ta dulcinée avez sûrement mieux à faire.

Il était content de voir Nathan si heureux, si… amoureux. Il le méritait. Combien de temps lui faudrait-il, à lui, pour trouver quelqu'un qui lui corresponde ? Quelqu'un qu'il aimerait et qui lui rendrait son amour de façon inconditionnelle ? Car c'était ce qui lui avait manqué avec Caroline.

— Quand prévois-tu d'arriver ? lui demanda Nathan.

— La veille, le vendredi. Si cela vous convient.

Le couple se mariait à Milldale, le village de Sami — à environ cinquante kilomètres au nord de Hopeton. Puis la réception se tiendrait à Rosemount dans l'une des maisons historiques de la région rénovée pour cet usage.

— C'est parfait pour vendredi, répondit Nathan. Sami nous a réservé une chambre au pub local où iront également mes parents.

Leo arriva avec les plats qu'il posa devant eux.

— Bon appétit…

— Cela a l'air appétissant, dit Nathan en se frottant les mains avant d'attaquer son assiette.

Vers le milieu du repas, Dan lui demanda quand Sami envisageait de quitter son travail.

— C'est déjà fait. Elle va monter sa propre agence de voyages ici et a déjà lancé des pubs sur son site web.

— Super… Vous comptez donc vous installer à Hopeton ?

— Exactement.

Nathan enroulait des spaghettis autour de sa fourchette.

— Cela nous convient très bien. Et j'y ai un emploi sûr — pour autant qu'un emploi puisse l'être de nos jours.

La gorge de Dan se serra. L'avenir de Nathan semblait tout tracé… et prometteur. Si seulement le sien pouvait lui ressembler ne serait-ce qu'un peu… Bon sang, s'il ne se ressaisissait pas, il allait arriver complètement déprimé au mariage de son ami !

— As-tu préparé ton discours pour le mariage ? demanda Nathan comme s'il avait deviné ses pensées.

— Pas encore.

— Si tu es un véritable ami, évite de dire quoi que ce soit qui risquerait de me mettre dans une situation embarrassante.

Dan sourit d'un air taquin.

— Comme la troisième mi-temps après les parties de rugby à l'université ?

— N'oublie pas que tu étais là aussi !

Oui, c'était une époque heureuse et insouciante, se dit-il avec émotion. Jusqu'à ce qu'il découvre un autre aspect de la vie…

Il étouffa un juron. Il fallait qu'il arrête de ressasser le passé. Mais aujourd'hui était un jour spécial. C'était *le* jour. Celui du souvenir.

— Pour le discours, je pourrais parler de tes comportements alimentaires si particuliers…

— C'est-à-dire ? demanda Nathan d'un air faussement soupçonneux.

— De toute ma vie, je n'ai jamais vu quelqu'un manger aussi vite que toi.

— C'est un don. Qu'est-ce que je peux y faire ? A propos, comment s'est passée ta matinée aux urgences ? demanda Nathan, redevenant sérieux.

— J'aurais préféré que tu ne me poses pas la question.

— Tu n'as tué personne, au moins ?

Dan secoua la tête.

— C'est peut-être pire. Je me suis déchargé du boulot sur l'équipe de réanimation et je suis parti.

— Hum… Cela a dû faire une grande impression sur Lindsey Stewart. Est-ce que tu t'es excusé, au moins ?

Il fit la grimace.

— Pas encore.

— Lindsey est respectée de tous à l'hôpital. Tu devrais vraiment faire amende honorable. Invite-la à prendre un verre après le travail et profite de l'occasion.

Cette fois, Dan se sentait très mal. Il irait s'excuser, bien sûr. Mais de là à l'inviter ? Elle refuserait probablement, et il ne pourrait pas lui en vouloir. Depuis qu'il était à Hopeton, il n'avait fait aucun effort pour tenter de mieux la connaître — elle ou qui que ce soit d'autre.

Tout à coup, il revit les yeux verts de Lindsey Stewart. Il lui sembla qu'ils lui lançaient un défi, et il se rendit compte qu'il avait envie de la connaître — de rompre enfin avec le passé. Il était temps de tourner la page.

Il soupira.

— J'aurais mieux fait de ne pas venir travailler aujourd'hui...

Nathan approuva d'un signe de tête.

— En tout cas, ne tarde pas à régler le problème. Hopeton n'est pas une très grande ville, et les écarts de conduite n'y passent pas inaperçus.

2.

De retour au poste des infirmières, Lindsey jeta un coup d'œil à la pendule et poussa un soupir. Cette journée de travail lui paraissait interminable. Et où était passé Dan ? Elle ne le voyait nulle part. Sans doute en train de prolonger son déjeuner, comme l'avait supposé Vanessa. Mais, en fait, il n'était pas en retard, c'était elle qui avait écourté sa pause. Elle s'était rapidement lassée de sa propre compagnie et des pensées confuses qui tournaient dans sa tête. Elle avait besoin d'être occupée à quelque chose.

En regagnant lentement le poste des soins infirmiers, Dan la vit tout de suite. Elle était assise, lui tournant le dos, sa tête brune parsemée de mèches auburn penchée sur un dossier. Par chance, elle était seule. Il sentit son estomac se nouer en s'approchant d'elle.

— Lindsey...

Elle fit volte-face.

— Dan ?

Pendant quelques secondes, ils demeurèrent immobiles, se fixant mutuellement dans un silence embarrassé.

— Je tiens à m'excuser, dit-il enfin.

Lindsey se leva aussitôt et ils se retrouvèrent face à face, elle le regardant droit dans les yeux.

— Avez-vous un problème avec les infirmières du département ? Ou avec moi ?

— Non, pas du tout.

Où avait-elle été chercher ça ?

— Je n'étais pas moi-même tout à l'heure, je suis désolé. Cela n'arrivera plus.

Lindsey sentit tout son corps se détendre d'un coup. Elle ne s'était pas attendue à ce qu'il s'excuse ainsi. Son regard s'accrocha au sien et, soudain, elle se rendit compte qu'ils étaient très près l'un de l'autre — un peu trop, en fait. Que pensait-il ? Elle n'aurait su le dire. Il avait l'air plein de doute. Plein d'incertitude.

Elle-même ne se sentait pas très sûre d'elle. S'il y avait quelque chose qu'elle n'aimait pas, c'était de ne pas être synchro avec un de ses collègues.

— Ce sont des choses qui arrivent aux urgences, répondit-elle avec un léger haussement d'épaules. Ne vous en faites pas pour ça.

— Merci.

Dan eut l'air soulagé.

— Disons qu'aujourd'hui était un jour « sans ». Nous en avons tous, n'est-ce pas ?

— Je suppose, répondit-elle prudemment.

Il lui semblait encore un peu nerveux, et il avait de nouveau des cernes sous les yeux. Si quelqu'un avait besoin de réconfort, c'était bien Dan Rossi. Mais ce serait tout à fait déplacé, voire embarrassant, de s'en charger.

Elle détourna le regard. En quelques secondes, l'atmosphère de sa journée avait complètement changé et elle avait l'impression d'être un géant capable de franchir des montagnes. C'était une sensation extraordinaire.

Dan toussota, un peu gêné. Linsey avait noué ses cheveux en un petit chignon au sommet du crâne et quelques mèches s'en échappaient. Il se demanda à quoi elle ressemblerait si elle les laissait retomber sur ses épaules, libérant ainsi le parfum floral du shampooing qu'elle utilisait. Mais cela n'arriverait pas.

Il serra les poings, résistant à l'envie de replacer les mèches rebelles derrière son oreille.

— Alors, qu'avons-nous aujourd'hui ? demanda-t-il.

— Un petit garçon qui attend des points de suture. Michelle et Andrew, nos deux médecins juniors, s'occupent d'un jeune qui s'est brûlé la plante des pieds en marchant sur des braises lors d'un barbecue. Vous pourriez peut-être vous en charger à leur place et leur laisser l'enfant ?

— Non, non. Nos médecins débutants ont besoin d'acquérir de l'expérience. Je verrai l'enfant. Où se trouve-t-il ?

— Je viens avec vous, Vanessa prendra le relais au poste infirmier. C'est un garçon d'âge préscolaire, précisa-t-elle tandis qu'ils se dirigeaient vers les box. Il jouait avec un ballon en dehors du terrain quand il a trébuché. Son menton a heurté la bordure de brique d'un massif et il a beaucoup saigné. Sa mère l'accompagne.

— Super…, marmonna-t-il. Ce sera probablement un facteur apaisant.

Lindsey laissa échapper un petit rire.

— On peut toujours l'espérer.

— Voulez-vous dire par là que nous devrions surtout craindre les mères, Lindsey ?

Elle se tourna vers lui, cherchant son regard. Il y avait une lueur espiègle dans ses yeux et il ne put s'empêcher d'esquisser un sourire. Il eut droit à un sourire éblouissant en guise de réponse. L'espace de quelques secondes, il sentit une véritable complicité entre eux.

Michael, âgé de cinq ans, était assis au bord du lit, balançant ses petites jambes. Il n'avait pas l'air particulièrement stressé, nota Lindsey, soulagée. Pourtant son T-shirt taché de sang indiquait que le choc avait dû être violent.

Dan se présenta à la mère qui entourait les épaules de son petit garçon d'un bras protecteur.

— C'est une véritable tornade dès qu'il a un ballon entre les jambes…, soupira-t-elle.

— Alors comme ça, tu aimes jouer au foot, Michael ? demanda Dan.

— Je peux envoyer le ballon aussi haut que le bâtiment, répliqua l'enfant en levant les bras au-dessus de sa tête.

Dan eut l'air impressionné.

— C'est fantastique…

D'un hochement de tête, Lindsey approuva sa façon de maintenir une atmosphère détendue, ce qui lui permettait de gagner la confiance de son petit patient.

— Et si je décollais ce pansement du menton de Michael, docteur Dan ? dit-elle en enfilant discrètement ses gants.

— C'est une bonne idée, répondit-il en faisant de même.

Il enfourcha un tabouret à roulettes et s'assit face à l'enfant. Lindsey vit ses yeux se plisser légèrement car, sous le pansement, une belle plaie était apparue.

La mère étouffa une exclamation inquiète.

— Ce ne sera rien, dit Dan d'un ton rassurant tout en examinant son patient. Les bords de l'entaille sont nets et les dents de lait sont toutes bien en place. Un ou deux points de suture et il n'y paraîtra plus.

Avec douceur, Lindsey aida le petit garçon à s'allonger sur le dos avec la tête au pied du lit, et elle approcha le chariot contenant les instruments.

Dan alluma sa lampe frontale.

— Maintenant, Michael, c'est le moment d'être aussi courageux que le meilleur joueur de foot du monde, déclara-t-il en donnant une chiquenaude à la seringue contenant l'anesthésique local.

Les yeux bleus de l'enfant brillèrent.

— David Beckham !

Dan eut un petit rire.

— Exactement. Si tu restes très tranquille pendant que je répare ton menton, je suis sûr qu'on va te trouver un bel autocollant à mettre sur ton T-shirt que tu pourras montrer demain à tes copains de la maternelle.

— Mon T-shirt est tout sale, objecta Michel avec sa logique d'enfant.

— On t'en trouvera un propre pour demain, trésor, dit sa mère en s'efforçant de sourire, la main de son fils serrée dans la sienne.

Dan leva les yeux.

— Lindsey ?

Elle hocha la tête. L'injection de lignocaïne risquait d'être un choc pour l'enfant.

— Serre bien la main de ta maman, Michael, dit-elle d'un ton calme tout en restant à côté de lui au cas où il se mettrait à gesticuler.

En quelques secondes, le produit anesthésiant fut injecté et ils attendirent quelques minutes qu'il fasse effet.

Puis Dan appuya doucement sur les contours de la blessure.

— Est-ce que ça te fait mal quelque part, Michael ?

— Non, répondit l'enfant, les yeux fermés.

— Parfait. Tiens bien la main de ta maman et ce sera bientôt fini.

Lindsey attendit que Dan ait achevé la dernière suture.

— Et voilà, mon cœur, dit-elle. C'est terminé.

— Je peux avoir mon autocollant ?

Dan lui jeta un coup d'œil interrogateur. Il avait fait une promesse à son petit patient.

— Il y en a dans une boîte au poste des infirmières, répondit-elle. J'y vais tout de suite.

— Charmant petit garçon, n'est-ce pas ? dit-elle un peu plus tard en rangeant la salle de soins.

Dan était appuyé sur le chariot, en train de prendre des notes. Il leva la tête d'un air distrait.

— Pardon ?

— Michael. Il va sûrement devenir un vrai bourreau des cœurs.

— Oui, probablement…

Il était déjà retourné à ses notes qu'il acheva rapidement.

— Merci.

Il esquissa un vague sourire et partit.

Elle jeta le pansement sale dans la poubelle d'un geste rageur. Pour qui se prenait-il, à la fin ? Cela n'allait tout de même pas le tuer de prendre part à une conversation ordinaire ?

*
* *

Dan fut étonné de constater avec quelle rapidité le reste du temps passa. La douleur entre ses épaules avait disparu. Peu à peu, il commençait à penser — après la soudaine amélioration de ses rapports avec Lindsey — qu'il avait peut-être une chance de mener une vie normale à Hopeton. Une chance qu'il ne devait pas négliger.

Au poste des infirmières, il s'absorba dans les papiers.

— Encore là ?

Lindsey se tenait devant la porte et le regardait d'un air interrogateur.

— Il y a toujours du courrier en retard, répondit-il avec une moue désabusée. Et vous, vous partez ?

Evidemment qu'elle partait, se dit-il aussitôt. C'était la fin de son travail. Plus de tenue d'hôpital : elle portait un jean moulant, une chemise gris clair à manches longues et un foulard de soie multicolore autour du cou.

Et des bottes hautes qui lui montaient jusqu'aux genoux…

Elle était belle et il sentit son cœur palpiter. Pour le coup, il ne trouva plus rien à dire. Il était vraiment pathétique…

— On est vendredi, vous devriez vous accorder une pause, dit-elle en le scrutant du regard.

Il devait encore avoir l'air fatigué.

— Vous avez besoin de vous détendre. Presque tous les membres de l'équipe vont se retrouver au pub autour d'un verre et d'une pizza, et pour faire quelques parties de *snooker*. Si vous voulez vous joindre à nous, vous êtes le bienvenu.

Merci, mon Dieu.

— C'est une bonne idée… Euh… Quel pub ?

— The Peach Tree. La maison en brique rouge qui se trouve en haut de la rue principale. Alors, à tout à l'heure ?

Il hocha la tête avec enthousiasme.

— Merci pour l'invitation.

Pendant quelques secondes, il la regarda s'éloigner et la vit rattraper Vanessa. Grâce à Lindsey, il venait de faire ses premiers pas vers sa nouvelle vie.

Après avoir écrit ses lettres, il s'apprêtait à partir quand il vit Martin Lorimer, le médecin senior d'astreinte, passer la tête par la porte entrebâillée.

— Ah, Dan… Heureusement, vous êtes encore là. On a un accident de la circulation qui est annoncé. Deux véhicules se sont télescopés, que des ados. Vous pouvez venir ?

Il se crispa intérieurement. Avait-il le choix ? Lindsey allait penser qu'il s'était dégonflé, ou qu'il était décidément quelqu'un de grossier. Après la débâcle de la journée, il n'avait vraiment pas besoin de ce malentendu supplémentaire. Si seulement il avait eu son numéro de portable, il aurait pu lui envoyer un texto.

Avec un soupir, il se dirigea vers la zone des ambulances. Si les blessures des gamins n'étaient pas trop graves, il pourrait peut-être les rejoindre au pub.

— Je t'ai pris un jus d'orange, dit Vanessa en posant le verre devant Lindsey. Qu'est-ce que tu as ce soir, Lins ? On aurait pu gagner au *snooker* si tu avais eu la tête au jeu. Maintenant je dois dix dollars à Andrew. Hum… A propos, est-ce que tu crois qu'il s'intéresse à moi ?

Lindsey commença à siroter sa boisson.

— Andrew ? Peut-être bien. Chaque fois qu'il a besoin d'un coup de main pour un patient, il se précipite vers toi.

— Tu penses qu'il va se décider un jour ?

— Pourquoi attendre ? Vous habitez dans le même immeuble. Tu n'as qu'à lui proposer de prendre un café.

— Mais s'il refuse ? J'aurai l'air stupide.

— Le voilà qui arrive. Si tu veux, tu ne tarderas pas à avoir des réponses à tes questions.

— Tu as raison.

D'un air résolu, Vanessa saisit son sac et décocha à Andrew son plus beau sourire.

— Si on partageait un taxi pour rentrer ? dit-elle. Je le paierai avec les dix dollars que je te dois. D'accord ?

Andrew lui rendit son sourire.

— D'accord.

Ils s'éloignèrent d'un même pas après lui avoir souhaité bonne nuit, et Lindsey se retrouva seule. Au bout de dix minutes, elle jeta un dernier coup d'œil circulaire dans la salle. Toujours pas de Dan, songea-t-elle, haussant les épaules avec philosophie. Elle l'avait invité et il ne s'était pas montré. Pourtant, il avait eu l'air intéressé. Peut-être l'avait-il trouvée trop entreprenante. En tout cas, elle n'avait plus rien à faire ici.

Dehors, la nuit était claire et fraîche. La lune était si belle...

— Lindsey !

Son cœur fit un bond et elle pivota sur les talons. Elle aurait reconnu cette voix entre mille.

— Dan ?

— Désolé, dit-il en sortant de l'ombre. J'ai été retenu à l'hôpital.

Il lui raconta brièvement ce qui s'était passé.

— Quand donc les jeunes comprendront-ils que la vitesse peut tuer ? dit-elle en secouant la tête. Est-ce qu'ils vont s'en sortir ?

— Avec du temps, je pense. Je suis vanné, ajouta-t-il. Est-ce qu'ils servent des plats, ici ?

— C'est fini depuis longtemps.

— Oh, zut ! Merci d'être restée, en tout cas. Je n'aurais pas voulu que vous pensiez que je vous avais posé un lapin.

— Je me suis doutée que vous aviez eu une urgence, dit-elle, se pardonnant mentalement ce petit mensonge. C'est la poisse quand ça arrive au dernier moment.

Dan la fixa de son regard bleu.

— Et je n'avais aucun moyen de vous prévenir.

Elle retint une exclamation et sortit son portable de son sac.

— On peut réparer ça tout de suite.

En quelques secondes, ils avaient échangé leurs numéros. Tout cela paraissait un peu irréel à Lindsey. Dan avait surgi au moment où elle avait perdu tout espoir de le voir. Et pourquoi diable restaient-ils debout dehors ? On gelait littéralement.

— Qu'est-ce que vous allez manger ? s'inquiéta-t-elle.

— En cherchant un peu, je trouverai bien un restaurant proposant quelque chose à emporter.

Elle se mordit la lèvre inférieure et l'imagina rentrant chez lui pour s'asseoir et manger seul. C'était une triste conclusion pour une terrible journée. Mais pourquoi cela la contrariait-il autant ?

Après tout, elle n'habitait qu'à quelques minutes de là. Elle était sur le point de l'inviter, quand il reprit la parole.

— Etes-vous en congé ce week-end ?

— Oui. Et vous ?

— Je reprends tôt demain matin.

Elle fit la grimace.

— Alors, faites vraiment en sorte de manger quelque chose.

On aurait dit sa grand-mère…

— Merci de vous en soucier, répondit Dan en lui jetant un coup d'œil pénétrant. Cela n'a pas été très drôle de travailler avec moi, aujourd'hui.

Il passa une main dans ses cheveux et quelques mèches sombres retombèrent sur son front, ce qui lui donna un peu un air de mauvais garçon.

Soudain, du simple fait de se trouver tout près de lui, elle sentit tout son corps s'embraser.

— Peut-être que l'on devrait embaucher quelqu'un pour enseigner la thérapie par le rire aux urgences, dit-elle.

Dan parut d'abord décontenancé. Elle fit une ébauche de sourire, et il lui répondit. De nouveau, pendant quelques secondes, il y eut cette connivence entre eux. Intense et pénétrante. Puis elle disparut, comme le soleil derrière un nuage.

— Il faudrait soumettre cette idée au conseil, dit-il d'un ton léger.

— Pourrais-je compter sur votre soutien ?

Il la regarda comme s'il se demandait si elle était vraiment sérieuse. L'atmosphère redevenait tendue.

— Si vous cherchez un plat à emporter, le chinois doit encore être ouvert, reprit-elle, changeant de sujet.

— Peu importe, après tout. J'ai de quoi manger chez moi, je n'aurai qu'à me préparer quelque chose en vitesse.

Il était encore temps de lui proposer de venir manger chez elle. Ils avaient l'air de deux pantins attendant que quelqu'un tire leurs ficelles.

Sans rien dire, elle baissa la tête et entreprit de chercher ses clés de voiture dans son sac.

Dan serra les mâchoires lorsque les cheveux de Lindsey lui cachèrent son visage et il dut se retenir pour ne pas les rejeter en arrière et déposer un long baiser sur sa bouche…

— Les voilà, dit-elle, montrant ses clés d'un geste triomphant.

Elle soutint un instant son regard, semblant attendre… quelque chose.

— Alors… A demain, au travail, ajouta-t-elle avant de s'éloigner.

Il hocha la tête. L'occasion qu'il avait eue de poursuivre leur… amitié en dehors de l'hôpital venait de passer. Il l'avait manquée.

— A demain. Hé, Lindsey !

Elle se retourna.

— Au cas où vous vous inquiéteriez encore, je sais cuisiner.

— Je n'en ai jamais douté.

Il la vit s'éloigner, le sourire aux lèvres.

Mercredi, la semaine suivante…

— Je t'avais dit qu'il se secouerait, dit Vanessa alors qu'elles préparaient le changement d'équipe pour la nuit.

— Qui ça, Andrew ? demanda Lindsey, faisant un effort pour paraître intéressée.

Vanessa leva les yeux au ciel.

— Notre Dr Rossi… Il s'est montré extrêmement coopératif et j'ai détecté chez lui un certain sens de l'humour.

— A vrai dire, je l'ai à peine vu cette semaine. Nous n'avons pas été dans les mêmes équipes.

D'un air très absorbé, elle vérifia la liste des patients attendant dans les box. Pour la remarquer, oui, elle avait remarqué son absence.

— Bon, si c'est tout ce que ça te fait…, commenta Vanessa. Je m'en vais. Andrew et moi allons au cinéma.

— Amusez-vous bien. Alors, il a fini par t'inviter ?

— A vrai dire, c'est moi qui le lui ai proposé. Mais il a tout de suite été d'accord, ajouta-t-elle en hâte.

— Contente pour toi, Van.

— En fait, l'occasion s'est présentée et je l'ai saisie, répondit-elle, modeste. Parfois, certains hommes ont besoin qu'on leur montre la bonne direction.

Y avait-il là un message pour elle ?

3.

Lindsey monta le son et balança légèrement les épaules au rythme de la musique tout en conduisant. On était vendredi et elle s'en allait. *Rentrer chez soi*. Quelle agréable sensation ! Peut-être qu'en revoyant les vignes et les majestueuses collines bleutées, elle parviendrait à y voir plus clair dans ses sentiments pour un certain médecin. Perdait-elle son temps ? Peut-être. Mais peut-être pas.

Elle éteignit la musique. Mieux valait se concentrer sur la conduite car cette route de campagne, bien que goudronnée et habituellement bien entretenue, était aussi particulièrement étroite. Le soleil était en train de se coucher, mais elle n'avait pas voulu passer la nuit à Hopeton, trop pressée de rentrer.

Les phares d'une voiture approchaient et, machinalement, elle plissa les yeux pour mieux voir. Elle avait également remarqué qu'un autre véhicule la suivait, mais il restait à distance raisonnable.

Pendant qu'il conduisait, les pensées de Dan étaient plutôt confuses. Il avait à peine vu Lindsey de la semaine et en éprouvait de la frustration. Il aurait voulu tirer parti du léger progrès qu'ils avaient fait et la connaître mieux. Mais il avait eu des horaires de travail complètement dingues pour compenser les quelques jours de congé qu'il avait pris après le mariage.

Un mariage qui aurait lieu demain. Il n'avait pas eu le temps de préparer un discours et improviserait selon l'inspiration du moment. Nathan et lui avaient tant de souvenirs en commun que cela ne devrait pas être difficile.

Soudain, il fut ramené à la réalité par la conduite étrange d'une voiture arrivant en face qui déviait nettement de sa trajectoire.

Bon sang… Tous ses réflexes entrèrent aussitôt en action et il ralentit instantanément. Retenant son souffle, il vit la voiture folle traverser la ligne centrale et se diriger vers le véhicule qui se trouvait devant lui. Tout son corps se tendit.

La collision était inévitable.

Lindsey laissa échapper un juron. Que fabriquait ce conducteur ? *Non, non !* Elle s'arc-bouta sur son volant et, comme dans un rêve, vit le bolide de sport passer à côté d'elle. Alors qu'elle se félicitait déjà d'être saine et sauve, il heurta l'arrière de sa voiture, lui faisant quitter la route. Sa tête fut violemment ballottée d'avant en arrière avant de heurter le repose-tête, tandis que son véhicule, après avoir fait un tête-à-queue, tournoyait sur lui-même.

C'était un vrai cauchemar, se dit Dan. Avec horreur, il vit la voiture de sport faire plusieurs tonneaux avant de s'immobiliser dans un amas de tôle froissée et de verre brisé. Un feu continuait à clignoter, éclairant par intermittence la silhouette prostrée qui gisait au milieu de la route.

Il fallut quelques secondes à Lindsey pour que l'infirmière se réveille en elle. Oubliant complètement son propre sort, elle se précipita hors de sa voiture : elle devait s'occuper du blessé. Malgré la sensation d'étourdissement qui la saisit et un début de nausée, elle se mit à courir.

En voyant la silhouette féminine courir vers le lieu de l'accident, Dan réagit à son tour. Il approcha son Land Rover le plus près possible, se mettant en pleins phares pour mieux éclairer la scène. Puis il appela une ambulance avant de sortir avec sa trousse médicale et un appareil à oxygène et succion.

La femme était déjà arrivée sur place, accroupie près de l'homme blessé. Il fronça les sourcils. Devait-elle vraiment être là ? Il avait vu comment son véhicule avait réagi à l'impact de la voiture de sport.

— Est-ce que vous êtes blessée ?

La femme leva la tête.

— Mon Dieu… Lindsey !

Pendant une seconde, leurs regards s'accrochèrent l'un à l'autre, mais les questions attendaient. Ils avaient une vie à sauver.

— Est-ce que ça va ? s'inquiéta-t-il.

Lindsey fronça les sourcils.

— Je crois…

— Alors allons-y.

Le blessé semblait âgé d'une soixantaine d'années. Quelle avait pu être la cause de l'accident ? s'interrogea Dan. S'était-il endormi ? Avait-il subi une attaque ? Il portait un short de cycliste, un T-shirt et des chaussures de marche.

Il ouvrit sa trousse et en retira une paire de gants. Puis il posa le masque à oxygène sur le visage de l'homme.

— Espérons que l'ambulance arrivera à temps, dit-il. Lindsey, j'ai besoin de vous.

Il la vit tituber légèrement puis elle prit une profonde inspiration et enfila ses gants sur des mains tremblantes.

— Est-ce qu'il respire encore ? demanda-t-elle.

— A peine. A l'évidence, il ne portait pas sa ceinture pour avoir été éjecté de cette façon.

Il procéda à un rapide examen de la tête aux pieds.

— Contusions multiples, tibias fracturés…

Puis il étouffa un juron.

— Hémorragie de l'artère fémorale.

Lindsey sentit son estomac se nouer. La vue de tout ce sang pulsant hors de l'aine lui donnait des haut-le-cœur.

Elle se mit à respirer brièvement, par à-coups, pour tenter de faire passer le malaise.

Comme un automate, elle chercha des compresses dans la trousse de Dan pour endiguer l'afflux de sang. Il fallait une pression. Un tourniquet. Et aussi une ambulance pour un transfert rapide aux urgences. Cette scène d'accident était en train de virer au pire des cauchemars. Pourtant, ce n'était pas la première à laquelle elle assistait.

Que lui arrivait-il ?

— Vous êtes sûre que ça va ?

D'un seul coup, Dan se trouva tout près d'elle. Elle sentit la chaleur de sa main sur la sienne et se retint de claquer des dents.

— J'ai envie de vomir…

— Bon sang ! Vous êtes en état de choc. Pourquoi ne l'ai-je pas remarqué plus tôt ?

— Tout… tout va bien, dit-elle en s'efforçant de respirer lentement et profondément.

En quelques secondes, il eut mis en place un tourniquet. Soulagée de ne plus avoir à appuyer, elle se recula.

— Avez-vous une minerve ? demanda-t-elle.

— Non, quelle barbe ! Il faut que je pense à l'inclure dans mon kit.

Il fallait agir rapidement. Tous deux savaient que les voies respiratoires de leur patient étaient sérieusement touchées. Il respirait bruyamment et avec difficulté. Dan devait improviser. Sans perdre de temps, il s'agenouilla de façon que la tête du blessé repose entre ses cuisses. Dans l'immédiat, c'était la seule façon qu'il avait de lui stabiliser la tête et le cou. Puis, par petites pressions, il lui étira le menton. La respiration de l'homme s'améliora légèrement. Il faudrait s'en contenter en attendant l'arrivée des auxiliaires médicaux.

Lindsey le secondait de son mieux. Elle lui apporta l'appareil d'aspiration et retira le masque pour qu'il puisse insérer l'embout dans la bouche du patient. Mais elle eut un nouveau haut-le-cœur lorsque le sang remonta dans le tuyau. Elle se détourna juste à temps pour vomir sur la route.

— Arrêtez-vous, Lindsey, ordonna-t-il. Je peux me débrouiller à partir de maintenant. Allez vous asseoir dans ma voiture et attendez-moi. Il y a une bouteille d'eau.

Les bras serrés sur son estomac, Lindsey marcha d'un pas hésitant jusqu'au Land Rover et se laissa tomber sur le siège. Mettant la tête en arrière, elle ferma les yeux et s'efforça de respirer régulièrement.

Au bout de quelques minutes, les nausées se calmèrent et elle put boire un peu d'eau, se sentant mieux à chaque gorgée. Mais à présent, elle commençait à avoir froid.

Voyant la veste de Dan suspendue au dossier du siège conducteur, elle leva les bras avec précaution pour ne pas endommager davantage les muscles douloureux de son cou et recouvrit son corps avec le vêtement chaud. Alors, seulement, elle commença à se détendre, le nez dans l'étoffe confortable qui dégageait un léger parfum de santal et de cuir vieilli. Ainsi que l'odeur de Dan.

Une vague de sensualité la balaya et elle enfouit son visage dans la veste, se sentant reliée à Dan d'une manière qu'elle n'aurait jamais pu imaginer.

Dans une sorte de brouillard, elle entendit une sirène et vit arriver, l'un après l'autre, l'ambulance, la voiture de police et un camion-remorque, dans une débauche de lumières multicolores. Elle les observa à distance, contente d'être un peu à l'écart. Son estomac s'était calmé, mais elle avait une curieuse impression — comme si tout cela arrivait à quelqu'un d'autre. Malheureusement, sa nuque douloureuse la rappelait à la réalité.

Pourvu que l'homme blessé s'en sorte, songea-t-elle. Si c'était le cas, ce serait grâce aux compétences médicales de Dan. Il avait été impressionnant.

Vingt minutes plus tard, l'ambulance était repartie et la police avait détourné la circulation. Le vendredi, beaucoup de gens aimaient faire le tour des vignobles de la région de Milldale où ils étaient accueillis dans des chambres d'hôtes.

Elle sursauta. La portière côté conducteur venait de s'ouvrir d'un coup et Dan s'était assis près d'elle.

— Ça va ?

— Beaucoup mieux, répondit-elle en s'efforçant de sourire. Je vous ai emprunté votre veste.

— Vous avez bien fait. C'est important de rester au chaud.

Il lui jeta un coup d'œil scrutateur.

— Comme je suppose qu'il n'y a pas d'hôpital à Milldale, je vais vous ramener à Hopeton pour que vous passiez une radio du cou.

— Oh non, Dan… S'il vous plaît. Je vais bien, sincèrement.

— On ne peut pas en être sûr, Lindsey. Mais comme je me doutais que vous seriez entêtée, j'ai volé une minerve aux paramédicaux.

Elle ne voulut rien entendre.

— Pas question. J'ai simplement eu le coup du lapin, ce qui a entraîné une tension musculaire. J'ai une huile de massage qui fait des miracles et je vais l'utiliser dès que je serai arrivée.

Dan haussa un sourcil interrogateur.

— Où ça ?

— Chez moi. A Milldale.

— Chez vous ? Je croyais que vous viviez à Hopeton.

— Pour travailler, oui. Mais mon vrai chez moi, c'est Lark Hill, le vignoble où habitent mes parents. Là où j'ai grandi…

Dan réfléchit quelques secondes. Il faudrait que Lindsey fasse encore un peu de route avant d'arriver à destination. Etait-elle en état de conduire ? Et sa voiture pouvait-elle seulement rouler ?

Son hésitation fut de courte durée. Il était médecin, tout de même. Et il pouvait la soigner. Maintenant.

— Est-ce que vous avez votre huile miracle avec vous ?

Lindsey fronça les sourcils.

— Naturellement.

— Dites-moi où la chercher et je vais vous masser. Plus vite ce sera fait, plus tôt vous vous sentirez soulagée.

Il crut voir une lueur de panique dans ses yeux.

— Si vous m'apportez l'huile, je le ferai moi-même.

— Mais bien sûr… Vous pouvez lever les bras jusqu'où sans crier ? Je parie que vous avez mal partout et que vous commencez seulement à subir le contrecoup du choc.

Elle ouvrit la bouche pour protester, mais il était déjà dehors.

Lindsey ferma les yeux, s'efforçant de se détendre comme Dan le lui avait recommandé. De toute façon, il avait pris la situation en main, et, tout compte fait, c'était un véritable soulagement.

Au bout de quelques minutes, il fut de retour, non seulement avec son *vanity-case*, mais aussi son sac à main et son long cardigan en laine.

Elle ne put s'empêcher de sourire.

— Vous avez pensé à tout…

— J'ai même quelque chose pour calmer la douleur.

— Qu'est-ce que c'est ? demanda-t-elle, consciente qu'elle regardait les cachets qu'il avait dans la main d'un air méfiant.

— Ce sont des analgésiques classiques — pas de quoi vous propulser au septième ciel.

Il lui tendit une bouteille d'eau et elle les avala. Puis elle ouvrit le *vanity* d'où elle sortit le flacon d'huile.

— La meilleure façon de procéder, ce serait peut-être que je tourne le dos vers vous, dit-elle d'une voix éraillée.

— Ou bien je rabats le siège arrière pour que vous puissiez vous allonger…

— Ce ne sera pas nécessaire. Reprenez votre veste, Daniel. Je vais retirer ma chemise.

Etait-ce un effet de son imagination ? Il lui sembla voir ses yeux briller.

— Passez-moi l'huile, que l'on puisse commencer.

Dès que les doigts de Dan commencèrent à lui pétrir doucement les muscles du cou, Lindsey sentit tout son corps se libérer de sa tension. C'était si bon qu'elle aurait voulu que Dan ne s'arrête jamais…

Quand Dan promena ses mains sur la colonne délicate de la nuque, il fut presque fasciné par la douceur satinée de la peau de Lindsey.

— A propos, ce n'est pas Daniel, mais Dante, rectifia-t-il.

— Vraiment ? dit Lindsey d'une voix incrédule. Comme le poète italien du Moyen Age ? Cela n'a pas dû être toujours facile à porter.

— Parfois, j'ai eu envie de changer d'école…

— Je trouve que Dante vous va bien. Cela vous rend… spécial.

— Mmm… C'est une tradition familiale de perpétuer ce nom. Apparemment, c'était mon tour d'en être affublé. Comment vous sentez-vous, à présent ? ajouta-t-il, changeant de sujet.

— Beaucoup mieux, merci, répondit-elle en se retournant sur le dos.

— Tant mieux.

Il referma le flacon avant de le lui tendre. Le moment de détente complice était terminé, et par sa faute. Quand donc arriverait-il à se comporter comme quelqu'un de sociable ? Il se sentait comme un petit enfant qui essaie d'apprendre à marcher.

Lindsey sentit un changement de ton dans sa voix. Avait-il été embarrassé par sa remarque ?

— Je ne voulais pas me moquer de vous…

— Je le sais bien.

Elle le vit baisser la tête, les mâchoires serrées.

— J'ai… disparu de la circulation pendant un certain temps.

Manifestement, il avait vécu un drame qui l'avait anéanti. Elle en était certaine, à présent. Quelque chose dont il avait encore du mal à se remettre. Elle se sentit pleine d'empathie pour lui.

— Avez-vous envie d'en parler ?

Immédiatement, elle regretta ses paroles. Pourquoi irait-il se confier à quelqu'un qu'il connaissait à peine ?

Il laissa échapper un long soupir.

— C'est juste que… c'est un peu dur à raconter.

— Je comprends, Dan, dit-elle avec douceur.

Il pencha la tête vers elle et ils restèrent silencieux, le temps de quelques respirations. Mais en elle, c'était un véritable chamboulement.

Puis il se pencha encore et effleura ses lèvres des siennes. Ce fut le plus léger des baisers, mais elle se sentit comme enivrée. Pendant un long moment, ils restèrent muets, à se regarder.

— C'était un peu…, commença-t-elle d'une voix faible.

— Inattendu ?

Dan se rapprocha encore. Il était si près qu'elle pouvait sentir la chaleur irradier de son corps.

— Mais agréable ? ajouta-t-il d'un ton grave.

Alors qu'une vague de chaleur se répandait à travers tout son corps, elle se contenta de hocher la tête, à court de mots. Elle se sentait si proche de lui qu'on aurait dit qu'un fil invisible les reliait l'un à l'autre.

Dan lui caressa la joue d'un revers de main, le corps traversé par toutes sortes d'émotions qu'il avait presque oubliées.

Puis, lentement, ils s'écartèrent l'un de l'autre et le charme fut rompu.

Lindsey resserra davantage son cardigan autour de ses épaules.

— Et si on allait boire quelque chose de chaud quelque part ?

Il se frappa le front du plat de la main. Quel idiot !

— Désolé, vous devez être encore choquée.

— Ce n'est pas grave, répondit-elle en riant. Je ne m'atten-

178

dais pas à ce que vous ayez un thermos de thé avec vous. Il y a une station-service non loin d'ici. On pourrait s'y arrêter.

— Bien sûr. Il faut aussi faire quelque chose pour votre voiture car je pense qu'elle est inutilisable pour le moment. La roue arrière a un problème de parallélisme et j'ai eu du mal à ouvrir le coffre.

— D'accord. Je vais appeler mon assurance.

Elle sortit son téléphone portable et discuta plusieurs minutes.

— C'est arrangé, annonça-t-elle en raccrochant. Ils vont rapatrier ma voiture pour qu'elle soit réparée et pourront me prêter un véhicule de remplacement au garage de Milldale.

— Je vais vous ramener chez vous, dit-il.

— Mais je ne voudrais pas vous détourner de votre route…

— Ce n'est pas le cas. Je me rends moi-même à Milldale.

— Je vais mettre mes affaires dans votre voiture, dit Lindsey, faisant un geste pour ouvrir la portière.

Il la retint en posant une main sur son poignet.

— Une minute. Je ne voudrais pas que vous fassiez un malaise.

— Je vais bien, je vous assure.

— Faites-moi plaisir…

Lindsey poussa un soupir, mais elle attendit que Dan vienne lui ouvrir la porte côté passager. Il lui offrit sa main qu'elle saisit avec reconnaissance.

Il avait raison : sa tête se mit à tourner.

— Quand avez-vous mangé pour la dernière fois ? lui demanda-t-il, maintenant fermement sa main sur la sienne.

— J'ai pris un sandwich à midi.

— Dans ce cas, il faut trouver rapidement quelque chose à avaler.

Il alla prendre sa valise dans son coffre, ainsi qu'un sac à dos en toile.

— Pouvez-vous aussi sortir le grand seau en plastique avec un couvercle ? lui demanda-t-elle.

Dan s'exécuta, titubant presque sous le poids.

— Qu'est-ce que vous avez mis là-dedans ? Un mort ?

Elle sourit.

— De l'argile.

Il la regarda, visiblement intrigué.

— C'est pour faire de la poterie, expliqua-t-elle tout en le suivant jusqu'au Land Rover. J'ai un tour de potier chez moi ainsi qu'un four à céramique. J'ai l'intention de fabriquer quelques pièces pendant mes vacances.

A cet instant, Dan eut une vision : celle de Lindsey la potière, pieds nus, ses cheveux noirs de gitane flottant sur ses épaules, son corps souple se balançant au rythme du tour… Cette évocation éveilla en lui des sensations qui n'avaient pas été sollicitées depuis bien longtemps, et qu'il avait pourtant éprouvées dès le premier jour où Lindsey Stewart lui avait souri.

— Il faudrait peut-être aussi prévenir votre famille afin qu'elle ne s'inquiète pas ? suggéra-t-il en mettant le moteur en marche.

Voilà qui était très attentionné de sa part, se dit Lindsey. Elle étudia son profil à la dérobée : il aurait fait un parfait modèle. Sentant des démangeaisons au bout des doigts, elle s'imagina en train de sculpter ses traits dans un bloc d'argile, pétrissant, lissant, travaillant les pommettes de ses pouces… Elle pouvait presque sentir l'argile humide sous ses paumes tandis qu'elle rectifiait la courbe de la bouche…

— Lindsey ?

Elle eut un sursaut.

— Mmm ?

— Allez-vous appeler chez vous ?

— En fait, mes parents sont en Ecosse pour rendre visite à mon frère et ma belle-sœur qui viennent d'avoir leur premier bébé. Ils sont absents pour quelques semaines encore.

— Vous voulez dire qu'il n'y aura personne pour veiller

sur vous ? Vous venez de subir un traumatisme, Lindsey. Et si vous aviez besoin de quelque chose... ou de quelqu'un ?

Etait-il en train de se proposer ? se demanda-t-elle, intéressée.

— En fait, il y a Jeff et Fiona Collins qui cultivent les vignes et dont le cottage se trouve juste à côté de la maison. Comme elle savait que je venais, Fiona a dû remplir le réfrigérateur et laisser les lumières allumées. Je l'appellerai en arrivant, ainsi elle pourra m'aider si j'ai besoin de quelque chose.

— Dans ce cas, je n'ai plus rien à dire...

— C'était très bon, merci.

Lindsey termina son omelette avant de s'appuyer au dossier de sa chaise, repue.

— Vous ne m'avez pas dit pourquoi vous veniez à Milldale.

— Pour le mariage de Nathan Lyon, répondit Dan qui venait de finir son sandwich à la viande.

— J'avais appris par l'hôpital que vous étiez amis. Ce sera une belle fête. Sami a fait les choses en grand.

Il lui jeta un coup d'œil surpris.

— Vous connaissez Sami ?

— Depuis toujours. Nos parents ont des propriétés voisines. Nous nous sommes un peu perdues de vue quand elle est partie à Sydney, mais nous avons renoué contact depuis qu'elle est de retour.

— Je suis le garçon d'honneur de Nathan.

Elle appuya le menton au creux de sa main et le regarda.

— Etes-vous content de ce mariage ?

— Oui, répondit-il, l'air sincère. Ils forment un beau couple.

— Ils s'aiment, cela se voit, dit-elle en souriant.

— Avez-vous déjà été amoureuse, Lindsey ? questionna Dan à brûle-pourpoint.

Eh bien ! Il ne prenait pas de gants...

— J'ai été amoureuse, et puis je n'ai plus aimé, répondit-elle d'un ton léger. Et vous ?

Il haussa les épaules.

— Idem...

Pendant quelques instants, chacun sirota son mug de thé en silence, perdu dans ses pensées.

— Vous ne seriez pas la demoiselle d'honneur de Sami, par hasard ? demanda-t-il enfin.

— Non. Sa sœur Caitlin tiendra ce rôle. C'est un mannequin célèbre — le visage de la marque Avivia.

— C'est-à-dire ?

— Une compagnie de cosmétiques internationale, répondit-elle en riant.

— Oh… Mais vous serez tout de même au mariage ?

— Bien sûr. Je vous réserverai une danse.

De nouveau, elle vit son regard briller, comme si la perspective de danser avec elle et de la tenir contre lui lui plaisait particulièrement.

— Vous savez donc danser ? demanda-t-elle, l'air espiègle.

— Absolument, répondit-il, d'un air faussement offensé. En fait, j'adorais danser.

— Quand ça ?

— Il y a quelque temps déjà.

— Je me charge de vous remettre le pied à l'étrier.

Qu'y avait-il donc chez Dan qui lui donnait la sensation de voler à travers l'espace sans parachute ?

Et d'adorer cela ?

4.

Le lendemain matin, Dan se réveilla tôt. En se levant, il éprouva une sensation oubliée depuis longtemps : celle d'avoir un but, d'être porté par une énergie positive qui le jeta sous la douche à peine eut-il posé le pied par terre. Il revêtit un jean délavé et un T-shirt bleu marine et se hâta d'aller retrouver Nathan pour le petit déjeuner.

Une fois hors du pub où il avait passé la nuit, il regarda autour de lui. Voilà donc Milldale, se dit-il. Le berceau familial de Lindsey. Il l'imaginait aisément grandissant ici — une gamine de la campagne aux longues jambes, telle une pépite à l'état brut — un peu frondeuse et sûre d'elle…

Il marcha dans la rue étroite et pittoresque du village et consulta sa montre : il avait encore un peu de temps pour flâner et se repérer. La rue principale était bordée par quelques maisons et ouvrait sur un parc et une colline un peu abrupte. D'un pas leste, il grimpa jusqu'au sommet et découvrit la campagne environnante qui s'étendait à perte de vue.

Appuyé à la rambarde de sécurité, il laissa son regard se perdre au loin, depuis les vignes qui verdissaient autour de lui jusqu'aux lointaines collines vallonnées. Quelques maisons étaient éparpillées au milieu des vignobles, un filet de fumée s'échappant, çà et là, d'une cheminée. Il lui semblait être hors du temps.

Il respira à pleins poumons, avec l'impression que l'air frais purifiait tout son corps. Aujourd'hui était le premier jour du reste de sa vie. Il était impatient de découvrir ce qu'il lui réservait.

*
* *

— Tu es presque marié, maintenant, dit-il à Nathan quand ils se retrouvèrent autour de leur traditionnel petit déjeuner anglais.

— J'ai hâte…, répondit Nathan en attaquant ses œufs au bacon. Désolé que ça n'ait pas marché pour toi, mon vieux.

Il laissa échapper un rire désabusé.

— Les conditions n'étaient pas vraiment idéales au départ. Ce n'est pas comme toi et Sami. Même Lindsey a remarqué à quel point vous étiez amoureux.

Le visage de Nathan s'éclaira.

— Tu veux dire que ça se voit ?

— A peine ! Fais ce qu'il faut pour que ça reste ainsi.

— Pitié…, dit Nathan, levant les yeux au ciel. Tu ne vas pas me faire un sermon, j'espère.

— Non. Mais je voudrais te dire quelque chose avant que l'on se retrouve pris dans le tourbillon. Tu as toujours été là pour moi, Nathan. Et tu as été le meilleur des amis. Le meilleur… J'espère que toi et Sami aurez une vie merveilleuse ensemble.

— Merci, répondit Nathan d'un ton un peu bourru. Cela signifie beaucoup pour moi, Dan. Mais l'amitié, ça marche dans les deux sens, et tu as aussi été là pour moi pendant toutes ces années. Bon. Et si on reprenait des toasts ? ajouta-t-il.

Dan lui fut reconnaissant de changer de sujet avant qu'une vague d'attendrissement ne les saisisse et les plonge dans l'embarras.

— A propos de Lindsey…

Nathan lui jeta un coup d'œil interrogateur.

— Comment va-t-elle depuis l'accident d'hier ? Tu as pu l'appeler ce matin ?

— C'est encore un peu tôt.

— Et le blessé ?

— Coma artificiel. Je n'en sais pas plus pour l'instant.

Dan reposa son couteau et sa fourchette dans son assiette.

— Savais-tu que Lindsey faisait de la poterie ?

— C'est même une véritable artiste. Lorsque la nouvelle

aile de la maternité a ouvert l'année dernière, elle a fait don au foyer d'une sculpture représentant la mère et l'enfant. Tu devrais monter au quatrième et jeter un œil, un jour.

— Peut-être, répondit-il, tout en sachant qu'il ne le ferait pas.

Il se versa une seconde tasse de thé et s'autorisa à se détendre un peu pour éliminer les pensées négatives que la suggestion de Nathan avait réveillées en lui.

Aujourd'hui, il prenait un nouveau départ.

La cérémonie du mariage fut magnifique et le discours du garçon d'honneur fit un triomphe. Les commentaires de Dan furent chaleureux et sincères avec juste ce qu'il fallait d'humour, sans perdre pour autant la solennité de l'occasion.

Quand il regagna son siège, Lindsey se joignit aux applaudissements. Curieusement, elle se sentait fière de lui.

Les autres discours furent brefs mais tout aussi réussis, puis les jeunes mariés gagnèrent la piste pour la première danse. Elle vit Dan s'incliner devant Caitlin. C'était la tradition : le garçon d'honneur invitait d'abord la demoiselle d'honneur.

Sa gorge se serra quand elle vit Dan, très à l'aise, entraîner Caitlin dans une valse romantique. Ils étaient superbes ensemble, et Lindsey ressentit un pincement de jalousie. Elle avala une gorgée de champagne, essayant de se convaincre que cela lui était égal.

— Tu danses, Lindsey ?

Eliot Swift. C'était l'un des cousins de Sami qui venait toujours à Milldale pour les vacances quand ils étaient ados. A l'époque, il avait un petit faible pour elle.

— Eliot ! s'exclama-t-elle.

— Tu es toute seule ?

Elle hocha la tête. C'était le cas, non ? Eliot lui tendit la main pour la conduire sur la piste, où ils se mirent à danser tout en bavardant. Ou du moins, à essayer.

— Désolé, c'était ton pied ?

— Un des deux, oui, répondit-elle en riant.

C'était comme s'ils avaient de nouveau dix-sept ans et se

retrouvaient sur la terrasse des Kelly où elle lui enseignait ses premiers pas de danse.

— Comme tu peux le constater, je ne sais toujours pas valser, dit Eliot sur un ton d'excuse. Je me rattraperai sur quelque chose de plus moderne.

A cet instant, la musique changea pour un slow, et, sans hésiter, il l'enlaça.

Dan fronça les sourcils en voyant Lindsey et son cavalier passer devant lui. Elle portait une robe rouge qui lui laissait une épaule dénudée et ses cheveux lâchés lui encadraient le visage. Elle était… renversante.

Quant à son partenaire… Il la serrait de beaucoup trop près. Ils avaient l'air très bien ensemble. Il sentit un nœud se former dans sa gorge. C'était *lui* qui aurait dû la tenir dans ses bras.

Après Eliot, Lindsey ne cessa pas de danser et de rencontrer des gens. Elle s'arrêta pour bavarder avec Marcia, la mère de Sami, et la complimenta sur l'organisation de la fête. Oui, elle s'amusait beaucoup.

Quelqu'un appela Marcia qui s'éloigna.

— Excuse-moi, ma chérie, mais le devoir m'appelle.

C'était l'occasion rêvée pour aller prendre un peu l'air.

Dehors, la terrasse de la vieille demeure était somptueusement éclairée. Même les plantes en pots étaient illuminées. Lindsey laissa échapper un soupir. Le mariage de Sami était une vraie réussite.

Elle descendit l'escalier du perron menant à la pelouse et s'assit sur un des bancs du jardin. La tête en arrière, appuyée sur le dossier en bois, elle contempla le ciel clair parsemé d'étoiles.

Quelques accords de musique lui parvenaient au loin. Est-ce que Dan dansait encore avec Caitlin ? Elle avait entendu dire que les fiançailles de cette dernière avaient été rompues récemment. D'après ce qu'elle avait vu, cela n'avait pas vraiment été une corvée pour Dan d'accomplir son devoir de garçon d'honneur.

Elle ferma les yeux. Apparemment, il avait oublié *leur* danse.

— Hé…

Elle se redressa brusquement.

— Dan !

Il s'assit à côté d'elle.

— Je vous ai cherchée partout. J'étais prêt à vous téléphoner, mais j'ai été tellement pris…

— Eh oui, vous êtes le garçon d'honneur.

Il la regarda attentivement.

— Avez-vous réussi à dormir, après les émotions d'hier ?

Même dans la pénombre, elle pouvait lire l'inquiétude dans ses yeux, et elle en ressentit un réel soulagement. Non, le rapprochement qu'elle avait senti entre eux la veille n'avait pas été le fruit de son imagination : il se souciait sincèrement d'elle.

— En fait, j'ai dormi comme un bébé. Et Fiona a été une mère pour moi. Je vais bien…, ajouta-t-elle avec un sourire rassurant.

— Vous êtes très belle…

Il pencha la tête vers elle, et son menton lui frôla la joue.

— Vous n'êtes pas mal non plus, répondit-elle, retenant son souffle.

Il avait retiré sa veste, dénoué sa cravate et roulé ses manches au-dessus des avant-bras. Ses narines frémirent, titillées par un subtil parfum d'after-shave.

— Je pensais que vous aviez oublié notre danse…

— Aucun risque.

Il lui effleura le cou de ses lèvres et elle frissonna de tout son corps, le cœur battant de plus en plus vite.

Puis le regard bleu de Dan se posa sur sa bouche, avant de capturer le sien.

— Dan…

— Ne dis rien…

Doucement mais fermement, il glissa les mains sous ses coudes et ils se levèrent d'un même mouvement, leurs regards toujours accrochés l'un à l'autre. Ses doigts lui caressèrent la joue, puis suivirent la ligne de son menton avant de chercher sa nuque.

Il pencha la tête lentement, comme pour lui donner une chance de tout arrêter si elle le voulait. Mais elle n'en fit rien, lui offrant ses lèvres quand il approcha sa bouche de la sienne. Leur baiser fut doux et sensuel, tellement parfait, la plongeant dans des sensations qu'elle n'avait pas éprouvées depuis bien longtemps. Comme il l'attirait plus près de lui, elle entrouvrit les lèvres pour laisser sa langue prolonger la magie de leur échange, tout en glissant les doigts dans ses cheveux courts. Elle en avait eu tellement envie sans même s'en rendre compte.

— Ta bouche est si douce, murmura-t-il, lui prenant le visage entre ses mains.

Se penchant de nouveau, il appuya son front contre le sien. Ils demeurèrent ainsi un long moment puis il s'écarta comme à regret.

— Il faudrait peut-être y retourner.

— Oui, répondit-elle à contrecœur. Les mariés ne devraient pas tarder à partir.

— Allons-y.

Il lui tendit la main et elle se sentit de nouveau soudée à lui.

En se dirigeant vers la salle de bal, ils virent la foule déjà rassemblée pour les adieux.

— Il faut que je parle à Nathan, dit Dan. On dirait un lapin pris dans les phares d'une voiture.

En effet, Nathan parut soulagé en le voyant.

— Sami et moi voudrions partir maintenant. Est-ce que tu as un plan pour une sortie discrète et rapide ?

— J'appelle le chauffeur de la limousine, dit Dan en sortant son portable. Avez-vous pris congé de vos proches ?

— C'est fait. Et…

Nathan lui entoura les épaules de son bras.

— Merci. Pour le discours, et pour tout.

— Dan, tu as été un garçon d'honneur de rêve, intervint Sami, se matérialisant à côté d'eux.

— Prenez bien soin l'un de l'autre, ton mari et toi, lui dit Lindsey.

— Oh ! Lins… Garde un œil sur Caitlin, s'il te plaît. En ce moment, elle n'est pas très en forme.

Elle hocha la tête.

— Ne t'inquiète pas, Eliot l'a prise sous son aile.

— La limousine vient d'arriver dans l'arrière-cour, annonça Dan.

Après les dernières embrassades, le couple s'éloigna en courant, main dans la main.

Lindsey sourit en suivant la voiture des yeux.

— Quel beau mariage, n'est-ce pas ?

— Oui, en effet, répondit Dan d'un air absent.

— Est-ce que ça va ?

Il poussa un long soupir.

— Je me sens un peu nostalgique…

— Nathan et toi êtes amis depuis longtemps ?

— Depuis les premiers jours à la fac. On a partagé une maison pendant nos études…

— Avec beaucoup de fêtes et de filles…

— Ça aussi, dit-il avec un haussement d'épaules. Je suis infiniment heureux pour lui.

— Alors, tu crois au mariage ? demanda-t-elle d'un ton désinvolte tout en guettant sa réponse.

Le regard de Dan s'assombrit.

— Les gens continuent à se marier…

Ce n'était pas la réponse qu'elle attendait.

Ils se dirigèrent lentement vers l'intérieur.

— J'ai accompli mon devoir, dit Dan. L'orchestre fait une pause, alors on pourrait peut-être trouver un endroit tranquille pour boire un verre de champagne.

Elle fit la moue.

— Maintenant, je préférerais du thé.

Ils s'installèrent dans une sorte de patio où un serveur empressé vint leur apporter une théière pleine.

— Je suppose que tu es libre tout le week-end ? demanda-t-elle en remplissant les tasses.

— En fait, j'ai pris plusieurs jours de congé grâce aux heures supplémentaires que j'ai cumulées.

— Oh…

C'était pour ça qu'elle ne l'avait pas vu : il avait eu des horaires différents.

— Tu dois être à plat, commenta-t-elle. Avec le mariage pour couronner le tout…

— Je récupère vite, répondit-il en haussant les épaules.

— Qu'est-ce que tu vas faire de ton temps libre ?

— Je ne sais pas encore. Si je veux, j'ai un appartement à ma disposition sur la côte. Je vais peut-être aller surfer sur quelques vagues, prendre le soleil et m'amuser.

S'amuser ? Cela incluait-il des aventures de vacances ? Cette idée n'emballait pas du tout Lindsey.

— Tu as des amis sur la côte ?

Il la regarda longuement avant de répondre comme s'il détaillait chacun de ses traits.

— Non. J'ai l'habitude d'être seul, cela ne me dérange pas.

Eh bien, cela aurait dû… Elle tapota sa tasse de thé du bout des doigts.

Dan Rossi avait-il choisi d'être seul ? Elle n'en était pas persuadée. Elle avait remarqué à quel point il appréciait les contacts pendant la fête. Il s'était montré chaleureux et drôle. Et sexy…

Malgré tous ses efforts, elle ne parvenait pas à rester détachée. Surtout depuis qu'ils avaient goûté l'un à l'autre. Elle avait adoré la façon dont il l'avait embrassée. Il y avait tant d'hommes qui n'embrassaient pas bien. Chez Dan, c'était instinctif. Ou alors, c'était simplement parce que leurs corps se trouvaient en totale symbiose, l'alchimie fonctionnant parfaitement entre eux. Elle sentit un frisson la parcourir à cette seule pensée.

Soudain, elle se redressa sur sa chaise : elle venait d'avoir une idée lumineuse.

— J'ai une suggestion à te faire. Tu pourrais passer tes vacances ici, à Milldale. Avec moi.

Dan la regarda, surpris.

— Avec toi…, répéta-t-il.

— Enfin… Pas exactement avec moi. Nous avons plusieurs cabanes d'hôtes sur la propriété. Tu pourrais loger dans l'une d'elles — si cela te tente, bien sûr.

— Mmm…

Oh ! non, se dit-elle, le cœur battant la chamade. Elle n'arrivait pas à croire qu'elle venait de le faire. Cela lui ressemblait si peu. Elle avait mis Dan au pied du mur. Mais après tout, c'était un grand garçon. Il pouvait dire non.

— Il y a des chemins de randonnée, une piscine chauffée et un spa dans la maison. Le ciel bleu au-dessus de ta tête et le calme autour de toi. Rien ne vaut cette sensation. C'est le meilleur moyen de se ressourcer : la paix, et le sentiment que l'on peut enfin lâcher prise et juste… *être*.

Etre. La respiration de Dan s'arrêta dans sa gorge. Un petit mot qui voulait dire tant.

Les yeux de Lindsey s'étaient mis à briller. « Je suis là », semblaient-ils dire. Alors, pourquoi hésiter ? Lindsey Stewart était ce qu'il lui fallait. Charmante. Excitante. Sexy. Tout son corps fut parcouru d'une vague de chaleur.

Aucune femme ne l'avait touché à ce point depuis bien longtemps.

Presque involontairement, leurs mains se rejoignirent sous la table.

— Je serais très heureux d'accepter ton invitation, Lindsey, dit-il d'un ton un peu formel.

Puis il sourit lentement, et la vit se détendre.

— En fait, tu n'avais pas besoin de me convaincre, ajouta-t-il, mêlant ses doigts aux siens. Je serai ravi de passer mes vacances avec toi. Peut-être que l'on pourrait *être* ensemble ?

Lindsey plissa les yeux en le regardant.

— Peut-être bien, dit-elle en récupérant sa main. Maintenant, je vais aller me coucher. Tu sais comment rentrer à Lark Hill, alors à demain ?

Il s'alarma aussitôt.

— Et toi, comment comptes-tu rentrer ?

— En taxi. Je suppose qu'une nuit comme celle-ci, tous les taxis de Milldale doivent être en alerte.

— J'ai ma voiture ici, je vais t'accompagner.

Lindsey protesta en secouant la tête.

— Dan, ce n'est pas nécessaire. Tu as eu une longue journée et…

— Je te ramène chez toi.

5.

Le dimanche matin, Lindsey se réveilla en sursaut. Elle saisit son portable posé sur la table de nuit et laissa retomber sa tête sur l'oreiller. Il était à peine 8 heures. Dan ne serait pas là avant des lustres.

Elle sourit toute seule. Même si le bon Dr Rossi n'en avait rien laissé paraître, elle savait que son invitation lui avait quelque peu fait perdre son sang-froid. Elle était encore étonnée d'avoir osé lui demander de passer son congé avec elle, mais cette idée avait jailli du plus profond de son être.

La sonnerie du téléphone la tira de ses pensées. Elle jeta un coup d'œil sur le cadran et s'empressa de répondre.

— Bonjour, Dan.

— Mademoiselle Stewart, je présume. Etes-vous levée ?

— Bien sûr, répondit-elle en se hâtant de sortir du lit. Et toi ?

— A vrai dire, j'ai déjà fait l'aller et retour à Hopeton pour prendre d'autres vêtements pour mon séjour à la campagne et je ne suis plus qu'à quelques minutes de chez toi.

— Vraiment ?

Au bord de la panique, elle mit fin à l'appel et piqua un sprint jusqu'à la salle de bains pour se doucher.

Qu'allait-elle porter ? Elle n'avait pas encore défait sa valise. Elle se décida rapidement pour un jean, un T-shirt blanc, et comme l'air était encore un peu frais le matin, un cardigan écru.

Quant aux chaussures…

Le son du vieux heurtoir de la porte d'entrée résonna dans

le hall. Il était déjà là ! Rapidement, elle enfila des ballerines et passa les mains dans ses cheveux avant d'aller lui ouvrir.

— Dan…

Elle cligna des yeux dans le soleil matinal et sentit un frisson de désir la parcourir. Il était si sexy, avec une ombre de barbe sur les joues et sa chemise à carreaux toute de travers sous son pull bleu marine.

A peine Dan l'eut-il vue que le désir explosa en lui. Elle n'était pas maquillée, ne portait pas de parfum… Mais elle débordait de féminité.

Il fit un pas vers elle.

— Lindsey…

La seconde d'après, sa bouche était sur la sienne et il sentit la chaleur de son corps contre lui. Il l'embrassa longuement, avec douceur, et l'entendit pousser un petit gémissement étouffé avant de la relâcher.

— Bonjour, murmura-t-elle.

Il enroula une mèche de ses cheveux autour de son doigt.

— *Maintenant*, c'est une bonne journée, dit-il.

Elle le gratifia d'un de ses sourires qui creusaient les fossettes de ses joues.

— Est-ce que tu as mangé ?

— J'ai pris un café tout à l'heure.

— Voyons ce qu'il y a dans le garde-manger, dit-elle en l'entraînant vers la cuisine.

Il nota au passage les bancs en bois de charpente et les carreaux de faïence bleus et blancs du coin-repas.

— Est-ce que vous vous occupez aussi des repas pour vos hôtes ? demanda-t-il.

— Les cabanes sont équipées d'une kitchenette, mais nous fournissons des paniers pour le petit déjeuner si on nous en fait la demande. Je vais nous préparer quelque chose. Qu'est-ce qui te ferait plaisir ?

— A toi de me surprendre.

Lindsey lui décocha un sourire en coin.

— Je crois que c'est déjà fait.

Effectivement. Etre là, avec elle, chez elle, sur le point de partager un petit déjeuner concocté de ses mains, lui paraissait incroyable.

— J'ai du mal à croire que je suis ici, avoua-t-il.

Elle le regarda de la tête aux pieds.

— Bien sûr que tu es là. Sinon, qui est-ce que j'ai embrassé tout à l'heure ?

Il se mit à rire et promena son regard dans la pièce, appréciant le mobile de cristal suspendu à la fenêtre en face de l'évier.

— Joli feng shui.

Lindsey lui jeta un coup d'œil surpris.

— Serais-tu un adepte ?

— Disons que c'est une philosophie qui m'attire.

Qui l'aurait cru ? A présent, c'était son tour d'être étonnée. Elle empila la vaisselle et les couverts sur un plateau.

— Est-ce que je peux faire quelque chose pour t'aider ? proposa Dan.

Elle lui tendit le plateau.

— On va manger dehors sur la terrasse. Tu peux mettre la table ?

— Ce doit être dans mes cordes.

Une fois seule, elle s'activa dans la cuisine : jus d'orange frais pressé et portions de melon mélangé à d'autres fruits dans un saladier en verre, pour commencer...

Lorsqu'elle rejoignit Dan, il était appuyé à la balustrade, le regard perdu au loin.

— C'est un vrai paradis, murmura-t-il. Comment peux-tu supporter de quitter cet endroit pour aller travailler aux urgences d'un hôpital ?

Elle prit un air affligé.

— Maintenant, tu parles comme un touriste. S'occuper de la vigne est un travail extrêmement dur, Dan. On ne peut pas se contenter de rester assis à contempler le paysage.

— Comme tu le fais aux urgences ? demanda-t-il avec un sourire taquin.

Elle lui tira la langue.

— Il y a une crique là-bas, de l'autre côté, dit-elle, en

montrant du doigt une rangée de saules. Sami, Caitlin, mon frère James et moi y avons eu de vraies parties de rire quand nous étions ados.

— Je veux bien le croire. James est ton frère qui se trouve en Ecosse ?

— Oui. Lui et sa femme sont kinés. Leur petite fille, Alexandra Rose, est à peine âgée de trois semaines.

— Joli prénom.

Il lui sembla que le regard de Dan s'assombrissait.

— Et les cabanes ? ajouta-t-il comme pour changer de sujet.

— Il y en a quatre. Elles sont là-bas, sur ta gauche.

Elle désigna plusieurs constructions en bois à flanc de colline.

— Tu pourras t'y installer tout à l'heure. Si on mangeait ?

— Comment êtes-vous arrivés à Lark Hill ? demanda Dan tandis qu'ils dégustaient la salade de fruits.

— C'est une longue histoire, répondit-elle en avalant un morceau de kiwi. Mes arrière-grands-parents sont venus d'Angleterre pour devenir fermiers.

— Oh… Il y a donc de véritables pionniers dans ta famille ?

Lindsey haussa les épaules.

— J'ai l'impression que nous avons toujours été ici. Et la famille Rossi, d'où vient-elle ?

— De Melbourne. Mon père est professeur de linguistique, et ma mère est directrice d'une école pour enfants précoces.

— J'imagine que vous avez dû avoir des conversations passionnantes autour de la table pendant les repas, dit-elle, intéressée.

— Mmm… Quant à mes sœurs, l'une d'elles tient une librairie salon de thé et l'autre est violoniste dans l'orchestre symphonique de Melbourne.

— Tu as donc grandi dans un milieu artistique, entouré de livres et de musique. Qu'est-ce qui t'a décidé à casser le moule et opter pour les sciences et la médecine ?

— Mon oncle Robert, le frère de mon père, est médecin, expliqua Dan. Pour moi, il était plus un grand frère qu'un oncle. J'étais fasciné par le squelette qu'il avait dans sa chambre, ajouta-t-il avec un sourire. J'ai très vite eu l'idée de devenir médecin.

— C'est donc une véritable vocation ?

— Je le crois, oui.

Dan avala le dernier morceau de fruit restant dans son bol. Il n'avait pas parlé aussi librement de lui depuis longtemps. Il le devait sans doute à l'effet que Lindsey avait sur lui.

C'était quelqu'un de si ouvert qu'elle donnait envie de lui répondre de la même manière.

S'appuyant au dossier de sa chaise, il la regarda pensivement.

— Quoi ? dit-elle d'un air surpris.

— Je réfléchissais. On est bien ici, tous les deux, non ?

Les yeux de Lindsey brillèrent.

— Si.

Sur un plan personnel, ils avaient sûrement encore quelques montagnes à franchir. Mais qu'était-ce qu'une montagne ou deux, quand on avait Lark Hill, la colline magique ?

— A votre tour, mademoiselle Stewart, dit-il. Comment êtes-vous devenue infirmière ?

— Il n'y a pas grand-chose à raconter. En fait, j'envisageais sérieusement la médecine, mais je suis une fille pratique. Etant donné la longueur des études, je me suis dit qu'il me faudrait des siècles avant de pouvoir être utile en tant que médecin, alors qu'en étant infirmière, je pouvais mettre la main à la pâte rapidement, ajouta-t-elle avec un sourire.

— Et te voilà, conclut-il, une lueur de tendresse dans les yeux.

Elle se hâta de se lever et rassembla la vaisselle sale.

— Et si on faisait des toasts ? proposa-t-elle. Fiona a apporté un pain de mie aux graines de sésame.

— Parfait, dit Dan.

Il lui prit le plateau des mains et la suivit jusqu'à la cuisine.

*
* *

Une heure plus tard, ils en étaient à leur seconde théière et bavardaient toujours de tout et de rien. Cela leur était aussi naturel que de respirer, remarqua Lindsey. En fait, ils étaient tellement pris par leur conversation qu'ils n'entendirent pas la porte d'entrée s'ouvrir.

— Ohé, ce n'est que moi. Tu es là, Lindsey ?

— C'est Fiona, dit-elle, posant un doigt sur ses lèvres. Prépare-toi à être examiné de la tête aux pieds. Sur la terrasse ! ajouta-t-elle.

Fiona arriva, les cheveux grisonnants et arborant le teint hâlé d'une personne habituée à vivre au grand air.

Elle s'immobilisa aussitôt en les voyant.

— J'espère que je ne dérange pas ?

— Bien sûr que non, répondit Lindsey. Voici Dan Rossi, un ami de l'hôpital.

Dan se leva galamment et ils se serrèrent la main.

— Heureux de vous connaître, Fiona.

— Moi aussi, Dan, répondit-elle, tandis que son regard clair passait l'inspection. Vous êtes le médecin qui a gentiment ramené Lindsey après l'accident ?

— C'est bien moi. Sinon, elle aurait été capable de rentrer à pied, ajouta-t-il d'un ton moqueur.

— Elle a toujours été terriblement indépendante.

— Dites donc, vous deux ! protesta Lindsey. Je ne vous dérange pas trop ?

Elle fit signe à Fiona de s'asseoir.

— Il reste encore du thé.

— Non, merci, ma chérie. Je passais juste pour te dire que j'avais loué la dernière cabane qu'il restait.

— Oh ! super... A qui ?

— Un jeune couple, Scott et Amy Fraser. Ils ont eu envie de prendre quelques jours de vacances avant la naissance de leur premier bébé.

— C'est charmant, commenta Lindsey en souriant.

— Ils sont arrivés la nuit dernière, et ils viennent de partir pique-niquer.

— La journée est magnifique, j'espère qu'ils apprécieront la paix et le calme.

Elle jeta un coup d'œil à Dan.

— Nous aussi, on devrait sortir se dégourdir les jambes.

Après le départ de Fiona, ils rentrèrent pour laver la vaisselle et ranger la cuisine.

— Je vais retourner dormir au pub ce soir, annonça Dan.

— Pourquoi donc ?

— Fiona a dit que la dernière cabane était louée.

— Tu n'as qu'à rester ici, proposa Lindsey. Nous avons une chambre d'amis avec sa propre salle de bains. Ton intimité sera préservée.

— Mmm…

Dan se gratta la tête, visiblement mal à l'aise.

— Tu n'es tout de même pas respectueux des convenances à ce point ? C'est un peu vieux jeu, non ?

Comme il esquissait une grimace, elle sourit en secouant la tête.

— Tu as vraiment été très bien élevé…

— C'est une petite communauté, ici, dit-il enfin. Toi et ta famille y avez à l'évidence un certain statut… Et j'ai bien vu la curiosité de Fiona.

— Dan…

— Quoi ?

— Nous sommes deux adultes, n'est-ce pas ?

— Tout à fait, répondit-il en jouant avec une mèche de ses cheveux.

Puis il se pencha sur sa bouche et ils s'embrassèrent longuement.

— Ah, Lindsey…, soupira-t-il. Bon, je resterai ici.

Elle baissa les yeux sur ses lèvres si sexy.

— J'en suis ravie. Comme ça, je n'aurai pas à mettre mon plan B en action. J'étais sur le point de te voler tes clés.

— Que se passe-t-il donc avec les femmes de Milldale ? demanda Dan d'un ton faussement indigné. Nathan me racontait que Sami voulait le kidnapper.

— Ce doit être quelque chose dans le vin, répliqua-t-elle en riant.

Il fit mine de l'entraîner dans une valse et, en réponse, elle lui entoura la taille de ses bras.

Le regard de Dan était brûlant.

— Qu'est-ce qu'on fait maintenant ?

Elle suivit le contour de ses lèvres du bout du doigt.

— On pourrait peut-être aller se promener ?

Dan poussa un soupir. Une douche froide aurait sans doute été plus appropriée.

Ou alors… Il pouvait céder à l'avalanche d'émotions qui s'était abattue sur lui et l'entraîner au lit.

Soudain, faire l'amour avec Lindsey lui paraissait la suite naturelle de ce qu'ils avaient vécu — la dernière étape dans l'intimité. Mais peut-être était-il en train de fantasmer. Cela faisait si longtemps qu'il n'avait pas été aussi proche d'une femme…

Et il en avait terriblement envie.

Alors… Tout bien considéré, une promenade était peut-être préférable.

— Va prendre tes affaires dans la voiture, dit Lindsey d'un ton léger. Je vais te chercher des draps.

6.

Après avoir marché avec Dan à travers les vignes, Lindsey lui montra la crique avec sa piscine naturelle creusée dans la roche.

— Lorsque tu reviendras, nous nagerons ici.

— Donc, je reviendrai ? dit-il en plongeant son regard dans le sien.

Sa voix devenue rauque la fit frissonner.

— Naturellement.

Elle noua les bras autour de son cou et se pressa contre lui. Leur baiser fut long et langoureux.

Puis ils continuèrent leur promenade, les mains jointes.

— Est-ce qu'il faut craindre les serpents ? interrogea Dan.

— Non, seulement les éléphants, répondit-elle, pince-sans-rire.

— Je vois.

Dan esquissa un pas de danse sur le côté avant de l'attirer contre lui.

— Je suis avec une facétieuse, dit-il en riant avec elle.

Un peu plus loin, elle le mit au défi de marcher sur le tronc d'arbre qui enjambait la partie la plus profonde de la crique. Il s'exécuta volontiers, les bras levés avec grâce tel un funambule en équilibre sur son fil. Arrivé de l'autre côté, il s'inclina, mais au lieu de l'applaudir, elle sauta légèrement sur le tronc pour le rejoindre.

— Et maintenant ? demanda-t-il.

— On monte jusque là-haut. C'est moins raide que cela n'en a l'air.

Elle lui montrait le point le plus élevé. Une fois au sommet de la colline, Dan se glissa derrière elle et l'entoura de ses bras.

— Ah… Quelle belle vue.

Les yeux mi-clos, elle s'abandonna contre lui, les mains sur les avant-bras de Dan.

— Cela rend heureux d'être vivant, non ?

— Cela… et aussi le fait d'être avec toi, répondit-il d'une voix éraillée.

Ils s'assirent à l'ombre d'un grand arbre et s'appuyèrent contre son tronc, leurs épaules se touchant. Pendant un long moment, ils restèrent silencieux, absorbés dans la contemplation du paysage, aspirant l'air pur à pleins poumons.

— Pourquoi New York, Dan ? demanda-t-elle à brûle-pourpoint.

Il releva si brusquement la tête qu'elle regretta aussitôt sa question.

— Est-ce que je suis trop indiscrète ?

— Non…

D'un geste brusque, il arracha un brin d'herbe qu'il se mit à triturer entre ses doigts.

— J'étais déjà allé plusieurs fois dans cette ville, et j'avais adoré l'animation qui y régnait. Lorsque la chance s'est présentée d'y travailler, je l'ai saisie. Et toi ? Tu as beaucoup voyagé ? ajouta-t-il, visiblement désireux de changer de conversation.

— Assez. Je suis allée au Royaume-Uni, bien sûr, pour rendre visite à mon frère et ma belle-sœur. C'était super. Nous avons visité une partie de l'Europe ensemble. Puis l'année dernière, je suis allée au Japon faire du snow-board.

— Tu pratiques ce sport ?

Il y avait de l'admiration dans la voix de Dan.

— Y es-tu allée en groupe ? ajouta-t-il.

— Non, mais avec mon petit ami de l'époque, répondit-elle en entourant ses genoux de ses bras. Le lendemain de notre arrivée, il est sorti avec une des guides touristiques.

— Aïe !

— Il a dit qu'il l'avait trouvée jolie et qu'elle n'avait été qu'une aventure, qu'il n'y avait pas besoin de changer quoi que ce soit entre nous ! Le pire, c'est que tout cela s'est passé sous mon nez. Il fallait vraiment que je sois stupide !

— Ce n'est pas de la stupidité… Tu lui as fait confiance et il t'a trahie.

Doucement, il lui caressa la joue.

— C'est lui qui y a le plus perdu, ajouta-t-il.

Il y eut un long silence.

— Je me suis marié à New York, reprit-il soudain.

Marié. Lindsey eut l'impression d'avoir reçu un coup à l'estomac. S'il avait voulu faire sensation, c'était réussi.

— Est-ce que… tu l'es toujours ? demanda-t-elle d'un ton hésitant.

— Non. Notre mariage a sombré corps et biens.

Il ne pouvait pas s'arrêter là. Il en avait trop dit ou pas assez.

— Est-ce que tu veux m'en parler ?

Dan s'appuya plus fort contre l'arbre, sentant la tristesse le gagner. D'un côté, il savait que le moment était venu de tout raconter à Lindsey, mais, en même temps, il appréhendait d'exhumer le passé. Mais s'il voulait avoir une chance d'approfondir sa relation avec elle, il devait la saisir.

— Caroline et moi nous sommes rencontrés à une fête, commença-t-il. Elle était avocate, nouvellement arrivée à New York, comme moi. Nous avons commencé à nous voir, à faire des sorties ensemble…

Il s'interrompit et elle lui tendit sa main qu'il saisit avec reconnaissance pour trouver le courage de continuer.

— Lorsque nous nous sommes rencontrés, nous habitions tous les deux dans des appartements plutôt minables, et nous avons décidé de devenir colocataires pour pouvoir loger dans quelque chose de mieux.

Lindsey fronça les sourcils. A l'évidence, ce n'était pas l'histoire d'amour du siècle. Mais alors, pourquoi s'étaient-ils mariés ? A moins que…

— Caroline est tombée enceinte après avoir oublié sa

pilule. Elle était paniquée. Ses parents étaient très protecteurs, ultraconservateurs et persuadés que leur fille unique avait un brillant avenir professionnel. Elle m'a dit que si elle leur annonçait en même temps qu'elle se mariait, ce serait un moindre choc pour eux.

Elle le regarda, incrédule.

— Alors, tu l'as épousée ? Pour cette raison ?

— C'était aussi mon enfant, Lindsey. J'ai pensé que si on faisait des efforts en ce sens, ça pourrait marcher. Ensuite, ça a viré peu à peu au cauchemar. On a su que Caroline attendait des jumeaux, ce qui constituait un stress supplémentaire. Mais, surtout, on a découvert qu'ils partageaient le même sac amniotique dans l'utérus de la mère.

Lindsey étouffa une exclamation.

— C'est très rare, non ?

— Un cas sur cent. Les chances de survie sont environ de cinquante pour cent car les deux cordons ombilicaux peuvent s'emmêler à tout instant.

Ce qui voulait dire que les bébés mouraient asphyxiés. Lindsey redoutait ce qui allait suivre.

— Est-ce que tu veux t'arrêter maintenant ?

Dan esquissa un petit sourire triste.

— A quoi bon ? Il faut que j'aille au bout pour pouvoir prendre un nouveau départ.

Elle hocha lentement la tête.

— Je suppose qu'en tant que médecin tu connaissais les risques et que tu as tenté de protéger Caroline…

Il lui jeta un coup d'œil admiratif.

— C'est exactement ça. J'ai essayé de rester positif pour la rassurer, mais c'était comme vivre avec une bombe à retardement. A seize semaines, on a su que c'étaient deux petites filles. Leur cœur était solide et elles se développaient normalement. Il était prévu que l'accouchement se fasse par césarienne le plus tôt possible, dès que les bébés seraient viables. On y croyait très fort…

Il y eut un silence.

— Elles sont mortes in utero à vingt-deux semaines.

Lindsey entendit la douleur dans sa voix et les larmes qu'il retenait. Elle ne dit rien et resta assise, attendant la suite.

— Nous avons reçu un grand soutien de l'hôpital et ma famille nous a rejoints. Avec Nathan. J'étais tellement content de le voir…

Elle sentit l'émotion la gagner.

— Dan… je regrette tellement ce qui est arrivé. Comment peut-on se remettre d'un tel chagrin ?

— On avance comme dans un brouillard… Il est certain que je ne suis pas pressé de retenter l'aventure de la paternité. Caroline a dit qu'il n'y avait plus rien qui nous maintenait ensemble et elle a quitté son travail pour retourner chez ses parents. Quant à moi, j'ai achevé mon contrat à l'hôpital et je suis parti en Floride, où j'ai suivi une formation en recherche et sauvetage. Puis je suis rentré en Australie.

— Tu n'es plus du tout en contact avec Caroline ?

— J'ai réussi à la joindre il y a quelques mois. Elle m'a dit qu'elle avait tourné la page et qu'elle espérait que je fasse de même. Cela fait deux ans maintenant.

— Ce doit être difficile de passer à autre chose…

— J'y parviens peu à peu… Sauf certains jours, comme celui où j'ai perdu les pédales aux urgences, dit-il avec un petit rire désabusé.

— C'était la date anniversaire ?

— Exactement. Celle du jour où j'ai dit adieu à mes bébés.

Ils restèrent longtemps assis sous l'arbre, en silence. Elle avait la tête sur l'épaule de Dan qui l'entourait de son bras.

— Merci, Lindsey, dit-il enfin. De m'avoir écouté.

— J'espère que cela t'a un peu aidé, répondit-elle avec douceur.

Mais elle savait que seul le temps pourrait lui apporter la paix.

Une fois de retour à la maison, ils avalèrent chacun un grand verre de citronnade.

— Tu dois mourir de faim. Que dirais-tu d'un club sandwich ? proposa-t-elle.

— Volontiers.

— Ensuite, on pourrait aller à Milldale. Le dimanche, il y a le marché des producteurs toute la journée.

— Tu sais, tu n'as pas besoin de chercher à me distraire, Lindsey…

Elle le regarda, déroutée.

— C'est l'impression que je te donne ?

— Bien sûr que non. Cette journée est la plus belle que j'aie passée depuis longtemps. Le simple fait d'être avec toi… Cela suffit à me combler.

— Oh ! Dan…

Elle lui adressa un sourire tremblant.

— C'est la même chose pour moi.

Après leur repas pris sur le pouce, l'air s'était réchauffé et Lindsey alla changer son jean pour une robe à petites fleurs. Elle se sentait d'humeur printanière.

Une fois sur le marché, ils flânèrent à travers les allées. Elle acheta du papier à lettres recyclé sur le stand d'une association qui recueillait des fonds pour construire des écoles dans les pays en voie de développement.

— C'est bientôt l'anniversaire de maman et elle adore écrire, expliqua-t-elle. Il faut aussi que je trouve un mélange de plantes pour soigner les hématomes.

Dan lui jeta un coup d'œil étonné.

— N'oublie pas que je travaille aux urgences.

— J'en apprends tellement, ici…

Elle n'arriva pas à discerner s'il était sérieux ou pas.

— Il me faut aussi du thé et du café, et ce sera tout pour moi.

— Je vais en prendre aussi, dit Dan. C'est moi qui règle.

Il sortit un gros billet et refusa qu'on lui rende la monnaie.

— C'est un geste généreux, commenta-t-elle tandis qu'ils reprenaient leur marche.

— J'espère que cela servira à acheter des livres aux enfants ou des équipements sportifs.

— La dure réalité, c'est que cela servira plutôt à payer quelqu'un pour que les enfants puissent aller et revenir de l'école en sécurité.

Dan pinça les lèvres, l'air grave.

— Nous avons trop souvent tendance à croire que tout va de soi…

— Moi, j'aime penser que la plupart d'entre nous font ce qu'ils peuvent pour ceux qui sont moins chanceux. Mais pour certains, ce ne sera jamais assez.

Il la dévisagea longuement, et elle crut voir dans son regard une lueur de respect.

— Tu es une femme très avisée.

Après s'être régalés de crèmes glacées, ils se dirigèrent vers la galerie d'art.

— J'ai envie de voir ce que font les artisans locaux, dit-elle.

— Est-ce que tu en fais partie ?

— J'ai des pièces qui ont été exposées à plusieurs reprises, mais pas récemment. Je suis en panne d'inspiration.

Elle réfléchit une seconde.

— Est-ce que tu accepterais de poser pour moi, Dan ?

— Non.

Ils entrèrent dans la galerie au moment où le soleil pénétrait à flots à travers une étonnante fenêtre à meneaux.

— Pourquoi ? demanda-t-elle.

— Je ne suis pas narcissique à ce point.

Elle secoua la tête.

— Cela n'a rien à voir.

Une fois de retour dehors, elle revint à la charge.

— Il ne faut pas y compter, dit-il d'un ton ferme.

Elle le trouvait si sexy, pas rasé, un peu fripé… Il était parfait pour elle.

— Rabat-joie…, marmonna-t-elle.

Dan entremêla ses doigts aux siens tout en marchant.

— J'ai aperçu un pépiniériste hier, en me promenant. Crois-tu qu'il soit encore ouvert ?

— Certainement. Le dimanche est le jour où les touristes sont de sortie. Qu'est-ce que tu veux y faire ?

Il balança doucement leurs mains.

— Trouver des fleurs pour ma chérie.

Quelques instants plus tard, elle avait les bras chargés d'un bouquet d'iris à longues tiges au parfum subtil dont les teintes allaient du violet le plus profond à l'améthyste.

— Elles sont très belles, Dan, dit-elle, tandis qu'ils regagnaient la voiture. Mais pourquoi des iris ?

Il sourit.

— Parce qu'elles sont très spéciales et adorables… comme toi, répondit-il en lui caressant la nuque. Et je leur trouve un air courageux, avec leurs longues tiges droites.

Elle sentit son cœur fondre et sourit à son tour.

— Cette journée a été si extraordinaire…

— Oh ! oui ! renchérit-il en l'embrassant dans le cou.

Pendant le trajet du retour, ils roulèrent en silence. Ils se sentaient si bien qu'ils n'éprouvaient pas le besoin de parler.

De retour à la maison, ils apportèrent leurs courses dans la cuisine.

— On finit toujours par se retrouver ici, dit Lindsey en riant, après avoir arrangé ses fleurs dans un vase.

— J'aime les cuisines… Ce sont des endroits très conviviaux.

— Le cœur du foyer, renchérit-elle.

Elle se tourna vers lui.

— As-tu envie d'un thé ? D'un verre de vin ? Ou d'autre chose ?

Il y eut un silence.

— Dan ?

Tout proche d'elle, il la prit doucement par les poignets. Ils restèrent un long moment à se regarder, puis il porta l'un de ses poignets à ses lèvres.

— Nous n'avons toujours pas eu notre danse. Est-ce que tu peux mettre de la musique ?

— Certainement.

Elle pouvait déjà sentir la chaleur qui se dégageait de leurs corps.

Main dans la main, ils se rendirent dans le salon. Elle glissa un CD dans l'appareil et une musique douce et sensuelle emplit la pièce. Le monde n'existait plus. Il n'y avait qu'eux.

Elle rejoignit Dan qui contemplait le coucher de soleil par la fenêtre. Toutes sortes de nuances de rouge et d'orange se fondaient dans le ciel.

— Il nous reste encore la nuit, murmura-t-il d'une voix rauque.

Il se retourna pour la prendre dans ses bras. Lorsque leurs lèvres se joignirent, il sembla à Lindsey que tout son corps était en fusion. Ses mains brûlantes lui caressaient le bas du dos, les hanches.

Lentement, ils se balancèrent en rythme et firent le tour de la pièce avant de se diriger, toujours enlacés, vers la chambre de Dan.

Il referma la porte derrière eux. Les rideaux étaient partiellement tirés, le lit ouvert.

— Quand as-tu fait ça ? demanda-t-il en la serrant contre lui.

— Tout à l'heure.

— Pour nous ?

Elle sourit timidement.

— Cela ne t'ennuie pas ?

— Ah, Lindsey…

Il plongea son regard dans le sien et, sans la quitter des yeux, entreprit de lui déboutonner sa robe à fleurs avant de la faire glisser sur les épaules.

Puis il retira ses propres vêtements tandis que Lindsey se débarrassait des siens. Il l'attira avec lui dans le lit et elle noua ses jambes autour des siennes, poussant un soupir de volupté en sentant la douceur et la chaleur de sa peau sur la sienne.

Il s'empara de sa bouche et l'embrassa avec passion. Elle frémit, goûtant l'odeur de sa peau nue, et lui rendit son baiser avec ardeur.

— Ne t'arrête pas, murmura-t-elle, le corps tendu de désir, quand il fit une pause.

Mais Dan n'avait aucunement l'intention de s'arrêter. Pas avant d'avoir entraîné Lindsey avec lui, de plus en plus haut, au-delà de toute raison.

Ce fut seulement lorsque tout fut redevenu paisible qu'ils se rendirent compte jusqu'où ils étaient allés.

Ensemble.

Ils restèrent longtemps immobiles, comblés, dans les bras l'un de l'autre. Dehors, le silence fut rompu par le roucoulement d'une tourterelle.

Jouant avec une mèche des longs cheveux de Lindsey, il se rendit compte que quelque chose de très spécial était en train de se passer. Quelque chose d'exceptionnel.

— Je ne trouve pas les mots…

Lindsey se blottit contre lui et, poussant un soupir de contentement, l'observa à travers ses paupières mi-closes.

— Je comprends ce que tu veux dire, murmura-t-elle. Je n'ai jamais voulu être avec quelqu'un comme avec toi, Dan.

Il sentit sa gorge se contracter. Il s'en fallait de peu pour qu'il tombe amoureux d'elle — si ce n'était pas déjà fait.

Doucement, il effleura ses lèvres des siennes.

— Je viens de vivre le jour le plus heureux de ma vie, dit-il d'un ton presque solennel. J'ai eu l'impression d'être hors du temps.

— C'est exactement ce que j'ai ressenti. C'est comme recevoir un cadeau qui est pile celui qu'on espérait.

Il rit doucement puis lui déposa un baiser sur l'épaule.

— Si on essayait le spa ? proposa-t-il. Je l'ai vu tout à l'heure et j'ai eu l'impression qu'il me tendait les bras.

— Parfait…, répondit Lindsey. Ensuite, je nous préparerai à dîner.

— Pardon, mais *je* préparerai à dîner, rectifia-t-il en réclamant ses lèvres.

7.

Lorsque Lindsey arriva dans la cuisine, elle trouva Dan en pleins préparatifs du repas.

— Est-ce que je peux faire quelque chose pour t'aider ?

Il lui décocha un sourire en coin.

— Un verre de ton meilleur vin fera l'affaire. Je ne sais pas où chercher.

— C'est facile.

Elle alla ouvrir une petite porte dans un coin de la pièce derrière laquelle se trouvait une cave à vin réfrigérée.

— Rouge ?

— Mmm, oui. Je prépare des pâtes.

Elle remplit deux verres pendant que Dan faisait revenir d'une main experte dans une poêle oignons, tomates et herbes.

— Ça sent super bon. Tu es effectivement à l'aise dans une cuisine.

Son verre à la main, elle s'installa confortablement sur un tabouret au large dossier et regarda Dan travailler. Il était vraiment beau, avec sa chemise noire à manches longues qui retombait sur son jean. Et il s'était rasé.

Après le spa, chacun s'était retiré dans sa salle de bains pour faire un break et se remettre de ses émotions. Elle avait pris une longue douche, s'était lavé les cheveux, puis avait aspergé l'air de parfum au-dessus d'elle avant de revêtir un pantalon en jersey et un haut rouge au décolleté croisé.

— Je me suis permis d'allumer le feu dans le salon, dit Dan.

— Tu as bien fait. On pourrait installer une table pliante devant la cheminée pour prendre notre repas. Qu'en penses-tu ?

Il leva son verre dans sa direction et la caressa du regard.

— Une fin parfaite pour une journée parfaite. Et si on mettait de la musique ? proposa-t-il en allant fouiller dans la collection de CD.

Ils dînèrent au son d'une douce musique, leurs visages éclairés par les flammes de la bûche qui se consumait dans le feu.

Après le repas, elle se blottit contre lui sur le canapé pour savourer un irish-coffee, accompagné de chocolat noir que sa mère cachait dans un placard, ne les sortant que pour les grandes occasions.

Ils venaient d'échanger un tendre baiser lorsque le téléphone sonna, les faisant sursauter.

— C'est sur la ligne fixe, dit-elle en se levant. Ce doit être maman qui appelle d'Ecosse. Elle savait que je devais venir ce week-end.

Dan se leva à son tour.

— Cela risque de durer quelque temps. Je vais en profiter pour ranger et mettre le lave-vaisselle en route.

Elle alla répondre dans le bureau où se trouvait l'appareil. Mais contrairement à son attente, ce n'était pas sa mère.

— Oh ! mon Dieu ! murmura-t-elle en raccrochant.

Pleine d'appréhension, elle se précipita dans la cuisine pour prévenir Dan.

— C'était Fiona.

— A cette heure-ci ?

— Le jeune couple de la cabane, Scott et Amy, vient de l'appeler. Amy a perdu les eaux.

Dan se figea.

— Ils ont sûrement le temps de se rendre à Hopeton. Est-ce qu'ils ont appelé une ambulance ?

— Fiona a essayé, mais il y a eu un grave accident sur la route de Sydney, entre un semi-remorque et deux voitures. Tout le monde est mobilisé. Ils enverront une ambulance dès que possible, mais Amy a déjà de fortes contractions.

212

Dan eut l'impression qu'il venait de plonger dans une mer infestée de requins prêts à le tailler en pièces. Et il lui était impossible de s'enfuir.

Il tourna la tête pour échapper au regard suppliant de Lindsey et s'agrippa de toutes ses forces au plan de travail. Il devait absolument se ressaisir et agir en professionnel.

Le bébé était probablement déjà bien engagé et ils n'avaient aucune information sur le suivi de la grossesse. Et s'il y avait une hémorragie ? Bon sang, c'était une épreuve dont il se serait bien passé !

— Qu'avez-vous décidé avec Fiona ? demanda-t-il en faisant volte-face.

— Je lui ai dit que je rappellerais dès qu'on se serait organisés.

Elle lui jeta un coup d'œil navré, se doutant probablement que cet événement était la dernière chose au monde qu'il aurait souhaitée.

— De toute façon, on n'a pas le choix, dit-il. Il ne reste plus qu'à espérer que tout se passera bien pour la maman et le bébé. La meilleure solution serait d'installer Amy ici, dans le salon qui est la pièce la plus chaude. Pendant que tu rappelles Fiona, je vais chercher ma trousse dans la voiture.

Sa voix était nette et ferme, comme dans le contexte de l'hôpital. Déjà, il se dirigeait vers la porte d'entrée.

— Je suppose que tu n'as pas de kit de naissance ? demanda Lindsey derrière lui.

Bien sûr que non, il n'en avait pas ! Sans prendre la peine de répondre, il se retrouva dehors et aspira l'air frais à pleins poumons. Il fallait qu'il garde son self-control.

Pourquoi diable avait-elle posé cette question ? se demanda Lindsey, irritée contre elle-même. Dan devait se sentir piégé, acculé dans une situation qu'il aurait tout fait pour éviter. Procéder à un accouchement était certainement la dernière chose qu'il aurait voulu faire. Et qui aurait pu l'en blâmer ?

Elle-même avait déjà participé à des accouchements, mais toujours dans le cadre d'un hôpital parfaitement équipé.

Dan fut rapidement de retour avec sa trousse et ils installèrent la pièce. Le canapé fut converti en lit puis Lindsey le recouvrit de plastique grâce à un rouleau de grands sacs-poubelle pour le jardin. Il l'aida à étaler les draps de coton.

— Amy risque d'être un peu choquée, dit-elle.

Il hocha la tête. Une fois qu'elles avaient perdu les eaux, certaines femmes se mettaient à trembler de manière incontrôlable.

— Je vais raviver le feu, dit-il. A propos, j'ai appelé la maternité de Hopeton et Amy n'y est pas inscrite. Donc aucune chance d'avoir le dossier médical. De toute façon, on n'a plus le temps.

Le jeune couple venait d'arriver, Scott soutenant sa femme. Dan aida Amy à s'installer sur le lit.

— J'ai t-tellement f-froid, dit-elle en claquant des dents.

Lindsey l'entoura d'une couverture.

— Je viens de la réchauffer dans le sèche-linge, dit-elle. Essayez de vous détendre et respirez calmement, ajouta-t-elle en posant une main sur son épaule. Comme ça. Cela va un peu mieux ?

— Mmm. Le bébé était attendu dans trois semaines.

— Tout va bien se passer, dit Dan.

« Et surtout, pourvu qu'il respire », ajouta-t-il silencieusement.

Il se tourna vers Lindsey.

— Pouvez-vous préparer Amy ? Je vais l'examiner.

— Bien, docteur.

Elle s'exécuta rapidement et sourit au futur père, visiblement un peu dépassé par les événements.

— Scott, vous pourriez vous asseoir à la tête d'Amy, tout près d'elle. Je me charge du sac que vous avez préparé pour l'hôpital.

Dan se pencha sur sa patiente.

— Je vais faire aussi doucement que possible, Amy.

Il l'examina soigneusement, ne laissant rien au hasard.

Amy fit une grimace de douleur.

— Qu'est-ce que vous en pensez, docteur ?

— Je crois que votre bébé est impatient de sortir.

Elle étouffa un gémissement.

— Scott… ?

— Je suis là, ma chérie, répondit son mari en lui tenant la main.

Dan prit Lindsey à part.

— Elle est complètement dilatée et le bébé n'a pas l'air gros. Les battements du cœur sont forts. Elle a dû être en travail presque toute la journée, mais elle ne s'en est pas aperçue.

Le regard de Lindsey plongea dans le sien, comme si elle comprenait les efforts qu'il avait dû fournir. Mais maintenant, il contrôlait la situation.

— Aidez-moi…, gémit Amy. J'ai peur de ne pas y arriver…

Comme s'ils avaient pratiqué ensemble des dizaines d'accouchements, Dan et Lindsey encouragèrent chacun leur patiente à chaque contraction.

— On y est presque, Amy, dit-il d'un ton encourageant.

La jeune femme gémit de nouveau.

Lindsey l'aida à trouver une position plus confortable.

— Allez, poussez !

— La tête apparaît. On y est presque, ajouta Dan.

Sa gorge se serra.

— Poussez encore, Amy. Pour une dernière fois.

Amy s'exécuta, et le corps du bébé glissa entre les mains de Dan.

— Vous avez une petite fille.

Il s'attendait à voir un bébé avant terme un peu fragile, mais Mlle Fraser, mignonne et toute rose, poussa un cri offusqué.

— Bien joué…, lui murmura Lindsey à l'oreille, en lui tendant la pince pour couper le cordon.

— J'avais ça dans ma trousse ? s'étonna-t-il.

— Il faut croire, répondit-elle avec un petit sourire. Elle ne sort pas du tiroir de la cuisine.

Elle lui tendit une serviette chaude pour envelopper le bébé puis il le présenta à sa mère.

— Prenez bien soin d'elle, dit-il d'une voix émue.

Un moment plus tard, le jeune couple contemplait le nouveau membre de la famille.

Et Dan se sentait vidé.

— Je vais m'occuper du placenta, dit-il à Lindsey. Est-ce que tu peux trouver un sac plastique pour le transporter ? On l'enverra à l'hôpital pour vérifier qu'il est complet.

Lindsey trouva Fiona dans le couloir et lui annonça la bonne nouvelle.

— Oh ! Dieu merci…, soupira cette dernière.

— Tout s'est bien passé, et c'est surtout grâce à Dan. Il a été étonnant.

— Quelle chance qu'il ait été là, et toi aussi, ajouta Fiona en lui jetant un coup d'œil curieux. Et maintenant, si je faisais du thé ?

— Excellente initiative. Et aussi des toasts, s'il te plaît. Amy doit être affamée. Oh ! Sais-tu si maman a gardé le panier à linge en osier de grand-mère ?

— Il est toujours suspendu au mur de la buanderie. Pourquoi ?

Lindsey sourit.

— Pour faire un berceau provisoire pour le bébé.

— Quelle charmante idée. Que puis-je faire d'autre ?

— Tu pourrais nous dire quand l'ambulance sera là. Il faut aussi prévenir l'hôpital que tout est sous contrôle ici, et qu'ils ne viennent pas pour une urgence.

Après la délivrance, Lindsey resta seule avec Amy pour lui faire sa toilette tandis que Dan emmenait Scott dans le bureau pour compléter le dossier.

L'ambulance repartit avec Amy et le bébé. Scott suivrait plus tard, une fois qu'il aurait récupéré toutes les affaires de la cabane.

— Et maintenant, si on remettait tout en place ? dit Lindsey.

Dan poussa un soupir devant le chaos qui régnait dans le salon et émit un petit rire.

— On a du mal à croire à tout ce qu'il vient de se passer.

— Eh oui. Le genre humain compte un nouveau petit membre…

Elle l'observa du coin de l'œil : il paraissait épuisé. Ces dernières heures, il avait dû subir une sorte de rouleau compresseur émotionnel.

Elle prit une décision rapide.

— Laissons ça de côté pour l'instant. Je sais où papa range son whisky. Un petit verre ?

— Avec plaisir, répondit-il sans hésiter.

De nouveau, ils se retrouvèrent dans la cuisine, assis côte à côte devant le bar du petit déjeuner. Elle avait baissé la lumière et seul le tic-tac de la pendule accrochée au mur brisait le silence.

— Tu es si calme, lui dit-elle. Comment te sens-tu ?

— Ça va aller, répondit-il avec un sourire forcé.

Il vida rapidement son verre.

— Encore un ? proposa-t-elle.

Il secoua la tête.

— Ça va, merci. Je vais prendre une douche et aller me coucher.

Son regard sombre s'attarda sur elle.

— Viens avec moi. Je ne veux pas dormir seul.

Ils firent l'amour lentement, en étant très attentifs l'un à l'autre, jusqu'à ce que le feu de la passion les unisse dans une même extase.

A son réveil, Lindsey trouva la chambre inondée de soleil. Instinctivement, elle tendit le bras pour toucher Dan — mais il n'était pas là. Le drap enroulé autour d'elle, elle se précipita dans sa chambre où elle revêtit à la hâte un pull et un pantalon avant d'aller à sa recherche.

Comme elle s'y attendait, elle le trouva sur la terrasse. Immobile, il avait le regard perdu au loin, absorbé dans la contemplation de quelques nuages qui filtraient le soleil.

On aurait dit qu'il regardait le paysage pour la première et la dernière fois.

— Dan ?

Il se retourna aussitôt.

— Salut…

— Salut, répondit-elle, fronçant les sourcils.

Il portait un pantalon foncé associé à une chemise stricte gris foncé, et ses cheveux étaient encore humides de la douche.

— Est-ce que tu as été rappelé au travail ? demanda-t-elle.

— Non. Si on s'asseyait ? Il faut que je te parle.

Alors seulement, elle remarqua son ordinateur portable ouvert sur la table.

Ils s'assirent l'un en face de l'autre.

— Je vais prendre l'avion, annonça-t-il sans préambule.

— Oh…

Il avait l'air fatigué, des cernes marquant ses yeux.

— Que se passe-t-il ? demanda-t-elle d'une voix presque inaudible.

— Je vais à Melbourne rendre visite à mes parents. Je ne les ai pas revus depuis mon retour des Etats-Unis.

Il y eut un silence.

— Tu ressens maintenant le besoin d'être avec eux ?

— On n'a jamais vraiment eu l'occasion de parler des jumelles. Eux aussi ont eu beaucoup de chagrin. Ils ont perdu leurs premiers petits-enfants. Il faut recréer le lien, parler des bébés… Partager notre perte.

Ce qu'il n'avait pas pu faire avec Caroline, se dit-elle.

— Je suppose que, hier soir, la naissance…

— Cela a tout fait resurgir, alors que je croyais avoir réussi à faire mon deuil.

Il prit un air résolu.

— J'espère que le fait de parler à mes parents m'aidera à avancer. Ils comprendront.

Parce qu'elle n'en avait pas été capable ? Mais elle repoussa rapidement cette pensée.

— Veux-tu que je vienne avec toi ? Pas pour voir tes parents, mais juste pour t'apporter un soutien ?

Dan hésita.

— Merci, Lindsey. Mais je dois faire ça tout seul.

— Quand pars-tu ?

— Tout à l'heure. J'ai un avion pour Sydney à 10 heures,

ce qui me permettra d'attraper une correspondance pour Melbourne juste après.

A l'évidence, il était déjà là-bas mentalement. L'intimité qu'ils avaient partagée n'était plus qu'un agréable souvenir.

Elle se leva avec une sensation de vide au creux de l'estomac.

— Je vais aller faire du café.

— Pas pour moi, merci. Il ne faut pas que je tarde.

Elle secoua la tête.

— Pourquoi ne m'as-tu pas réveillée pour qu'on ait le temps de discuter ?

— Je ne comprends pas, dit-il en fronçant les sourcils.

C'était bien le problème.

— En fait, tu te contentes de… disparaître.

Il parut déconcerté.

— Franchement, Lindsey, de quoi pourrions-nous encore parler ?

Ce fut comme si elle avait reçu une porte en pleine figure. Soudain, toute la magie de leur relation lui sembla être un effet de son imagination. L'homme merveilleux et insouciant qu'elle avait découvert s'était volatilisé.

— Dépêche-toi de partir, alors.

Une fois seule, Lindsey nettoya frénétiquement le salon.

Il aurait dû me prendre dans ses bras, ce matin, pour m'annoncer qu'il partait, se dit-elle tristement. *Il aurait pu au moins faire ça. J'aurais compris.*

Mais il avait choisi de prendre ses distances.

— Eh bien, je n'ai pas besoin de toi, Dan Rossi, dit-elle tout haut en éteignant l'aspirateur du bout du pied.

Elle allait redevenir elle-même, et ne dépendrait d'aucun homme pour être heureuse.

Pendant les trente kilomètres de trajet qui le ramenaient à Hopeton, Dan eut l'esprit agité. Il ne parvenait pas à croire qu'il s'était conduit de cette façon avec Lindsey.

Certes, il n'avait pas fermé l'œil de la nuit, mais ce n'était pas une excuse pour avoir laissé une telle pagaille derrière lui. Il pouvait encore faire demi-tour et arranger les choses. Emmener Lindsey à Melbourne avec lui. Mais un coup d'œil à sa montre l'en dissuada : il raterait sa correspondance. Or, dès le lendemain, il devait faire partie d'une série d'équipes de nuit.

Pensant à Lindsey, qui l'avait simplement rendu heureux d'être vivant, et qui savait le faire rire, il pesta entre ses dents, dégoûté par son attitude. Il aurait dû s'y prendre plus en douceur.

Mais pour l'instant, parler à ses parents était sa priorité. Pour sa propre santé mentale. Et si cela ne marchait pas, il n'aurait plus d'endroit où aller pour se sentir de nouveau entier.

Lindsey passa l'après-midi à évacuer sa colère et sa frustration en se défoulant sur son argile. Elle pétrit et fit tourner un pot après l'autre avant de tout détruire. C'était la mauvaise conclusion d'une mauvaise journée, se dit-elle, désabusée.

Alors qu'elle regagnait la terrasse, le téléphone fixe sonna. Dan ?

Son cœur se mit à battre plus vite. Mais c'était Caitlin Kelly.

— Hello, Lins. Je n'étais pas sûre de te trouver encore à Lark Hill.

— Comment vas-tu ? demanda-t-elle en se perchant sur un coin du bureau.

— Je m'ennuie. En fait, je retourne à Sydney demain. Je me demandais si tu n'aimerais pas changer un peu d'air et m'accompagner. Mon appartement donne sur la place, et ce serait comme au bon vieux temps. On pourrait faire quelques galeries d'art pour toi, quelques clubs pour moi et du shopping pour toutes les deux. Qu'en dis-tu ?

Lindsey n'hésita pas longtemps. Au diable Dan Rossi et ses tergiversations ! Après tout, elle ne lui devait rien.

— Je suis partante. A quelle heure ?

— 6 heures du matin, ce n'est pas trop tôt pour toi ?

— Tu plaisantes… Je te rappelle que je travaille aux urgences d'un hôpital. Mon horloge interne est déréglée en permanence. Je serai prête.

8.

Le dimanche suivant, Lindsey s'assit dans son lit en étouffant un bâillement. Elle vérifia l'heure à son réveil et laissa échapper un grognement : on était au milieu de l'après-midi. Elle avait dormi presque toute la journée. Mais elle était rentrée tard dans la nuit, après son retour de Sydney et son passage au garage de Hopeton pour récupérer sa voiture réparée.

Elle sauta du lit pour aller se doucher puis revêtit un jean et un haut vert après avoir rassemblé ses cheveux en queue-de-cheval.

Une fois dans la cuisine, elle mit la bouilloire à chauffer puis sortit sur la terrasse. De lourds nuages noirs assombrissaient le ciel : un orage n'allait pas tarder à éclater. Elle connaissait bien ce genre de tempêtes qui arrivaient sans crier gare, déversaient d'énormes quantités d'eau puis repartaient aussi vite qu'elles étaient venues. Le vent avait commencé à secouer les branches des arbres et, soudain, un éclair zébra le ciel.

Elle se sentit mal à l'aise, seule dans la maison. Il fallait qu'elle se prépare en cas de panne d'électricité. D'abord, repérer les torches et vérifier que les piles étaient bonnes.

A peine venait-elle d'ouvrir le placard dans lequel étaient rangées les lanternes qu'elle entendit le heurtoir de la porte d'entrée. C'était sans doute Fiona qui venait vérifier si tout allait bien.

Elle se hâta de descendre lui ouvrir.

— Oh…

Aussitôt, un frisson lui parcourut tout le corps. Dan se tenait devant elle, les mains dans les poches arrière de son jean.

— Je comprendrais que tu m'en veuilles, dit-il.

Les doigts de Lindsey se crispèrent sur la poignée de la porte.

C'est rien de le dire.

Elle ouvrit en grand et recula.

— Entre.

Pendant une seconde, le regard bleu vacilla.

— Tu es sûre ?

— Naturellement. Lark Hill accueille tous les étrangers.

Ce fut comme si Lindsey l'avait giflé. C'était donc ce qu'il était pour elle à présent ? Un étranger ? Il devait reconnaître qu'il ne l'avait pas volé.

— J'allais faire du thé, dit-elle.

Dans le hall, Dan remarqua le sac de voyage sur la console.

— Tu es partie ?

— A Sydney, avec Caitlin.

— Et tu as fait un bon voyage ? demanda-t-il une fois dans la cuisine.

— C'était magique. Cait a donné une énorme fête et j'ai vu beaucoup de personnes nouvelles. Exactement ce qu'il me fallait.

Voulait-elle lui faire comprendre que, pour elle, ce qu'ils avaient vécu ensemble était déjà de l'histoire ancienne ?

— On dirait qu'une tempête approche, ajouta-t-elle en préparant le thé. Est-ce que tu as l'intention de rester longtemps ?

— Pourquoi ? demanda-t-il. Tu as l'intention de repartir ?

Elle lui jeta un coup d'œil surpris.

— Non…

Il réprima un soupir de soulagement.

— Tu es toujours en colère contre moi. Et je peux le comprendre.

— Tout de même… Tu reconnais donc que j'ai des raisons de l'être.

222

— J'étais perturbé.

— Et c'est ça, ton excuse ? répondit-elle sèchement. Pendant tout le week-end, on a été tout feu tout flamme, et d'un seul coup…

Elle secoua la tête.

— Je me suis sentie…

— Je sais. J'ai voulu faire demi-tour, mais je n'avais pas le temps.

Lindsey sentit qu'elle se radoucissait. Elle lui tendit un mug de thé.

— Non, merci, pas de thé, dit Dan. J'étais d'équipe de nuit et j'en suis gavé.

— Désires-tu autre chose ? demanda-t-elle.

— Simplement parler avec toi. C'est possible ?

Elle hocha la tête, incapable de répondre. Tout son corps était tendu. Ce qu'il allait dire pouvait soit les rapprocher, soit les éloigner définitivement.

Elle désigna la table de la cuisine et ils s'assirent l'un en face de l'autre.

— Je ne veux pas que tu croies que j'ai coutume de réagir ainsi, commença-t-il en posant une main sur la sienne.

— Tu t'es conduit avec la sensibilité d'un morceau de bois, dit-elle en fixant leurs doigts.

— Il ne faut pas m'en vouloir.

— Dan, tu m'as carrément jetée ! Et cela, juste après ce que nous avions été l'un pour l'autre.

Dan baissa la tête.

— Tu as raison. Et je te prie de m'excuser. La seule chose que je peux dire pour ma défense, c'est que je n'avais pas les idées en place. Je ne voudrais pas que tu doutes un seul instant que, pour moi, ces moments passés ensemble ont été des moments rares, et ils n'ont appartenu qu'à nous.

Elle toussota et posa la question qu'elle retenait depuis qu'il était là.

— Est-ce que le fait de revoir tes parents t'a aidé ?

— J'ai été étonné par leur sagesse…

La voix de Dan faiblit légèrement.

— Et j'ai finalement compris que je ne trahissais pas mes bébés en les laissant partir.

— Oh ! Dan…, murmura-t-elle, émue.

— Cela m'a pris du temps, mais j'y suis arrivé. Je ne leur avais pas dit adieu comme il fallait. C'était si dur — comme un morceau de glace planté en moi qui n'arrivait pas à fondre. Et c'est toi qui as commencé à le faire fondre, Lindsey. Seulement toi.

Elle sentit ses yeux se mouiller.

— Je n'ai fait qu'écouter…

— Non. Tu as fait bien plus que ça. Tu as apporté quelque chose de frais et de merveilleux dans ma vie, et j'ai pris conscience que je devais briser cette camisole mentale que j'avais moi-même enfilée. C'est alors que j'ai pensé que le fait de parler à mes parents m'apporterait la réponse.

Elle le regarda d'un air grave.

— Et maintenant ?

— Tu veux dire… nous deux ? J'aimerais pouvoir te prendre contre moi… Que l'on se retrouve dans les bras l'un de l'autre.

Il y avait une telle chaleur dans son regard que Lindsey se sentit fondre.

— Alors, pourquoi restes-tu assis là ?

Ils se levèrent d'un même élan et s'embrassèrent à perdre haleine. Dan lui souleva les cheveux pour l'embrasser dans le cou, et la chaleur de son souffle sur sa peau la fit frissonner de volupté.

— Dan…, murmura-t-elle.

— Tu m'as tellement manqué… Nos moments ensemble m'ont manqué.

— A moi aussi.

Glissant les mains sous son T-shirt, elle l'attira tout contre elle.

Un coup de tonnerre résonnant à travers la maison les fit sursauter.

— Je n'aime pas ça, Dan, dit-elle en secouant la tête.

— Il n'y a pas de quoi paniquer.

— Ce n'est pas ça. Le problème dans la vallée, c'est

le vent. Il peut faire tomber les lignes électriques et nous laisser sans électricité. Est-ce que ton portable est chargé ?

— Euh… Je crois.

— Je ferais bien d'appeler Fiona. Heureusement, il n'y a plus personne dans les cabanes.

Elle rassembla les torches dans la cuisine et les testa : elles fonctionnaient toutes.

— Quand retournes-tu travailler ? demanda-t-elle.

— Demain soir.

— Donc… Tu peux rester cette nuit ?

Dan lui caressa la joue du revers de la main.

— Si tu veux bien de moi…

Elle fit semblant de réfléchir.

— Je crois que je pourrais y consentir.

— Merci, dit-il en la serrant dans ses bras.

— Je suis si contente que tu sois là…

Il y eut un nouveau coup de tonnerre et elle se blottit contre lui.

— Je vais préparer le dîner pendant que nous avons encore de l'électricité, reprit-elle. Que dirais-tu d'une omelette aux légumes ?

— Super. Je meurs de faim. Pendant ce temps, je vais jeter un coup d'œil dehors et vérifier si la tempête se dirige sur nous.

Lindsey n'avait aucun doute à ce propos. Elle fit rapidement sauter des oignons, des champignons et des courgettes qu'elle parsema d'un mélange d'herbes fraîches et de morceaux de fromage, avant de verser les œufs battus sur le tout.

Lorsque Dan la rejoignit dans la cuisine, elle lui jeta un coup d'œil interrogateur.

— Le temps est vraiment en train de se gâter. Tu n'as pas peur, j'espère ?

Elle releva crânement le menton.

— Les filles de Milldale ne s'effraient pas facilement.

Dan se mit à rire et la souleva dans ses bras pour la faire tournoyer dans les airs.

— Repose-moi, s'il te plaît, protesta-t-elle en riant. Du moins, si tu as envie de manger.

Ils dînèrent avec un œil rivé sur la fenêtre. La pluie s'était mise à tomber avec violence.

— Une chance qu'on n'ait pas à sortir, dit Dan.

Se blottir ensemble dans le lit était une bien meilleure idée. Dan se pencha, effleurant ses lèvres des siennes.

— Je crois que nous avons du retard à rattraper…

Une pulsion de désir et d'amour fit frémir tout son corps.

— Est-ce qu'on fait d'abord la vaisselle ?

Il prit un air offensé.

— Tu es sérieuse ? Certains sujets sont infiniment plus importants que d'autres, tu ne crois pas ?

Lindsey éclata de rire.

— Je suis d'accord.

9.

Mercredi, la semaine suivante…

Après son congé, Lindsey reprit le travail tôt le matin.

Elle n'avait pas revu Dan depuis la tempête, mais à présent qu'elle était de retour… La perspective de le croiser tous les jours amena le sourire sur ses lèvres, et une vague de chaleur la parcourut. C'était une matinée pluvieuse et maussade, pourtant, elle avait l'impression que le soleil irradiait de tous côtés.

Cela lui fit du bien de retrouver l'équipe dans la salle du personnel. Un café à la main, elle alla rejoindre Vanessa à l'une des tables qui donnaient sur un jardin de rocaille. Ce matin, les plantes grasses dégoulinaient de pluie.

— Je te trouve rayonnante, lui dit Vanessa. On dirait que cette pause t'a fait du bien ?

— Ça a été fantastique. Mais je suis contente d'être de retour.

Vanessa plissa les yeux en la regardant.

— Toi, tu dois être amoureuse.

Elle se mit à rire sans répondre.

— Et où en es-tu avec Andrew ?

— Disons que c'est le *statu quo*, répondit Vanessa en faisant la moue.

— N'oublie pas qu'il est à un stade crucial de sa formation. Il n'est peut-être pas en mesure de s'engager pour le moment.

— Mmm…

— Si tu penses qu'il vaut la peine d'attendre, laisse-lui un peu d'espace, Van…

Elle jeta un coup d'œil à sa montre.

— Qui était responsable des nuits ?

— Brooke Bartolomew.

Elle était nouvellement arrivée aux urgences.

— Franchement, je ne la comprends pas, dit Vanessa. Elle ne parle jamais pendant les pauses. Sauf avec Dan. Elle n'a pas arrêté de lui apporter des cafés !

— Ce n'est pas un crime.

Pourtant, Lindsey éprouva une sensation de malaise qu'elle n'aurait pas pu expliquer. La joie qu'elle avait ressentie en arrivant s'était déjà évanouie.

— Et toi, comment se fait-il que tu aies été de nuit ?

— Le petit garçon d'Anita Rayburn était malade. Elle m'a demandé de la remplacer.

Lindsey se hâta de finir son café et se leva.

— Inutile d'attendre, je vais prendre la relève tout de suite.

Penchée sur l'ordinateur, Brooke Bartholomew tressaillit légèrement.

— Oh ! Lindsey… Vous êtes en avance.

— Je peux vous libérer maintenant, si vous voulez. Est-ce que ça va ? demanda-t-elle en fronçant les sourcils. Vous avez l'air un peu fatigué.

— C'est le travail de nuit. Je déteste ça.

— Vous avez été très occupés ?

— Débordés.

— Qui attend encore au triage ?

Elle parcourut la liste des patients. Un nom lui sauta aux yeux et elle fut aussitôt alarmée. *Mia Roche*.

— Où est l'enfant maintenant ?

— J'allais justement la chercher. On a eu un accident de la circulation et un blessé par balle et…

— Mia Roche est inscrite en consultation d'asthme. Vous auriez dû la signaler.

— Je sais. Elle était la prochaine. Je vais la chercher maintenant.

— Non, dit Lindsey d'un ton ferme. Appelez le chef de la réanimation en pédiatrie. Et, s'il vous plaît, n'allez nulle part avant que nous ayons éclairci tout ça.

Puis elle se précipita dans la salle d'attente.

— Erin !

La jeune maman tenait sa petite fille en pyjama dans les bras.

— Depuis combien de temps êtes-vous ici ?

— Longtemps… J'ai essayé de donner à boire à Mia, mais elle a vomi. Elle est si mal…

C'était visible. Lindsey lui tâta le front : son petit corps brûlait de fièvre. Elle savait d'expérience que la température de Mia était beaucoup trop élevée et qu'elle était en danger.

— Venez avec moi, dit-elle, les lèvres serrées.

Elle fut soulagée de voir son équipe rassemblée au poste.

— Vanessa, tu me remplaces. Jess et Gail, j'ai besoin de vous deux en réanimation pédiatrie.

Gail était une de ses assistantes les plus confirmées — un véritable trésor dans ce genre de situation. Toutes les infirmières connaissaient Erin pour l'avoir vue en consultation d'asthme.

Gail entoura la jeune maman d'un bras rassurant.

— Ne vous inquiétez pas, Mia est en de bonnes mains, à présent.

Lindsey plaça rapidement la petite fille sur le chariot de réanimation.

— Erin, vous pouvez suivre Gail, nous allons prendre grand soin de Mia.

— Mais…

— Il vaut mieux laisser les médecins et les infirmières s'en occuper, ajouta Gail. Vous devez être épuisée. Je parie que vous avez été debout toute la nuit.

Lindsey poussa un soupir de soulagement en voyant Gail et la jeune maman quitter la pièce. Sans perdre de temps, elle se tourna vers Jess.

— Il me faut un masque Hudson, Mia a besoin de cent pour cent d'oxygène. Vite !

Jess s'exécuta.

— Elle est brûlante, Lindsey.

Et ils manquaient de temps. Il n'y avait plus qu'à prier que la petite ne commence pas à faire une crise. Et où était le médecin quand on avait besoin de lui ?

— Aide-moi à la tenir, Jess. Il faut lui donner du paracétamol.

Son calme apparent cachait une réelle inquiétude.

Elle glissa un papier buvard contenant du paracétamol sous la langue de la petite fille.

— Espérons que cela fera baisser un peu la température.

Dan arriva en toute hâte aux urgences. Il venait à peine de se garer sur le parking quand il avait été bipé. Pas le temps d'examiner ses états d'âme. Il alla directement en pédiatrie et prit les choses en main, assisté de Lindsey qui lui fit un rapide résumé de la situation.

La petite fille de dix-huit mois qui commençait à être cyanosée fut mise sous perfusion par une veine du pied et sous ventoline et de la pénicilline lui fut administrée.

Au bout de quelques minutes, les doigts de la fillette commencèrent à perdre leur couleur bleue. Elle allait s'en sortir.

Lindsey éprouva un énorme soulagement, heureuse que Dan se soit trouvé là. Même s'il n'en avait pas conscience, il savait naturellement s'y prendre avec les enfants.

— Je vais rester jusqu'à ce que Mia puisse être transférée en toute sécurité en soins intensifs, dit-il. On dirait que ses parents ont tardé à l'amener.

— Pas du tout, répondit Lindsey. Sa mère est toujours très attentive à la santé de Mia. Ce sont les protocoles de triage qui n'ont pas été suivis. On l'a laissée attendre trop longtemps. Je suis intervenue dès que j'ai pu.

— Qui était l'infirmière chargée du triage ?

— Brooke Bartholomew.

Dan se figea. Cela pouvait avoir de graves conséquences pour le département s'il ne disait rien.

— Brooke est confrontée à des problèmes personnels.

Lindsey le regarda comme si elle se sentait prise à contre-pied.

— Tu la connais donc bien ?

Il hésita quelques secondes.

— On s'est retrouvés ensemble en équipes de nuit. Elle avait besoin de parler, et je l'ai écoutée.

L'atmosphère était de plus en plus tendue.

— Qu'est-ce que tu ne me dis pas, Dan ?

Il continua à surveiller calmement sa petite patiente.

— Brooke m'a parlé en confidence, Lindsey. Je lui ai conseillé de demander son transfert d'urgence dans un autre département.

Lindsey fronça les sourcils.

— Si elle n'est pas apte à travailler, elle ne devrait pas être ici.

— Tu as raison, dit-il d'un ton froid. Mais Brooke était compétente quand j'ai travaillé avec elle. Alors que pouvais-je faire, sinon lui conseiller d'agir dans son propre intérêt ? Apparemment, ce n'est pas ce qu'elle a fait. Je t'en aurais parlé si tu avais été là. Fais ce que tu as à faire.

Lindsey secoua la tête.

— Je déteste devoir signaler une autre infirmière. Vas-tu parler avec la maman, maintenant ?

— Oui, bien sûr, répondit-il sans la regarder.

Après le transfert de Mia, Lindsey retourna au poste des infirmières.

— Comment va Mia ? lui demanda Vanessa.

— Elle va s'en sortir.

Elle prit une profonde inspiration. Cela ne lui ressemblait pas d'être aussi à fleur de peau. Normalement, au travail, elle se montrait calme et objective. Mais à la pensée que la situation aurait pu devenir rapidement dramatique pour Mia…

— Peux-tu encore me remplacer, Van, s'il te plaît ? Il faut que je parle à Brooke.

— Je te souhaite bonne chance, marmonna Vanessa. Comprends-moi, je suis désolée pour elle, mais il en va de la bonne réputation de l'hôpital. Nous travaillons tous dur pour que de tels incidents ne se produisent pas.

Lindsey pinça les lèvres. Elle avait commencé la journée avec une telle joie dans le cœur… Et maintenant, il y avait ce problème à régler. Si seulement elle avait mieux connu Brooke…

Elle la retrouva dans la salle du personnel.

— Merci de m'avoir attendue.

— Comment va l'enfant ?

— Elle va s'en sortir, dit-elle en s'asseyant à côté d'elle. Vous savez que je vais devoir faire remonter ce problème à la directrice du service…

— Est-ce que je vais perdre mon travail ? demanda Brooke.

— Pas si vous avez des circonstances atténuantes. Mais cela ne dépend pas de moi.

Un silence embarrassé s'installa. Lindsey remarqua que Brooke avait troqué son uniforme contre un pantalon en denim et un simple T-shirt blanc, et ses cheveux blonds étaient lâchés sur ses épaules. Elle paraissait curieusement vulnérable.

— Avez-vous quelque chose à me dire ?

Brooke releva le menton d'un air de défi.

— A quel sujet ?

— Avez-vous été malade pendant votre service ? Avez-vous eu mal à la tête, ou autre chose qui aurait pu obscurcir votre jugement ?

Brooke se mordilla la lèvre inférieure sans répondre.

— Ecoutez, je ferai mon possible pour intervenir en votre faveur. Mais là, je suis dans le brouillard. Vous étiez au triage, Brooke. C'est-à-dire que vous êtes le premier contact et que vous devez suivre des protocoles très stricts.

— Vous croyez que je ne le sais pas ?

Lindsey n'insista pas davantage.

— Très bien. Mais je vous conseille d'être franche avec Clarissa, et il se peut qu'il y ait une enquête.

Sans rien dire, Brooke pressa une main contre sa tempe.

— Personne ne cherche à se liguer contre vous, ajouta Lindsey. Mais nous devons suivre les règles établies, sinon ce serait le chaos.

Brooke demeura silencieuse.

— Est-ce qu'on a fini ? demanda-t-elle au bout d'un moment.

— Oui. Clarissa vous contactera.

Parfois, des jours comme celui-là, Lindsey avait envie de changer de métier pour aller travailler dans l'atmosphère sereine et parfumée d'une boutique de fleuriste.

— Van, je peux te dire un mot ?

— Que s'est-il passé ? demanda Vanessa avec curiosité.

— Tu sais bien que je ne peux pas t'en parler. Mais j'ai besoin d'air frais. Peux-tu me remplacer encore un peu ?

Lindsey quitta l'hôpital par l'accès arrière. La pluie avait cédé la place au soleil. Appuyée contre le mur de briques, elle rejeta la tête en arrière pour mieux respirer l'air frais.

Ah, cela allait mieux…

Puis elle abaissa le regard.

Pour les voir.

Dan et Brooke se tenaient debout près d'une voiture de sport gris métallisé — à l'évidence celle de Brooke. Leurs têtes très proches l'une de l'autre — l'une brune, l'autre blonde —, ils semblaient absorbés dans leur conversation. C'était Dan qui parlait tandis que Brooke, une main posée sur son bras, l'écoutait comme si sa vie entière en dépendait.

Lindsey sentit quelque chose sombrer dans sa poitrine. Elle prit une profonde inspiration, hésitant entre la peine et la colère.

Désemparée et pleine de doutes, elle tourna les talons et se précipita à l'intérieur de l'hôpital.

A peine était-elle arrivée dans la salle du personnel que Dan la rattrapa.

— Lindsey !

« Fiche-moi la paix ! », cria-t-elle silencieusement en se servant un verre d'eau au robinet de l'évier. Elle avala une gorgée avant de lui faire face.

Dan fit un geste pour la prendre par l'épaule, mais il se figea, sans doute dissuadé par l'expression de son visage.

— Ne va pas interpréter de travers ce que tu viens de voir sur le parking, dit-il. C'est… compliqué.

Lindsey ressentit le besoin de boire encore.

— A quoi est-ce que tu joues, Dan ?

— Je te l'ai déjà dit, Brooke a des problèmes personnels et elle avait besoin d'un ami.

— Comme c'est touchant…, commenta-t-elle avec un petit rire forcé. Dan le confident…

Elle vit les muscles de sa mâchoire se contracter.

— Tout ça est un peu puéril, tu ne crois pas ?

— Dans ce cas, conduisons-nous en professionnels, dit-elle sèchement. Est-ce que tu protèges Brooke ?

— Oh ! par pitié…

— Pourquoi ne peux-tu pas me donner une réponse franche et nette ?

— Coucou, c'est moi !

Vanessa passa la tête par la porte, mais son sourire s'effaça aussitôt.

— Je cherchais… Est-ce que tout va bien ?

— Tout va… bien, répondit Dan, le premier à se ressaisir.

— Tu as besoin duquel de nous deux ? demanda Lindsey.

— Eh bien, de Dan. On a un petit garçon de deux ans qui a avalé un corps étranger. Ça a l'air un peu délicat et Andrew aimerait avoir un avis.

— Pourquoi n'y a-t-il personne en pédiatrie quand on en a besoin ? grommela Dan. Dites à Andrew que j'arrive dans une minute.

Une fois Vanessa repartie, ils restèrent un instant à se regarder.

Dan fut le premier à parler.

— Es-tu en train de me dire que je ne suis pas franc avec toi, Lindsey ?

Elle sentit un pincement au creux de sa poitrine.

— C'est toi qui viens de le dire…

Dan n'avait vraiment pas besoin de ça. Il était harassé de fatigue, ayant été obligé de reprendre le travail alors qu'il aurait normalement dû être encore en congé et passer du temps avec Lindsey. Tout s'était effondré d'un seul coup. Mais il devait absolument essayer de sauver ce qui pouvait l'être.

— Ecoute, Lindsey. Si les choses ont besoin d'être éclaircies, faisons-le. Mais ce n'est ni le moment ni l'endroit. Si je termine à une heure décente, je passerai chez toi et on parlera.

Lindsey haussa les épaules d'un air indifférent.

— Je ne suis pas un enfant récalcitrant que l'on peut calmer en le cajolant, si c'est ce que tu proposes. Ou bien nous sommes sur un pied d'égalité, ou nous ne sommes rien. Et pour l'instant, je parierais plutôt sur rien.

Avant de franchir la porte, elle se retourna et secoua tristement la tête.

— Je croyais que je pouvais te faire confiance.

Pendant une seconde, il resta abattu et muet.

— Mais tu peux, répondit-il enfin.

Elle était déjà repartie.

Travailler près de quelqu'un avec qui on avait une relation personnelle, c'était l'horreur quand les choses dérapaient, se dit Lindsey en retournant au poste des infirmières. Ou peut-être qu'elle n'était pas douée pour les relations amoureuses.

Elle trouva la journée interminable. Lorsque ce fut presque la fin du service, elle retrouva Vanessa au poste.

— Hé, Lins, tu viens prendre un verre avec moi tout à l'heure ?

— Non, merci, pas aujourd'hui. J'ai juste envie de rentrer et de prendre une longue douche bien chaude.

— Comment s'est passée ta réunion avec la directrice ?

— Comme d'habitude, Clarissa a pris les choses avec recul. Si Brooke sait défendre ses intérêts, tout se calmera bientôt. De mon côté, j'ai fait ce qu'il fallait faire en racontant ce qu'il s'était passé.

— Tu es toujours d'une honnêteté scrupuleuse, dit Vanessa. Elle soupira.

— En tout cas, j'ai hâte que la journée soit terminée…

Et elle devait encore affronter Dan le soir. A supposer qu'il se montre…

— Pour ta rentrée, c'est raté, dit Vanessa avec commisération. Pourquoi ne vas-tu pas prendre ta douche maintenant ? Je finirai à ta place.

— Super ! s'exclama-t-elle, sentant ses épaules se délester d'un grand poids. C'est la meilleure proposition que l'on m'ait faite de la journée.

Comment tout cela avait-il pu arriver ? se demanda Dan, effondré, assis derrière son bureau. Il se couvrit les yeux de ses mains : il devait arranger les choses avec Lindsey. Pendant toute la durée du service, elle l'avait évité, déléguant d'autres infirmières pour l'assister.

Il était toujours en train d'étudier un plan d'action lorsque son portable sonna. Au fur et à mesure qu'il écoutait, il se redressait sur son siège.

— Tu fais quoi ?

Lindsey paraissait perdue dans ses pensées lorsque Dan la vit sortir du poste pour se diriger vers la salle du personnel.

— Lindsey…

— Oh !

Elle tressaillit et il marcha à côté d'elle, se maintenant à sa hauteur.

— Martin reprend le travail tout à l'heure, annonça-t-il. Je suis donc libre de partir dans un moment et nous allons pouvoir parler. Préfères-tu que je vienne chez toi ou que l'on se rencontre en terrain neutre ?

Elle parut hésiter brièvement.

— Chez moi, cela ira. Tu n'as qu'à venir directement en sortant d'ici.

Il sentit le soulagement l'envahir.

— Je serai là vers 18 heures. Je peux apporter un plat tout prêt, si tu veux.

— Merci, mais c'est inutile. Juste une chose, Dan…, dit-elle en s'arrêtant.

— Oui ?

— On règle cette question franchement. Sans ambiguïtés.

Son regard suivit le contour de la bouche pulpeuse de Lindsey.

— C'est promis.

— Est-ce que tu as mon adresse ?

— Tu me l'as donnée dimanche dernier.

Ce jour-là, ils étaient blottis ensemble au lit pendant la tempête, et il croyait que rien ne pourrait gâcher leur bonheur tout neuf.

Maintenant, ils étaient malheureux tous les deux et il détestait ça.

Lindsey ne tenait pas en place. Quand Dan arriverait-il enfin ? Elle espérait qu'il n'avait pas eu une urgence de dernière minute.

Son mélange de légumes était prêt à être jeté dans le wok et elle avait cuit du riz pour l'accompagner. Elle respira profondément, s'efforçant de se détendre. On aurait dit que c'était le premier rendez-vous galant de sa vie.

Lorsque la sonnette retentit, elle se retint de se précipiter jusqu'à la porte qu'elle ouvrit posément.

Elle chercha aussitôt son regard.

— Entre, Dan.

A peine l'eut-il revue que Dan sut qu'il allait craquer s'il ne la prenait pas aussitôt dans ses bras. Elle avait cette lueur dans les yeux… Ce regard qui le chamboulait de la tête aux pieds, allumant le feu dans tout son corps.

Il lui tendit les bras et elle vint se blottir contre lui.

— J'ai cru que je t'avais perdue, murmura-t-il. Que je
« nous » avais perdus.

Lui prenant le visage entre ses mains, elle plongea son
regard dans le sien.

— J'ai détesté cette journée.

— Dis-moi que je ne rêve pas. C'est bien toi que je tiens
dans mes bras ?

Doucement, il lui caressa la nuque, ses doigts jouant avec
des mèches de cheveux.

— Est-ce qu'on ne pourrait pas parler plus tard et aller
d'abord au lit ? dit-il d'une voix rauque. J'ai besoin de te
retrouver.

10.

— C'était délicieux, dit Dan avec un sourire satisfait.

Lindsey le regarda tandis qu'il dégustait sa dernière bouchée de légumes sautés.

— Je veux bien te croire, tu t'es servi deux fois.

— C'est que je n'ai pas avalé grand-chose, aujourd'hui.

Elle hocha la tête.

— La journée a été terrible, n'est-ce pas ?

— Une vraie torture pour moi.

— Quant à moi, j'ai eu envie de filer avec ma voiture jusqu'à Lark Hill et de ne plus jamais remettre les pieds dans un service des urgences.

— Cela aurait été une vraie perte, dit Dan d'une voix émue. Tu es une infirmière exceptionnelle, Lindsey. Et une amante exceptionnelle, ajouta-t-il en la caressant de son regard bleu.

Elle tendit une main et leurs doigts se touchèrent.

— Seulement avec toi…

Ce qu'ils avaient découvert ensemble était encore si nouveau. Et si merveilleux.

Je crois que je t'aime.

Mais elle ne le dit pas à haute voix.

— Un café ? proposa-t-elle en se levant.

— Oh ! oui, merci.

Un peu plus tard, ils se retrouvèrent sur son confortable canapé, leur tasse à la main et une assiette de biscuits sablés à l'orange offerts par Fiona posée sur la table basse devant eux.

— Depuis combien de temps habites-tu cet endroit ? demanda-t-il.

— Je l'ai acheté il y a des années, lorsque j'ai décidé que c'était là que j'allais vivre.

— Pour toujours ?

Elle le regarda, surprise.

— Je n'en sais rien. Mais c'est ici que j'ai mon travail et ma famille. Autrefois, la maison était un cottage de mineur. Le gros œuvre est en bon état et je n'ai plus eu qu'à redécorer peu à peu à mon goût.

— Ce sont tes œuvres ? demanda-t-il en désignant les pieds de lampe bleu et blanc en céramique qui ornaient la table.

— Quelques-unes de mes premières pièces.

Elle se mit à grignoter un biscuit, pensive.

— Et toi, tu habites toujours dans un des logements de l'hôpital ?

— Ils ne sont pas si mal, et c'est pratique pour arriver à l'heure le matin. Pour l'instant, en tout cas, cela me convient.

Et après ? se demanda-t-elle. Dan avait signé un contrat à durée déterminée avec l'hôpital, et, le connaissant, elle savait qu'il honorerait son engagement. Mais quand il serait terminé, où irait-il ?

Et qu'adviendra-t-il de nous ? Elle aurait aimé lui poser la question, mais à ce stade, aucun des deux ne connaissait probablement la réponse.

Dan poussa un long soupir, se rappelant la plénitude qu'il avait éprouvée en faisant l'amour avec Lindsey. C'était un véritable choc pour lui — quelque chose qu'il n'avait encore jamais ressenti avec une telle intensité. Lindsey méritait qu'il ne subsiste aucune zone d'ombre entre eux.

— Si tu es d'accord, je crois qu'on pourrait maintenant parler de l'éléphant qui est dans la pièce.

Lindsey sentit son cœur battre à coups redoublés.

— Brooke ? dit-elle. J'ai appris par Clarissa qu'elles avaient eu une longue conversation toutes les deux et que, pour finir, Brooke avait donné sa démission et quitté l'hôpital.

— Elle m'a appelé pour me dire qu'elle quittait aussi la ville, précisa Dan.

Donc, elle avait son numéro de portable, en conclut Lindsey. De nouveau, elle eut une impression de malaise et leva la tête, cherchant ses yeux.

— Est-elle amoureuse de toi ?

— Non. A présent qu'elle est partie, je crois que je peux te raconter son histoire. Mais, auparavant, je tiens à ce que tu saches qu'il ne s'est rien passé sur le parking.

Elle fit la moue.

— Pourtant, elle était pratiquement collée contre toi !

Il fronça les sourcils, puis sourit lentement.

— Je n'y peux rien si les femmes sont folles de mon corps.

— Oh ! un peu de modestie, docteur Rossi ! répliqua-t-elle. J'admets que j'aie pu me tromper. Je t'écoute.

Dan reprit son sérieux.

— Je pense que Brooke souffre d'un état de stress post-traumatique.

— Oh…

— Elle était infirmière dans l'armée et a accompli deux missions en Afghanistan. Elle a même été décorée pour ça. Son fiancé était soldat, et ils étaient rattachés à la même compagnie. Il a été gravement blessé et on l'a amené alors qu'elle était en service.

— Oh ! mon Dieu ! Est-ce qu'il a survécu ?

— Non. On l'a transporté en hélicoptère, mais il était trop tard. Comme j'ai suivi une formation poussée en gestion du stress pendant mon stage de sauvetage, j'ai rapidement senti chez elle quelque chose qui n'allait pas et j'ai réussi à la faire parler. Je lui ai suggéré de demander à être transférée dans un autre service. N'importe lequel sauf les urgences.

— Pourquoi n'a-t-elle pas réagi par rapport à Mia ?

— L'arrivée d'un blessé par balle avait été annoncée et Brooke a reconnu qu'elle avait perdu les pédales. On ne peut pas imaginer ce qu'elle a dû traverser à la guerre.

Lindsey sentit son cœur se serrer. L'incident aurait pu être évité si Brooke était rentrée chez elle et avait laissé quelqu'un d'autre gérer les urgences.

— Quand t'a-t-elle raconté tout ça ?

— Je l'ai accompagnée ce matin, et j'ai insisté pour qu'elle consulte un psy en priorité. Elle m'a dit qu'elle retournait dans sa famille à Sydney et a promis de suivre mon conseil. Je crois que l'incident d'aujourd'hui lui a ouvert les yeux sur son état.

— Brooke était très réservée, dit-elle. C'était difficile de lui offrir son amitié.

— Il ne faut pas t'en vouloir, Lindsey. Dans notre métier, on ne peut faire que ce que les gens nous permettent de faire...

Dan sourit et déposa un baiser léger sur ses lèvres.

— Tu as vraiment cru qu'il y avait quelque chose entre elle et moi ?

— Je reconnais que... j'ai éprouvé un pincement de jalousie.

Il la regarda avec tendresse.

— Tu es tout ce dont j'ai besoin, Lindsey. Alors, est-ce que je peux rester cette nuit ?

Elle sourit à son tour tandis qu'un frisson d'excitation lui parcourait le dos.

— Où voudrais-tu aller, sinon ? Mais n'oublie pas que je commence tôt, demain matin.

— Et moi, je ne travaille pas.

— Alors, je te laisserai faire le lit et nettoyer la cuisine. Mais non, je plaisante !

— Je le ferai quand même. Je ne suis pas mauvais, comme homme d'intérieur.

Elle se blottit contre lui.

— Alors, quel sera ton programme pour la journée ?

— Je vais aller à une conférence sur l'apiculture.

Elle se mit à rire.

— Tu es sérieux ?

Il lui jeta un coup d'œil faussement vexé.

— C'est bon d'avoir un hobby. Et qui sait, je pourrais investir dans un terrain, un jour.

Le lendemain matin, Lindsey alla travailler avec une nouvelle résolution en tête. Normalement, il devait exister une sorte de lien sacré entre les infirmières. Peut-être que si

Brooke avait été plus ouverte… A partir d'aujourd'hui, elle s'assurerait que toutes celles formant son équipe se sentent estimées et soutenues.

A peine arrivée, elle fut rejointe par Vanessa.

— Tu connais la nouvelle ?

— S'il s'agit de Brooke, oui, je la connais. Elle a démissionné.

— J'ai entendu dire qu'elle avait été virée.

— C'est faux, répondit fermement Lindsey. Elle a choisi d'aller retrouver sa famille à Sydney.

Elle décida d'en raconter suffisamment à son amie pour faire taire les rumeurs qui circulaient déjà dans tout l'hôpital.

Vanessa releva le menton d'un air de défi.

— Si quelqu'un s'avise encore de dire n'importe quoi à son sujet, il trouvera à qui parler, marmonna-t-elle.

— Avec diplomatie, s'il te plaît, Van.

— Naturellement…

Toujours dans l'intention d'appliquer sa nouvelle résolution, Lindsey préféra demander à la jeune Jess de lui faire un compte rendu verbal de ses activités plutôt que de consulter les notes.

— Michelle a admis M. Gaines, âgé de quatre-vingts ans, qui présentait des signes de pneumonie, et à qui une voisine a apporté un pyjama et des affaires de toilette. Apparemment, sa petite-fille devrait arriver de Sydney.

— Et comment t'entends-tu avec Michelle ?

— Elle est parfois un peu intimidante, mais hier, elle m'a fait participer au traitement de M. Gaines et c'était très intéressant.

— Parfait, dit Lindsey en souriant.

Jess parut hésiter.

— Hum… Est-ce que je peux passer voir M. Gaines de temps en temps ? Pendant mes pauses, je veux dire.

— Bien sûr. Cela égaiera sûrement sa journée. Cependant, il ne faut pas perdre de vue que les urgences ne sont qu'un point de départ. On ne peut pas y pratiquer une médecine holistique, quelle qu'en soit notre envie. On dirait que ton métier d'infirmière te plaît, Jess…

— Plus que je ne le pensais… Et c'est agréable quand un patient vous remercie parce qu'on a pu contribuer à améliorer son état.

— On pourrait peut-être te nominer pour devenir l'Infirmière de l'année, commenta Lindsey d'un ton taquin. En tout cas, sache que je suis toujours disponible si tu as besoin de discuter de quelque chose en relation avec le travail — ou même de personnel. Cela reste toujours confidentiel, ajouta-t-elle, pensant à Brooke.

— Merci. Est-ce que je peux rester encore après mon service ? J'aime vraiment faire partie de notre équipe.

— Contente-toi de faire ce que tu as à faire. C'est probablement la meilleure façon d'avancer.

Penchée sur le comptoir pour replacer un dossier, Lindsey décida que, si la veille avait été une horrible journée, aujourd'hui avait été plutôt tranquille.

— Comment s'est passée la réunion ? lui demanda Vanessa, assise devant l'ordinateur.

— Elle a été rapide, pour une fois. On va avoir un nouvel infirmier senior dans le département.

— Je sais. Charlie Weston, trente-deux ans, divorcé, a la garde partagée pour sa petite fille de quatre ans, Poppy.

Lindsey secoua la tête.

— Parfois, tu me sidères. Comment sais-tu tout ça ?

— Disons que j'ai mes sources, dit Vanessa avec une petite moue. J'aime être la première informée.

Lindsey réprima un soupir. Combien de temps faudrait-il pour que Dan et elle soient l'objet des rumeurs ? Elle se secoua mentalement. Ils traiteraient le problème quand il se présenterait. Ce qui ne manquerait pas d'arriver.

— Peut-être que le nouveau fera partie de notre équipe ? reprit Vanessa. Annie Logan doit bientôt prendre son congé de maternité.

— Peut-être.

Elle rejoignit son amie derrière le bureau.

— Je peux prendre la suite. Profites-en pour partir tôt, aujourd'hui.

— Merci, Lins. Je vais à la gym. Peut-être qu'Andrew y sera, ajouta-t-elle avec un petit sourire.

Lindsey la regarda partir. Selon elle, Vanessa se faisait des idées. Si Andrew avait voulu une relation plus intime avec elle, il aurait agi depuis longtemps.

Grâce au ciel, Dan, lui, avait su ce qu'il voulait et l'avait obtenu… Elle se demanda s'il serait là quand elle rentrerait. Resterait-il encore cette nuit ?

— Bonjour, Lins.

C'était Greta Ingram, de l'équipe de nuit.

— Bonjour, Greta. Est-ce que tout va bien ?

— Oui, merci. Toi aussi, j'imagine.

Lindsey lui jeta un coup d'œil interrogateur.

— Toi et ton nouveau petit ami, je veux dire…, poursuivit Greta. J'ai entendu dire que Dan et toi aviez quitté ensemble le mariage de Nathan. Vous sembliez très proches, d'après ma cousine Alison.

Comme elle restait sans voix, Greta laissa échapper un petit rire.

— Tu as oublié qu'Alison travaillait dans le service de Nathan. C'est sa maman qui a préparé le gâteau de mariage.

— J'avais aperçu Alison, bien sûr, mais… Il y avait tellement de monde… Qui d'autre est au courant ?

— Personnellement, je n'en ai pas parlé, répondit Greta d'un ton détaché. Mais est-ce que c'est si grave ?

Lindsey réfléchit une minute.

— Je suppose que non. Mais depuis que je suis infirmière, je n'avais jamais eu de relation avec quelqu'un avec qui je travaille.

— Voilà qui est fait… Qu'est-ce que tu as pour moi ? demanda Greta en se rapprochant de l'ordinateur.

Lorsque Lindsey rentra chez elle, il n'y avait aucun signe de Dan. Mais il avait laissé un petit mot sur le comptoir de la cuisine, disant que Nathan et Sami seraient de retour dans la soirée et qu'il allait les chercher à l'aéroport. Il verrait Lindsey au travail le lendemain.

Et il n'a pas pris le double de clé que je lui avais laissé.

Il était d'ailleurs posé bien en évidence sur le mot.

Qu'était-elle censée comprendre ? se demanda-t-elle en allant prendre sa douche. En quelques secondes, elle était de nouveau pleine de doutes. Dan avait dû trouver qu'elle était allée trop loin. Apparemment, il y avait un nouvel éléphant dans la pièce.

Elle se sécha vigoureusement. Pour ce qui était de comprendre les hommes et leurs motivations, elle était, de toute évidence, aussi naïve que Vanessa.

Dès qu'elle vit Dan arriver au travail, le mardi matin, Lindsey, un nœud à l'estomac, alla tout droit dans son bureau. Il fallait qu'elle sache à quoi s'en tenir.

Refermant la porte derrière elle, elle le regarda dans les yeux, un sourire crispé sur les lèvres.

— Salut… Tu as une minute à me consacrer ?

— Bien sûr.

Il s'assit sur le coin du bureau et croisa les bras.

— Est-ce que tu vas bien ? lui demanda-t-il avec un regard de côté.

— Oui. Comment s'est passé ton jour de congé ?

— Très bien.

— Et la conférence ?

— Intéressante.

C'était maintenant ou jamais.

— A propos de la clé… Tu estimes que je suis allée trop vite ?

Dan fronça les sourcils.

— Pardon ?

— Je t'ai laissé un double de chez moi. Apparemment, tu n'en as pas voulu.

— C'est que… On n'en avait pas parlé et je ne voulais pas présumer de quoi que ce soit.

— En d'autres termes, tu as estimé que j'avais brûlé les étapes.

— Enfin, Lindsey… Je ne sais pas ce que j'ai pensé. J'ai trouvé ça un peu… embarrassant.

— Oh ! Dan ! dit-elle en secouant la tête. Je t'ai laissé la clé parce que j'ai pensé que tu pourrais avoir envie de revenir après la conférence et te détendre un peu, même si je n'étais pas là…

Mais même à ses propres oreilles, le scénario ne semblait guère crédible.

Dan sentit un pincement au creux de l'estomac. Comment avait-il pu se tromper à ce point ? Lindsey avait tout ce qu'il avait toujours rêvé de trouver chez une femme. Il avait pris presque avidement tout ce qu'elle lui avait offert dans la chambre à coucher. Pourquoi était-il resté bloqué sur une malheureuse clé ?

— Je suis un imbécile.

Elle sourit en se dirigeant vers la porte.

— Le jury n'a pas encore statué là-dessus. A propos, comment étaient les jeunes mariés ?

Il sourit à son tour.

— Toujours amoureux, apparemment. Ils ont passé une merveilleuse lune de miel.

— Tant mieux. Où étaient-ils ?

— Sur une des îles de la Grande Barrière de corail.

— C'est magnifique. Tu connais ?

— Je n'ai encore jamais eu le temps d'y aller, dit-il.

— Mauvaise excuse… Il faudra qu'on remédie à ça.

Pourquoi avait-il fallu qu'elle fasse ce commentaire ridicule ? se demanda Lindsey. Etant donné la façon dont les choses évoluaient entre elle et Dan, ils avaient à peu près autant de chances de faire un voyage romantique sur la Grande Barrière que de déjeuner en Ecosse dimanche prochain.

De retour à son bureau, elle s'absorba dans la paperasse.

— Est-ce que ça va ? lui demanda Vanessa au bout d'un moment.

— Mmm... Greta a laissé un flyer. Harry et le Rotary ont besoin d'aide pour un projet concernant les enfants handicapés en maternelle. Est-ce que tu pourrais l'afficher dans la salle du personnel, s'il te plaît ?

— Bien sûr. Je suis libre ce week-end, j'irai y faire un tour. Peut-être qu'Andrew viendra...

— Tu l'as vu à la salle de sport ? demanda-t-elle.

— Il n'est pas venu.

— Est-ce que tu crois...

Lindsey se tut. Comment faire pour rester diplomate ?

— Je me mêle de ce qui ne me regarde pas, mais crois-tu que cela marche vraiment entre toi et Andrew ? ajouta-t-elle.

Vanessa haussa les épaules.

— Toi, apparemment, non.

— Oh ! pour ce que je sais des hommes...

— Est-ce que toi et Dan... ?

Lindsey se redressa sur sa chaise. A quoi bon garder le secret ?

— Il nous arrive de nous voir, répondit-elle, laconique.

Son amie la regarda pensivement.

— Tu sais, je commence à croire qu'avoir une relation privée avec quelqu'un au travail est voué à l'échec.

— Cela dépend peut-être de la personne. Mais il est certain que c'est un terrain miné, ajouta-t-elle, morose, avant de répondre au téléphone.

» On nous amène un accident de la circulation. Essaie d'agrafer qui tu peux, et on se retrouve dans la zone des ambulances.

Sur le trajet du retour, Dan émit un grognement de frustration.

Qu'est-ce qui n'allait pas chez lui ? Pourquoi n'avait-il pas pu accepter la clé de Lindsey sans faire d'histoire ?

Parce que, tout au fond de lui-même, il savait que c'était un geste d'amour de sa part. Et — même si elle s'en était

248

défendue — il y avait une attente chez elle, et quand il en avait pris conscience, cela lui avait presque donné des sueurs froides.

Sa façon de gérer sa relation avec Lindsey était pour le moins pathétique. Elle était ravissante, féminine en diable, douce et intelligente. Et elle le faisait rire. Tout en elle l'attirait. Alors, pourquoi n'avait-il pas réglé le problème quand elle était venue dans son bureau ? En lui disant simplement qu'il voulait prendre les choses lentement pour leur bien à tous les deux — après son expérience avec Caroline…

Le moins qu'il aurait pu faire aurait été de la prendre dans ses bras. De la rassurer.

Un appel sur son appareil mains libres le tira de ses pensées.

— Nate ?

— Est-ce que, par hasard, tu serais en train de rentrer chez toi ?

— En fait, je suis presque arrivé.

— As-tu des projets pour ce soir ?

Dan fit la grimace. Il aurait pu en avoir, mais il avait tout fichu par terre.

— Non, je n'ai rien de prévu. Tu as besoin de moi ?

Nathan se mit à rire.

— Tu me connais bien. J'ai besoin d'un coup de main pour finir de déménager mes affaires de l'appartement. Un autre type doit s'y installer la semaine prochaine.

— Quel genre d'affaires ? demanda-t-il prudemment. Je n'ai aucune envie de me coincer le dos.

— Il me reste des livres et diverses bricoles qu'il faudrait charger dans ton coffre. Ce serait sympa…

— Et qu'est-ce que j'aurai en échange ?

— *Fish and chips* pour le dîner, annonça triomphalement Nathan. Plus un excellent bourbon.

— C'est vendu…, répondit-il en riant. Je suis chez toi dans deux minutes.

11.

Vendredi…

Par chance, les urgences étaient bondées, ce qui laissait moins de temps à Lindsey pour penser. Dan l'avait-il trouvée trop entreprenante par rapport à leur relation ? Trop calculatrice ? Elle n'avait surtout pas voulu lui donner cette impression.

Elle se demanda ce qu'il avait fait la veille. Etait-il resté chez lui à penser à elle ? A eux deux ?

— La police vient juste d'amener deux vieux ivrognes, annonça Vanessa. Ils se sont fait tabasser et voler leurs papiers et ont vomi dans la salle d'attente. Ils ont quelques entailles et des contusions, rien de grave. On fait comme d'habitude ?

Elle hocha la tête.

— On les rafistole, on leur donne à manger et on les laisse se reposer avant de les renvoyer.

Vanessa se laissa tomber sur une chaise.

— Tout de même, je me demande comment certaines personnes peuvent laisser leur vie se dégrader ainsi. Pourtant, un jour, ils ont dû être jeunes et pleins d'espoir. Je me demande où ils vont dormir cette nuit…

Lindsey lui jeta un coup d'œil de côté. Cela ne ressemblait pas à son amie de philosopher ainsi.

— Declan pourrait peut-être leur trouver un abri. Est-ce que ça va, toi ? Comme tu as fait des heures supplémentaires, tu peux partir tout de suite, si tu veux. Cela te ferait du bien de sortir de cet endroit.

— Peut-être, répondit Vanessa avec un sourire las.

— A propos, Annie a terminé cette nuit. Son gynéco veut qu'elle prenne du repos avant d'accoucher. Notre nouvel infirmier commence lundi dans notre équipe.

Le visage de son amie s'éclaira.

— Super…

Le téléphone sonna de nouveau et Lindsey décrocha avec un soupir.

— Intoxication alimentaire au St Faith's College, annonça-t-elle. On nous amène dix filles dans vingt minutes.

Lindsey prévint aussitôt Dan et rassembla l'équipe au poste.

— Tout le monde doit être au taquet, dit Dan. On ne connaît pas encore la gravité du problème.

— Et soyez toutes équipées de bassins, insista Lindsey. Il y en a qui peuvent encore vomir.

Deux ambulances arrivèrent, suivies par un Land Rover qui avait transporté plusieurs élèves malades.

Aussitôt, le triage fut mis en place, certaines patientes paraissant plus mal en point que d'autres.

— Jess fait équipe avec Andrew et Michelle avec Vanessa, ordonna Dan. Si vous avez un doute, n'hésitez pas, appelez-moi. Allons-y.

Lindsey se rendit dans le premier box avec Dan. L'étudiante, âgée de seize ans, était pâle et souffrait de diarrhée. Elle ne tarda pas à réclamer la bassine et, après l'avoir auscultée, Dan donna ses instructions.

— Dix milligrammes de maxolon et du lomotil pour la diarrhée. Elle est en train de se déshydrater, il lui faut du glucose à quatre pour cent et la perf saline normale. Qu'elle boive de l'eau à petites gorgées.

Une fois la perfusion en place, Lindsey fut pleinement occupée pendant les deux heures qui suivirent.

— Je ne sais pas toi, mais, moi, je meurs de faim, dit Dan en la suivant dans la salle du personnel.

Ils venaient juste de faire le tour de leurs jeunes patientes, dont les parents étaient maintenant près d'elles, pour vérifier l'évolution de leur état.

— J'ai des sandwichs, si tu veux les partager avec moi, proposa Lindsey.

— Mmm… Je préférerais quelque chose de chaud. Si on allait chez Leo ?

— As-tu une idée de ce qui a pu causer l'intoxication ? demanda Lindsey en chemin.

— Elles ont dû manger quelque chose de douteux au petit déjeuner, puisqu'elles sont tombées malades juste après, répondit Dan. Les services d'hygiène et de santé vont sûrement enquêter et faire analyser tout ce qui a été consommé.

Ils entrèrent dans le café où Dan lui approcha une chaise.

— Je n'ai pas l'habitude de sortir pour déjeuner, dit-elle. Il ne faudrait pas que je m'éloigne de l'hôpital trop longtemps.

— Tu as droit à ta pause, répondit Dan. Et on n'est qu'à cinq minutes si on a besoin de nous.

Elle consulta rapidement le menu.

— Je vais prendre le poisson.

— Et moi, le bœuf strogonoff. J'ai mangé du poisson hier soir, lors d'un dîner improvisé avec Nathan et Sami.

C'était donc là qu'il était, se dit-elle pendant que Leo venait prendre les commandes. Elle était vraiment pathétique, à attendre de pouvoir pénétrer toujours un peu plus dans le monde de Dan.

Soudain, elle prit conscience que le silence était devenu pesant.

— Nathan et Sami se plaisent-ils dans leur nouvelle maison ? demanda-t-elle.

— C'est une vieille demeure du XIXe siècle de style géorgien, avec un immense jardin. Sami est déjà en train de parler de topiaire et de taille de haies.

— Cette fille est incroyable. Et Nathan ?

— Il est terrifié, répondit Dan en riant.

— Sami a toujours su ce qu'elle voulait et fait ce qu'il

fallait pour l'obtenir. Je suppose que c'est ce que Nathan aime chez elle.

— Pendant que j'y pense, lundi, je suis un stage d'entraînement au sauvetage et à la recherche. Si tu es débordée, il y a Nathan qui sera de retour et Martin arrivera à midi.

— Merci de me prévenir. Où a lieu ton stage ?

— Dans les environs.

En quelques secondes, un silence gêné s'était installé. Ce fut Dan qui le rompit.

— Est-ce que tu aimerais sortir pour dîner, demain ? On pourrait aller quelque part où on danse ?

Lindsey leva lentement les yeux.

— Cela aurait été… bien. Mais je retourne directement à Lark Hill après mon service. Mes parents reviennent la semaine prochaine, et je dois vérifier que tout est en ordre pour les recevoir.

Il fut tenté de lui proposer son aide, mais de son côté, elle ne l'avait pas invité et ne semblait pas vouloir de lui là-bas.

Il avala une gorgée d'eau avant de parler.

— On dirait que quelque chose te tracasse, Lindsey. Pourquoi ne me dis-tu pas de quoi il s'agit ?

Elle ne perdit pas de temps à tourner autour du pot.

— J'aime que les choses soient claires dans ma vie, Dan. Et, apparemment, ce n'est pas possible avec toi.

Ils se regardèrent un long moment.

— Dans ce cas, soyons francs, dit-il. Tu m'en veux toujours de ne pas avoir accepté la clé.

— J'avoue que cela m'a blessée.

— Ton geste était spontané et charmant. J'ai agi comme un crétin, je le reconnais. J'aurais pu t'appeler pour régler le problème, au lieu de te laisser ce mot ridicule…

— C'est pourtant ce que tu as fait, Dan. Je ne veux pas avoir à me demander à chaque fois si j'ai eu le bon geste avec toi. Si tu veux sortir de cette relation, dis-le-moi, qu'on en finisse carrément.

En finir ? Il sentit son cœur se serrer. Est-ce que c'était

ce qu'« elle » voulait ? Il avait été l'homme le plus chanceux du monde en trouvant Lindsey. Elle était généreuse et savait pardonner. Mais tout avait ses limites, et elle devait être à bout de patience avec lui.

— Est-ce que tu veux dire… qu'il n'y a plus d'espoir pour nous ? demanda-t-il.

Lindsey eut un mouvement de recul.

— Je n'ai pas du tout dit ça. Mais je n'arrive plus à être moi-même avec toi.

Il y eut un nouveau silence pendant lequel il sentit son cœur battre à coups précipités dans sa poitrine.

— J'ai bien entendu ce que tu viens de me dire. Je ne veux pas te perdre, Lindsey. Je ne veux pas *nous* perdre.

Lindsey vit Dan contracter les épaules. Elle ne voulait pas mettre la pression sur lui et le forcer à faire des choses qu'il n'était pas prêt à faire. Mais ils ne pouvaient pas continuer ainsi, à ne pas savoir ce que l'autre pensait la moitié du temps.

— Je ne veux pas non plus renoncer à nous, Dan.

— Alors, cela n'arrivera pas.

Elle lut comme un appel dans son regard bleu.

— Voici donc le nouveau Dan, celui qui communique, déclara-t-il. Si je ne craignais pas d'être indiscret, je te proposerais de venir te rejoindre à Lark Hill, dimanche. On pourrait passer la journée ensemble et je te donnerais un coup de main.

— Pourquoi pas ? Ce serait un pas dans la bonne direction. Il faudrait que tu arrives tôt, ajouta-t-elle en lui tendant la main par-dessus la table. Je te mettrai tout de suite au travail.

Dan entrelaça ses doigts aux siens et son regard devint trouble.

— J'ai envie de t'embrasser, murmura-t-il.

— Pas maintenant. Voici Leo avec les plats.

— Dimanche, alors ?

Elle hocha la tête. L'atmosphère s'était détendue, elle pouvait maintenant apprécier son repas.

Quand ils retournèrent au poste des infirmières, Vanessa les attendait. Il y avait eu un accident de la circulation : une femme enceinte de dix semaines avait sorti sa voiture à reculons de son allée et heurté un véhicule utilitaire qui n'avait pas eu le temps de l'éviter. Tous les deux étaient choqués, l'homme avait des contusions au niveau des côtes et de l'attache de la ceinture. Quant à la femme, elle n'avait pas de fracture, mais avait très peur de perdre son bébé.

— Michelle et Andrew peuvent les prendre en main, dit Dan. J'ai une réunion avec le conseil d'administration. Lindsey, vous supervisez.

Andrew s'occupa de l'homme et Lindsey demanda à Jess d'assister Michelle qui se chargea d'ausculter la patiente enceinte, notamment au niveau de la ceinture de sécurité. L'examen au stéthoscope ne révéla aucun dommage et le Doppler indiqua que le cœur du bébé battait très régulièrement. Pour plus de sécurité, Michelle pratiqua une échographie.

En conclusion, il n'y avait rien d'inquiétant, mais la future maman fut gardée en observation et mise sous perfusion saline pour quelques heures. Lindsey se chargea de faire parvenir les notes la concernant chez son médecin traitant à Sydney.

Dimanche à Lark Hill…

Les mains appuyées sur la balustrade de la terrasse, Dan et Lindsey contemplaient le carré de pelouse fraîchement tondu en contrebas.

— Merci de t'en être chargé, lui dit-elle.

— Avec plaisir. Y a-t-il autre chose que tu voudrais que je fasse ?

— Eh bien… Si cela ne t'ennuie pas, il y a le bois à ranger à côté de la cheminée. On a beau se rapprocher de l'été, les nuits peuvent être encore fraîches.

Dan était tout près d'elle. Tellement près qu'il lui suffisait de pencher la tête pour prendre possession de sa bouche…

Pendant que Dan apportait le bois, Lindsey prépara le déjeuner.

— J'ai fait des burgers, dit-elle quand il traversa la cuisine. Mais, aujourd'hui, on est en mode végétarien : ils sont à la patate douce et au quinoa.

Il prit un air si exagérément catastrophé qu'elle ne put s'empêcher de rire.

— Je te promets qu'ils ne seront pas fades. J'ai préparé une sauce au yaourt pimentée pour les accompagner. C'est bon de sortir un peu d'une alimentation trop carnée, ajouta-t-elle d'un ton professionnel.

— Ai-je dit le contraire ? demanda-t-il en haussant les sourcils.

Elle l'aimait quand il était ainsi : espiègle et enjoué. Et ses yeux bleus lui envoyaient des messages qui la faisaient fondre intérieurement.

Dan souleva le plateau.

— Est-ce qu'on mange sur la terrasse, comme d'habitude ?

— Pourquoi pas ? répondit Lindsey en portant les verres et une carafe d'eau. C'est un peu notre coin spécial, et j'adore être là.

« Et moi, je t'adore, toi », aurait-il pu ajouter.

Pourquoi ne l'avait-il pas fait ? Parce qu'il craignait les répercussions que cela entraînerait. Etait-il prêt à quitter la sécurité du rivage pour emmener Lindsey avec lui, et naviguer avec elle vers une destination inconnue ?

— Cela ne t'ennuie pas si je te pose une question concernant le travail ? demanda-t-il à la fin du repas.

— Je t'écoute, dit Lindsey en remplissant de nouveau les verres.

— L'évaluation de Michelle est bientôt terminée et elle va changer pour un autre département. J'aimerais savoir comment tu l'as trouvée.

— Pourquoi moi ? objecta-t-elle. C'est à Martin et toi de l'évaluer.

— Je le sais bien. Mais les infirmières passent leurs journées avec les médecins juniors. Et j'ai une entière confiance dans ton jugement.

— Dans ce cas… L'attitude de Michelle a été peu bienveillante envers les infirmières débutantes qui ont besoin de prendre confiance en elles tout autant que les jeunes médecins. Mais les choses se sont sensiblement améliorées ces derniers temps.

Il sourit.

— Depuis que tu as discuté avec elle.

Lindsey haussa les épaules.

— Je crois qu'elle a finalement compris qu'aux urgences elle était un membre parmi d'autres et que le groupe constituait une équipe. Je t'assure que, du point de vue des infirmières, c'est un énorme progrès.

— Au plan professionnel, elle me semble très sûre, tu es d'accord ?

— Oui. Elle a l'air d'avoir confiance dans son diagnostic et son traitement. Je vous signale que la consultation n'est pas gratuite, docteur Rossi, conclut-elle.

— Je veillerai à ce que vous soyez largement dédommagée, répondit-il d'une voix grave et chaude qui fit courir des frissons sur sa peau.

Faire l'amour l'après-midi était très tentant. En plongeant dans son regard, elle sut qu'il avait la même idée…

Le portable de Dan sonna.

— Bon sang…

Avec un soupir, elle rassembla la vaisselle sur le plateau et le laissa répondre.

Quelques minutes plus tard, il la rejoignait à la cuisine, l'air grave.

— La base de sauvetage m'a appelé. Il y a une urgence au mont Rowan.

— C'est à quelques kilomètres d'ici par la route. Que s'est-il passé ?

— Un groupe composé de quelques jeunes d'une paroisse

encadrés par deux adultes faisait de la descente en rappel, quand l'un des garçons s'est mal réceptionné et s'est cogné contre une roche saillante. Il est resté suspendu dans le vide, inconscient.

— Oh ! mon Dieu ! Mais pourquoi fait-on appel à toi ?

— Parce que je m'étais porté volontaire pour le week-end dans le cadre de ma formation au sauvetage, et il se trouve que nous sommes tout près. Cela risque de prendre du temps avant que la base puisse réunir une équipe.

— Dans ce cas, je viens avec toi, dit-elle d'un ton résolu. Il suffit que j'emporte mon propre équipement. Tout le monde fait de l'escalade, dans la région. Et toi ?

— J'ai déjà le mien dans ma voiture puisque je dois faire une journée d'entraînement demain. Alors, on fait équipe ? dit Dan en levant une main.

Elle y claqua la sienne.

— On dirait…

Toby Marshall, le responsable du groupe, les attendait en haut de la falaise. Dan fit les présentations et il leur serra la main chaleureusement.

— Je suis content de vous voir !

— De qui s'agit-il ? demanda Dan.

— Riley Dukes. Il a seize ans. D'après mon estimation, il doit se trouver à environ vingt mètres au-dessous de nous. Comme il a besoin d'une évaluation médicale, ce sera à vous de vous y coller, doc.

— On y va tous les deux, intervint Lindsey. Je suis infirmière et j'ai souvent fait des descentes en rappel.

Elle ne précisait pas qu'elle n'avait plus pratiqué depuis un certain temps. Toby vérifia soigneusement leur équipement puis il montra à Dan le harnais spécial qu'il devrait porter pour récupérer Riley.

— Vous aurez son poids en plus du vôtre, alors faites attention au moment où vous couperez la corde.

En rebondissant sur la façade de granit de la falaise, Dan ressentit une poussée d'adrénaline familière.

— On y est presque, dit-il à Lindsey, qui se trouvait légèrement au-dessus de lui.

Il lui jeta un coup d'œil et la trouva un peu pâle. Une soudaine envie de la protéger s'empara alors de lui. Plus vite ils auraient réussi à remonter le garçon, mieux ce serait pour tout le monde.

Riley gisait, inerte, au bout de son harnais. Il était tellement penché en avant que son corps avait là forme d'un U. Dan réussit à se positionner non loin de lui et le saisit par la taille. Son teint était en train de virer au bleu. Il lui prit le pouls : il était faible.

— Bon sang ! Il ne respire pas…

En se penchant davantage, il réussit tant bien que mal à envoyer plusieurs bouffées d'air dans les poumons de leur patient. Au bout de quelques secondes d'un silence assourdissant, Riley se mit à tousser.

Il n'y avait pas de temps à perdre car il avait un genou fracturé et du sang coulait de sa blessure à la tête. Il avait dû frapper très fort contre la roche car un casque le protégeait.

Malheureusement, Dan ne parvint pas à aligner son corps contre le sien pour l'attacher, l'inertie du jeune homme compliquant la tâche.

Il jura entre ses dents.

— On va être obligé d'attendre les hommes de la base, dit-il à Lindsey.

Mais le temps pressait. Arriveraient-ils à temps ?

La décision de Lindsey fut vite prise.

— Donne-moi les mousquetons, Dan.

— C'est ridicule ! Tu n'arriveras jamais à le porter, il est beaucoup trop lourd.

— Certes, mais nous devons trouver une solution, le temps est précieux. Il faudrait que tu essaies de nouer tes mains sous les fesses de Riley et de le soulever jusqu'à ta taille. Je pourrai attraper son harnais et vous attacher ensemble.

Dan détestait que la situation, et donc son contrôle, lui échappe.

— On n'a pas le choix, dit-il enfin en s'exécutant.

En un éclair, Lindsey se rappela la technique du *smearing* dans laquelle le poids du grimpeur reposait surtout sur un pied, réduisant la charge des bras, ce qui lui permettait de les étendre au maximum.

Elle devait faire vite car Dan ne pourrait pas porter longtemps le poids de Riley à bout de bras.

Quelques secondes lui suffirent pour exécuter les mouvements — des secondes qui parurent des heures à Dan. Enfin, les mousquetons furent fixés, et Dan se retrouva attaché à son patient.

— C'est fait, annonça-t-elle.

Lindsey se rappelait à peine comment ils étaient redescendus. Seul comptait le soulagement qu'elle avait éprouvé lorsque Dan avait coupé la corde de Riley et qu'ils avaient pu amorcer leur descente.

De nombreuses mains se tendirent vers eux quand ils touchèrent le sol et elle entendit même un discret « bravo ». Riley fut aussitôt installé sur un brancard.

En défaisant son harnais, elle sentit ses jambes fléchir légèrement sous elle et un goût de bile envahi sa bouche. Elle n'allait tout de même pas flancher maintenant en étant malade devant tous ces hommes !

Quelqu'un de la base lui tendit une bouteille d'eau qu'elle accepta avec reconnaissance.

— Beau travail, Lindsey…

Elle esquissa un faible sourire et but avidement quelques gorgées, recouvrant peu à peu son équilibre. Puis elle ôta son casque et secoua ses cheveux en se dirigeant vers le brancard déposé à l'ombre d'un arbre.

Dan était penché sur le blessé.

— Il vient de reprendre conscience, lui dit-il par-dessus son épaule. Tout va bien, on s'occupe de toi, ajouta-t-il à l'intention de l'adolescent. Reste tranquille, on va t'apporter de l'oxygène.

L'appareil portable apparut comme par magie, ainsi qu'une couverture de survie.

— Comment va-t-il, doc ? demanda anxieusement Toby Marshall qui allait devoir fournir des explications aux parents de l'adolescent.

— En plus du trauma crânien, il a une fracture de la rotule et peut-être une côte fêlée, répondit Dan. Il faut l'emmener à l'hôpital.

Il se tourna vers l'auxiliaire médical.

— Je vous le confie, Terry. Ses parents doivent être en train d'arpenter la salle d'attente des urgences.

Le soleil se couchait déjà et un vent froid s'était levé alors que Dan rangeait rapidement son matériel d'escalade dans le coffre de son Land Rover.

Les bras serrés autour de la taille, Lindsey le regardait faire. Ce dimanche avait vraiment été une journée très particulière.

Dan fronça les sourcils.

— Pourquoi ne t'es-tu pas assise dans la voiture ?

— Je voulais t'attendre.

— Mmm…, marmonna-t-il en l'étudiant attentivement. Besoin d'un câlin ?

Il lui ouvrit les bras et elle s'y précipita, se blottissant contre lui tandis qu'il la berçait tendrement.

— Tu sais, tu as été épatante, aujourd'hui. Je n'aurais pas pu y arriver sans toi. On aurait dit que tu n'avais pas peur du tout.

Elle laissa échapper un petit rire désabusé.

— Oh ! si ! Mais dans la région, l'escalade est pratiquement une religion. Je l'ai beaucoup pratiquée à l'adolescence, avec de bons professeurs. Cependant, aujourd'hui, c'était la première fois que j'étais face à une situation d'urgence.

Dan hocha la tête.

— J'espère que ça ne t'arrivera plus jamais.

Elle glissa les mains sous son T-shirt, goûtant la chaleur de sa peau.

— J'avoue que je n'ai pas beaucoup aimé ça. En revanche, j'ai été impressionnée par *tes* performances. Et maintenant, Dante, si tu me ramenais chez moi ?

— Malheureusement, il faut que je rentre directement à Hopeton, dit Dan alors qu'ils arrivaient à Lark Hill. Demain matin, mon entraînement commence à 6 heures.

— Et tu as besoin de récupérer. Moi aussi, je vais rentrer. Je démarre tôt demain et je dois accueillir un nouveau membre dans l'équipe. Il vaudrait mieux que je paraisse alerte et opérationnelle.

Dan lui prit la main et la porta à ses lèvres.

— J'aurais préféré me coucher avec toi et te tenir dans mes bras toute la nuit…

Dès que Dan s'arrêta devant la maison, ils défirent leur ceinture de sécurité et se jetèrent dans les bras l'un de l'autre. Ce fut un long baiser, chacun s'attardant à goûter la saveur de l'autre.

— Il vaut mieux que je n'entre pas, dit-il d'une voix rauque en appuyant son front sur le sien. Est-ce que ça va aller ?

— J'ai seulement à rassembler mes affaires dans ma voiture et je m'en vais.

Lindsey se mordit la lèvre.

— Juste une chose avant que tu repartes… Je ne sais pas exactement ce que tu es censé faire comme folie demain, mais… s'il te plaît, sois prudent. Promis ?

Sentant son cœur se remplir d'amour pour cette femme, il lui leva doucement le menton et plongea son regard dans le sien.

— Je te promets de ne rien faire d'irréfléchi. Et je te reviendrai sain et sauf, Lindsey.

12.

Le lendemain matin, quand Lindsey jeta un coup d'œil dehors, elle vit tomber une pluie fine et pénétrante — de celle qui amène le sourire aux lèvres des agriculteurs.

Elle se dirigea vers la salle de bains en faisant la grimace. Tous les muscles de son corps protestaient à cause de l'expédition de la veille.

Arrivée à l'hôpital, elle se rendit à la salle du personnel.

— Ah ! Te voilà, dit Vanessa en s'emparant du journal de Hopeton. Alors comme ça, Dan et toi avez sauvé quelqu'un sur une falaise. Et qu'est-ce que vous avez fait d'autre hier, mademoiselle Stewart ?

Haussant les épaules, Lindsey jeta un coup d'œil à l'article avant de se servir une tasse de thé.

— Pourquoi ont-ils jugé bon d'en parler dans le journal local ?

— Parce que le gamin que vous avez tiré d'affaire est le petit-fils d'Angus Whittaker, le député de la région. Pourquoi ne passerais-tu pas voir Riley à l'heure des visites ? Je suis sûre que sa mère serait ravie de rencontrer les sauveteurs de son fils.

Lindsey écarquilla les yeux.

— Tu crois que je devrais y aller avec ma liste d'équipements dont on a besoin aux urgences, au cas où elle voudrait faire un don ?

— Sait-on jamais ? M. Whittaker ne devrait pas non plus tarder à venir voir son petit-fils.

— Très bien, dit-elle en soupirant. J'irai rendre visite à Riley.

— Et le reste de ma question ?

Lindsey leva les yeux au ciel. Lorsque Vanessa flairait une intrigue, elle était comme un bouledogue avec son os : elle ne lâchait jamais.

— Hier, Dan a passé la journée avec moi à Lark Hill. Satisfaite ?

— Alors… Vous êtes ensemble ? dit Vanessa en rapprochant la tête.

Comment dire autrement ? se demanda Lindsey en avalant une gorgée de thé.

— Oui.

Il y eut un silence.

— Oh ! mon Dieu !

Vanessa avait les yeux fixés sur la porte.

— Ça, c'est ce que j'appelle être baraqué.

Lindsey se retourna. *En effet.*

— Ce doit être notre nouvelle recrue, dit-elle. Je vais lui souhaiter la bienvenue.

Vanessa était déjà debout.

— Attends-moi…

— Est-ce que je suis au bon endroit ? demanda Charlie Weston, son regard bleu-vert hésitant entre les deux.

— Et vous êtes pile à l'heure…, dit Vanessa, attirant aussitôt son attention.

— J'ai apporté des muffins, dit Charlie.

— Pomme et myrtilles ?

— Thon et moutarde.

— C'est très bien aussi. Viens, je vais te montrer où ranger tes affaires.

Lindsey secoua la tête. Déjà, ces deux-là étaient sur la même longueur d'onde.

Un peu plus tard, lorsque l'équipe fut rassemblée, elle répartit les tâches.

— Vanessa, je te charge de montrer les lieux à Charlie. Appelle si tu as besoin de moi.

— Merci, Lins, répondit son amie avec un clin d'œil discret. Je suis sûre que tout se passera bien.

En les regardant s'éloigner, Lindsey remarqua que les

cheveux mi-longs de Charlie étaient attachés en une queue-de-cheval serrée. Elle avait déjà noté que ses mains et ses ongles étaient nets. Parfait, se dit-elle avec satisfaction. Il allait bien s'intégrer dans l'équipe.

Vers le milieu de l'après-midi, elle eut du mal à garder les yeux ouverts. L'escapade de la veille l'avait plus éprouvée qu'elle ne l'avait cru. Elle se demanda comment cela se passait pour Dan.

Après avoir pris plusieurs profondes respirations, Dan tenta de s'éclaircir les idées pour la énième fois. En temps normal, il aurait tout suivi sans aucun problème. Mais aujourd'hui…

Ils avaient terminé l'entraînement physique et devaient encore suivre un exposé sur la façon de manipuler du matériel douteux. Ensuite, il en aurait fini et, ce soir, il retrouverait Lindsey pour aller dîner avec Nathan et Sami.

Par ailleurs, samedi, il irait à Lark Hill faire la connaissance de la famille de Lindsey. Leur couple était en train de s'officialiser, et il était surpris de constater à quel point cela lui faisait du bien.

Vendredi…

— Lindsey, est-ce que tu vas à la réunion de travail de Greta, demain ? demanda Vanessa en passant au poste des infirmières.

— Je vais y passer un moment, répondit-elle. Mon père vient d'avoir soixante ans et nous faisons un dîner d'anniversaire pour lui à Lark Hill.

Elle avait aussi invité Dan.

— D'après ce que je sais, il y aura du monde, poursuivit Vanessa. Même Charlie sera là. Figure-toi qu'il a repris l'appartement de Nathan, ajouta-t-elle en rougissant. Je l'ai aidé un peu à le retaper.

— On dirait que toi et Charlie, vous vous entendez bien, non ?

Vanessa arbora un air désinvolte.

— Il est amusant, et sa petite fille Poppy m'aime bien. Avec lui, je peux être moi-même. Il est gentil et pas compliqué.

Et si différent d'Andrew, ajouta silencieusement Lindsey. Elle était contente pour son amie. Et aussi pour Charlie. Vanessa était une perle.

Une semaine plus tard...

Le moment était venu.

Dan s'arma de courage. Il avait l'autorisation d'embarquer et ses bagages étaient prêts. Il n'avait plus qu'à prévenir Lindsey. Il savait que cela ne lui plairait pas, mais il faisait ce qu'il devait faire.

Il consulta sa montre. Il était encore tôt, mais elle serait sûrement levée et il ne disposait pas de beaucoup de temps.

La sonnette de la porte d'entrée fit sursauter Lindsey qui se leva en chancelant. Qui donc pouvait bien venir à cette heure ?

Elle alla ouvrir en pantalon de pyjama et T-shirt.

— Dan... Tu as un problème ?

— Non, rassure-toi, répondit-il avec un sourire contraint. Je t'ai réveillée ?

— Comme je commence tard, je comptais en profiter pour faire la grasse matinée...

— Je m'occupe du thé, proposa-t-il, se sentant coupable.

Pendant ce temps, elle alla revêtir un jean et se coiffer, puis retrouva Dan dans la cuisine.

Il lui tendit un mug de thé et il avait préparé des toasts.

— Alors... ? demanda-t-elle.

— J'ai quelque chose à te dire, commença-t-il d'un ton

hésitant. As-tu suivi les informations ces dernières vingt-quatre heures ?

Elle secoua la tête.

— J'ai raté quelque chose ?

— Un cyclone de catégorie trois a frappé le littoral de la Nouvelle-Guinée, et particulièrement une petite île au nord appelée Cloud Island. Il y a d'énormes dégâts et des secours ont été organisés pour envoyer des provisions et du personnel. Je me suis porté volontaire et je m'envole aujourd'hui à midi.

— Oh…

Elle prit une profonde inspiration.

— Est-ce que c'est très dangereux ?

— Dans mon cas, je vais aider à installer un hôpital de campagne et à soigner les blessés.

— Et tu sais… s'il y en a beaucoup ?

« Peut-être des centaines », répondit-il silencieusement.

— C'est difficile à établir actuellement, mais l'état de catastrophe naturelle a été déclaré…

— Combien de temps seras-tu parti ?

— Je ne sais pas encore. Quelques semaines, probablement. Une fois l'hôpital en place, l'armée commencera à prendre la relève. Mais pour l'instant, ils ont besoin d'avoir le plus de monde possible sur le terrain.

Il serra les mâchoires.

— Et je suis entraîné pour ce type d'urgence, Lindsey. Je ne peux pas rester assis sans rien faire.

Lindsey se sentait partagée. Une moitié d'elle était extrêmement fière de Dan, mais l'autre moitié…

— Tout ce que je peux te demander, c'est de faire attention à toi.

— Naturellement, répondit-il en lui prenant une main. Toi aussi, sois prudente pendant mon absence.

— Je ne fais qu'aller au travail et rentrer chez moi, dit-elle avec un petit rire. Il ne devrait pas m'arriver grand-chose.

— Est-ce que tu m'accompagneras à l'aéroport ?

Elle le regarda longuement et, soudain, vit clairement les choses sous son angle à lui. Il *devait* partir. Et elle était

267

heureuse et fière de son humanité et de la profondeur de son engagement en tant que médecin. Il voulait que ses compétences soient utiles partout où c'était possible.

— Evidemment, répondit-elle.

— Tu ne prends pas grand-chose, dit Lindsey, constatant que Dan n'avait qu'un sac.

Ils étaient dans la salle d'attente de l'aéroport de Hopeton et se tenaient par la main comme s'ils ne devaient jamais se lâcher. Elle avait la gorge serrée.

— Je vais essayer de faire une vidéo pour que tu puisses me voir en treillis, dit Dan. Regarde les infos à la télé, ce soir. Il y aura sûrement une caméra ou deux pour filmer notre départ. Je te ferai un signe.

Cette fois, les dés étaient jetés. Il allait partir. Elle sentit ses lèvres trembler.

Dan s'en aperçut et fut surpris par l'avalanche d'émotions qui s'abattit sur lui. Il en était certain à présent, il était tombé fou amoureux de cette femme merveilleuse, et ce qu'il avait à lui dire ne pouvait pas attendre une minute de plus.

— Je t'aime, Lindsey Stewart. Veux-tu m'épouser ?

Les yeux écarquillés, elle ouvrit puis referma la bouche sans rien dire. Puis son sourire s'élargit.

— Oh ! Dan…

— Est-ce que ça veut dire oui ? demanda-t-il, les yeux plongés dans les siens.

— Oui, bien sûr ! Comment pourrais-tu croire le contraire ?

Il lui sembla que son cœur allait exploser de joie. Oubliant la foule autour d'eux, il l'attira contre lui et l'embrassa avec passion.

— Quand ?

— Dès que tu voudras, répondit-elle, tremblante d'émotion. Pourquoi pas à ton retour ?

— Parfait, dit-il avec empressement. Entre-temps, réfléchis au mariage que tu souhaiterais, et je ferai de même.

Son regard s'assombrit un instant.

— Tu n'es pas gênée par mon passé ?

268

Elle posa les doigts sur sa bouche pour le faire taire.

— Quel passé ? Il s'agit de *nous*, Dan.

Lui prenant les mains, il les plaqua sur sa poitrine, comme pour réaffirmer leur engagement.

— A mon retour, je ne veux plus jamais être éloigné de toi.

— Ce ne sera pas nécessaire, Dan. Nous serons ensemble.

Il l'embrassa tendrement.

— Oh ! ma Lindsey… C'est le plus beau jour de ma vie.

— Le mien aussi, dit-elle avec un sourire tremblant. On appelle les passagers de ton vol. As-tu tout ce qu'il te faut ?

— Tout sauf toi.

Il lui donna un dernier baiser passionné.

— Cela m'aidera à tenir le coup. Je t'aime, dit-il en s'éloignant.

— Je t'aime aussi.

Mais il était déjà parti.

Deux semaines plus tard…

— As-tu eu des nouvelles de Dan récemment ? demanda Vanessa en la retrouvant dans la salle du personnel avant de commencer à travailler.

Lindsey fit la grimace.

— La réception est très mauvaise, là-bas. On n'a pu échanger que quelques rares coups de téléphone.

Vanessa lui jeta un coup d'œil de côté.

— Je te trouve l'air un peu triste. Il te manque vraiment, n'est-ce pas ?

Elle acquiesça lentement.

— Chaque jour me semble un mois… Dan m'a demandé de l'épouser dès son retour, ajouta-t-elle au bout de quelques secondes.

Son amie en resta bouche bée.

— Oh ! Lins, c'est fantastique ! Et naturellement, tu as dit oui. Comment as-tu pu garder cette nouvelle pour toi ?

— A vrai dire, je m'en remets à peine…

Elle avait besoin de la présence de Dan pour la rendre réelle.

— Je vais t'aider à tout préparer, dit Vanessa. On va faire une liste de tout ce qu'il faut. Il y a la robe à choisir, bien sûr. Et la liste des invités à établir. Et les fleurs…

Lindsey ne put se retenir de rire.

— Merci, Van. Mais j'ai besoin d'y réfléchir encore tranquillement.

Plus tard dans la journée, Lindsey eut la surprise de recevoir un appel de Sami.

— Est-ce que tout va bien ? s'inquiéta-t-elle.

— Merveilleusement, répondit Sami. Ecoute, Lins. Comme je sais que Dan est absent, je me demandais si on ne pourrait pas prendre une tasse de thé quelque part après le travail ?

— Bonne idée. C'est exactement ce qu'il me faut.

— Retrouve-moi au salon de thé Browne's dès que tu auras terminé.

— Par ici !

Lindsey reconnut les mèches blondes de Sami et la rejoignit à sa table. Après s'être embrassées, toutes deux s'installèrent dans le box.

Après avoir consulté le menu, elles commandèrent une théière et des sandwichs au concombre.

— Alors, quoi de neuf, Lins ? demanda Sami.

— Dan m'a demandée en mariage, répondit-elle sans préambule.

Depuis qu'elle l'avait dit à Vanessa, elle se sentait dans un état à la fois joyeux et proche de la nausée.

— C'est génial ! s'exclama Sami en joignant les mains. J'en suis tout émue. Vous allez si bien ensemble… Est-ce qu'on est invités ?

— En fait, je voulais te demander d'être ma demoiselle d'honneur.

— J'en serais ravie. A condition que ça ne soit pas dans

trop longtemps pour que je puisse encore entrer dans ma robe, ajouta Sami, le regard embué. Je suis enceinte, Lins…

Ce fut au tour de Lindsey d'être stupéfaite.

— Oh ! c'est merveilleux ! Félicitations.

— Merci. C'est un peu plus tôt que prévu, mais…

Lindsey en avait les larmes aux yeux.

— Et comment te sens-tu sur le plan de la santé ?

— Très bien, si ce n'est que j'ai tout le temps envie de dormir.

Dormir. Une sonnette d'alarme résonna dans la tête de Lindsey.

— Maman disait toujours qu'elle aurait pu s'endormir n'importe où quand elle nous attendait, Cait et moi, poursuivit gaiement Sami. On vient à peine de ranger la maison qu'il faut qu'on s'occupe de la nursery. Quant à Nathan, il est au septième ciel. Il sera un papa fantastique.

Ce n'était pas possible…, songea Lindsey. Elle s'imaginait des choses. Elle avait bien eu ses règles — mais beaucoup moins abondantes que d'habitude.

Machinalement, elle avala une gorgée de thé en écoutant distraitement le babillage de son amie. Il fallait qu'elle en ait le cœur net.

— Je te trouve bien pâle, Lins, lui dit Sami au moment de la quitter. Travailler dans un hôpital ne te vaut rien au teint.

Y aurait-il seulement un mariage, maintenant ? se dit Lindsey en allant acheter un test de grossesse dans une grande pharmacie où personne ne la connaissait. C'était la dernière chose qu'elle se serait attendue à faire aujourd'hui quand elle s'était levée ce matin.

En arrivant chez elle, elle alla droit dans la salle de bains avec l'impression de tenir une bombe entre les mains. Une bombe qui allait faire exploser ses projets d'avenir avec Dan. Il lui avait dit que, après l'événement tragique qu'il avait vécu, il n'était pas pressé de refaire l'expérience de la paternité.

Elle ne pouvait pas le mettre devant le fait accompli, comme Caroline avant elle. Il n'en était pas question.

Le test était positif.

Sentant ses jambes la lâcher, elle se laissa tomber sur le bord de la baignoire.

« Je vais avoir un bébé. *Nous allons* avoir un bébé. »

Elle resta assise là un long moment. Puis elle se releva, étonnamment calme, prit une douche et se lava les cheveux avant de se mettre en pyjama.

Une fois dans la cuisine, elle brancha la bouilloire, un léger sourire sur les lèvres. Il faudrait peut-être qu'elle arrête de boire autant de thé.

Elle allait se faire porter pâle pour demain. Elle avait besoin de temps pour elle. Pour planifier son avenir et celui de son bébé.

Le jour suivant...

Lindsey avait dormi très profondément, mais plus les heures passaient, plus elle sentait la panique la gagner. Elle aurait tant voulu que Dan soit là pour pouvoir tout lui dire. Et s'il s'en allait, elle se débrouillerait toute seule. Elle pourrait même aller en Ecosse, chez James et Catherine, et avoir son bébé là-bas...

La sonnette de la porte d'entrée la tira de sa réflexion. Avec un soupir, elle alla ouvrir en souhaitant que ce ne soit pas Vanessa qui venait lui parler des préparatifs du mariage !

Elle ouvrit la porte presque impatiemment et se figea.

— Dan !

Déjà, elle avait commencé à penser à son retour, mais en le voyant debout devant elle, en chair et en os et en treillis, tous les discours qu'elle avait préparés furent instantanément oubliés.

— Quand... quand es-tu rentré ? demanda-t-elle d'une voix à peine audible.

— J'ai atterri à Sydney à l'aube. Comme il n'y avait pas de vol pour Hopeton avant des heures, j'ai pris un taxi.

— Depuis Sydney !

— J'avais besoin de voir ma chérie.

Dan la suivit dans le salon.

— J'ai téléphoné à l'hôpital, mais on m'a dit que tu étais malade alors je suis venu directement ici.

Il l'enveloppa du regard. Elle ne devait guère ressembler à la Lindsey qu'il aimait.

— Es-tu vraiment malade ? ajouta-t-il en lui prenant les mains.

— Non… Pas vraiment.

Elle était juste malade d'inquiétude.

— J'ai eu besoin d'avoir une journée pour moi, c'est tout.

— Ah…

Les yeux brillants comme des saphirs, il sourit.

— Dans ce cas, c'est raté.

Soudain, sans savoir pourquoi, Lindsey fondit en larmes.

— Hé ! Qu'est-ce qui ne va pas ? demanda-t-il, l'air inquiet.

Il la guida jusqu'au canapé et la tint contre lui jusqu'à ce qu'elle se calme.

— Oh ! Dan…, murmura-t-elle en enfouissant le visage dans son cou.

— Tout va bien, Lindsey, dit-il. Je t'aime. Quoi qu'il se passe, tu peux me le dire.

C'est justement le problème, songea-t-elle avec désespoir. *Je ne sais pas comment le dire.*

— Est-ce que tu ne veux plus de moi ? demanda-t-il.

— Quoi ? Bien sûr que non.

Elle renifla et prit la boîte de mouchoirs.

— Cela ne me ressemble vraiment pas, dit-elle, en s'efforçant de sourire.

— Ça va mieux ?

Quand elle hocha la tête, il glissa un bras derrière elle, sur le dossier du canapé.

— Maintenant, Lindsey, dis-moi tout. S'il te plaît.

Il lui caressa la nuque du bout des doigts.

— Je n'y tiens plus, ma chérie. Que se passe-t-il ?

— Je suis enceinte. Nous allons avoir un bébé.

Le silence tomba dans la pièce.

Un bébé. Dan eut l'impression que son cœur avait doublé de volume. Pendant une seconde, il fut sur le point de perdre le contrôle, puis il se calma et fut en mesure de réfléchir.

— Nous avons toujours utilisé des préservatifs.

— Les accidents arrivent.

Il y eut un nouveau silence.

— Est-ce que j'ai gâché ta vie ? demanda-t-il avec calme.

Comme Lindsey le regardait visiblement sans comprendre, il ajouta :

— As-tu envie d'être enceinte ?

Elle se secoua.

— Es-tu en train de me demander si je veux ton bébé, Dan ? *Notre* bébé ? C'est plutôt à moi de te le demander. Parce que si tu n'en veux pas…

Il l'interrompit d'un baiser. D'abord brusque, puis très doux.

— Laisse-moi le temps de me remettre du choc, Lindsey. Mais je crois que je suis surtout transporté de joie.

— Vraiment ?

— Tu craignais que je ne le sois pas ? Notre bébé…

Doucement, il posa une main sur son ventre comme s'il espérait déjà sentir des changements.

— Quand l'as-tu su ?

— Seulement hier.

Elle lui raconta sa discussion avec Sami et comment elle avait reconnu chez elle certains symptômes de son amie.

Dan se mit à rire.

— Nathan va être papa !

Elle noua les mains autour de son cou.

— Nos bébés vont grandir ensemble, ça va être super…

Il lui embrassa les cheveux.

— Et toi ? Est-ce que tu te sens bien ?

— Je crois, murmura-t-elle.

— Y a-t-il un gynéco que tu préfères ?

— Therese Gordon. Et ne le prends pas mal, Dan, mais je préférerais que tu ne sois pas tout le temps là.

Il avait pourtant des milliers de raisons de vouloir être là, après la dernière fois. Cependant, il n'y avait aucune raison de penser que la grossesse de Lindsey ne se passerait pas parfaitement bien. Il devait garder cela en tête.

Il inspira profondément.

— Entendu. Je promets de ne pas me montrer complètement névrotique. Mais j'aimerais être là pour les scanners et les échographies.

— Et moi, je veux t'avoir avec moi. Comme n'importe quel futur papa.

Elle l'embrassa sur la bouche.

— Je t'aime, Dan. Et là, il s'agit de *nous*.

Mentalement, il décida d'abandonner toutes ses incertitudes.

Lindsey se blottit contre lui.

— Je suis si contente que tu sois rentré. C'était comment ?

— Un peu difficile, mais on s'en est sorti. La situation est en train de revenir rapidement à la normale. As-tu réfléchi au mariage ?

— Pas encore. Je commençais juste à m'y habituer quand j'ai découvert que j'étais enceinte...

Il lui prit le visage entre ses mains.

— Tu ne croyais tout de même pas que j'allais me défiler ?

— J'espérais que non... Mais tu avais dit que tu ne voulais pas être papa...

— Je n'avais pas encore compris que je venais de rencontrer l'amour de ma vie...

Elle lui sourit.

— Pour le lieu du mariage, tu as une préférence ? lui demanda-t-elle.

— Lark Hill. Si tes parents sont d'accord. C'est ce qui nous ressemble le plus, tu ne crois pas ?

— C'est parfait. Il y a un endroit magnifique au milieu des vignes où nous pourrons échanger nos vœux.

— Et pas trop de monde. Juste nos familles et amis proches, quelques personnes de l'hôpital et Nathan et Sami comme témoins. Peux-tu encore prendre quelques jours de congé ?

— Oui. Pourquoi ?

— Je voudrais qu'on s'envole demain pour Melbourne afin que tu fasses la connaissance de ma famille, dit-il.

On les emmènera tous dîner au restaurant et tu porteras ta bague de fiançailles.

— Oh…

— Je veux que tout soit parfait.

« Cette fois », ajouta-t-il silencieusement.

13.

Quelques semaines plus tard, le samedi.
Un mariage à Lark Hill…

En ce milieu de la matinée, la journée était claire. Une allée avait été aménagée pour le mariage entre les rangées de vignes, et un quatuor à cordes jouait en sourdine.

Dan attendait en compagnie de Nathan et les invités étaient assis. Tout en étant décontractée, l'atmosphère était empreinte de gravité.

Maintenant, Vanessa et Charlie sortaient officiellement ensemble, et elle lui agrippa le bras quand la musique changea : la mariée arrivait.

— Mon Dieu, qu'elle est belle ! Je savais qu'elle porterait de la dentelle. Regarde, Dan va à sa rencontre. Oh ! C'est trop romantique…

Elle se mit à pleurer de joie et Charlie, un sourire un peu gêné aux lèvres, lui tendit son grand mouchoir rouge.

Les mariés arrivèrent dans la salle de réception déjà pleine de rires et de musique.

— Dr et Mme Rossi, annonça Nathan, jouant le maître de cérémonie.

— Ça sonne bien, décréta Dan en embrassant la mariée devant tout le monde. Tu es à couper le souffle, Lindsey Rossi.

La vieille demeure avait été décorée de fleurs fraîchement coupées et un somptueux buffet était exposé sur la longue table de la salle à manger. Des fauteuils et des canapés confortables attendaient un peu partout les invités qui pouvaient aussi se promener sur la galerie, dans le jardin ou sur la terrasse.

Lindsey attira l'attention de Dan sur le gâteau de mariage décoré de myosotis. Sur le dessus, il y avait simplement écrit :

« AMOUR »

— C'est le cadeau de Fiona, dit-elle.

— J'ai toujours su depuis le début qu'elle m'appréciait, répondit-il, une lueur malicieuse dans les yeux.

Main dans la main, ils gagnèrent la terrasse qui avait vu le début de leur histoire d'amour. Dan lui embrassa le bout des doigts.

— Je t'aime, lui dit-il pour la énième fois. Veux-tu danser avec moi ?

— N'est-on pas censés attendre la fin des discours et que le gâteau soit coupé ?

Dan ne fut nullement impressionné.

— C'est *notre* mariage, on peut faire ce qu'on veut.

Il la prit par la taille et elle noua les bras autour de son cou.

— Heureuse ?

— Oui, répondit-elle, les yeux brillants de bonheur. Vous êtes un homme très charmant, Dan Rossi.

— Et bon danseur, de surcroît.

Il la serra contre lui. Aujourd'hui, sa merveilleuse Lindsey était devenue sa femme. Il ne doutait pas que leur mariage serait solide et réussi. Il était l'homme le plus heureux de la terre.